UNION GÉNÉRALE D'ÉDITIONS
8, rue Garancière - Paris VIe

SORCIER

PAR

JIM HARRISON

Traduit de l'américain
par Serge LENTZ

10│18

Série « Domaine étranger »
dirigée par Jean-Claude Zylberstein

ÉDITIONS ROBERT LAFFONT

Titre original:
Warlock

© Jim Harrison 1981.
© Éditions Robert Laffont 1983
pour la traduction française.
ISBN-2-264-01287-0

A Bob Dattila

PREMIÈRE PARTIE

J'ai eu une vision étrange. J'ai fait un rêve qui se situait si loin au-delà de l'imagination des hommes que nul ne saurait dire de quoi il s'agissait. L'homme ne serait qu'un âne s'il tentait d'interpréter ce rêve (...), car l'œil de l'homme n'a jamais entendu, l'oreille de l'homme n'a jamais vu, la main de l'homme jamais goûté, la langue de l'homme jamais conçu, ni son cœur jamais raconté ce qu'était mon rêve (...). Nous le nommerons « Le Rêve du Fond » parce qu'il n'a pas de fond et je le chanterais dans la dernière partie de notre pièce (...); afin de le rendre encore plus touchant, je chanterais pour la mort de Thisbée.

WILLIAM SHAKESPEARE
Le Songe d'une nuit d'été
(acte IV, scène I)

1

Sept années sont venues et se sont dissoutes. Voilà! Le temps passe et on se prépare à des événements qui ne se produisent jamais. *Frère Jacques, Frère Jacques, dormez-vous? Dormez-vous? Est-il l'heure de dormir, ô frère, mère, père, sœur?* Et d'ailleurs, de quelle heure s'agit-il? L'heure sidérale, l'heure de prendre un verre, l'heure de dîner, de se lever, de s'asseoir, l'heure de prier, l'heure de faire l'amour, d'ouvrir les fermetures Éclair et de soulever les jupes... Le bébé émergea le 11 décembre 1937 à douze heures, onze minutes et trente-sept secondes. Au même instant, un éléphant se faisait tuer par un éclat de météorite dans un coin perdu de Tanzanie, Hitler se brossait les dents avec vigueur et Einstein étouffait un bâillement.

Il est toujours pénible d'être éveillé par la sonnerie du téléphone, mais c'est infiniment plus pénible lorsqu'on tient une énorme gueule de bois et qu'on découvre la mort d'un être cher, surtout s'il s'avère qu'on est soi-même l'être cher en question. Bien sûr, le téléphone ne sonnait que dans son rêve, mais Johnny l'ignorait. Il sortit du lit avec l'impression d'être devenu très léger — ça prouve au moins que mon nouveau régime est efficace — puis il flotta comme une bulle à travers la salle à manger, flotta encore jusqu'à la cuisine. La sonnerie cessa. Et il se vit, là, étalé comme une crêpe au beau milieu du sol. Son visage violacé évoquait la teinte d'une gigantesque prune tombée par hasard sur le linoléum jaune. Alors, il flotta en sens inverse vers la chambre à coucher et se mit à hurler comme un dément en secouant sa femme afin de la réveiller.

« Je suis là-bas, par terre, et je suis mort. Mort !

— Mais non, chéri. Tu es ici. » Diana se dressa sur les genoux, le visage marqué d'inquiétude, le drap tombant de son épaule.

« Je suis dans la cuisine et je suis mort. » Il sanglotait et donnait de grands coups de tête dans le ventre de sa femme. « Par terre, aussi mort qu'un marteau, sacré nom de Dieu ! Va voir !

— J'espère pour toi que ce n'est pas une autre dinguerie que tu viens d'inventer pour me sauter au milieu de la nuit. »

Non, il paraissait sincère ; un mouvement convulsif agitait ses épaules. Elle sortit du lit en le repoussant comme un paquet de linge. Pour la première fois en sept ans de mariage, il oublia de poser son regard sur le magnifique derrière de sa femme — ô portes de l'enfer ! Et ce n'est pas parce que le derrière en question était souligné par l'ourlet d'une courte nuisette en satin achetée par correspondance dans une maison spécialisée de Los Angeles... ce n'est pas pour cela qu'il était magnifique. Il était magnifique parce qu'il était, tout simplement, un des plus parfaits derrières de la Création, un derrière situé au-dessus de toute comparaison. Diana revint de la cuisine :

« A part la poubelle renversée, il n'y a rien sur le sol de la cuisine. J'aurai la générosité de croire que tu n'en es pas encore au stade où l'on peut te confondre avec une poubelle. Il me reste deux heures de sommeil avant d'aller travailler.

— J'ai dû rêver », dit-il sans conviction.

Il avança une main vers le prodigieux derrière. Il lui semblait que la divine croupe avait une façon curieuse de s'adresser à lui, directement, un peu comme ces débiles mentaux plantés devant leur télévision et qui croient que les présentateurs ne parlent qu'à eux seuls.

« Oh, pour l'amour du ciel, pas maintenant. Je ferai tout ce que tu voudras après le travail, mais laisse-moi dormir.

— Tout ce que je voudrai ? demanda-t-il en ricanant. Eh bien, pour la peine, je vais te mitonner un dîner inoubliable. Poisson, gibier, volaille, veau, porc... Fais ton choix, mon bébé, et tu le trouveras sur la table en rentrant. » Il faisait l'idiot mais, en fait, il était ivre de plaisir de se savoir toujours vivant.

« Chéri, je t'en prie. Laisse-moi. »

Il s'habilla rapidement et alla flanquer un coup de pied au chien Hudley pour le punir d'avoir renversé la poubelle, une fois de plus. C'était un rituel fréquemment répété et parfois mystérieux. Pourquoi diable un chien voudrait-il goûter au fruit défendu d'un reste de choucroute ?

Il était cinq heures du matin et le jour se levait ; en juin, sous ces latitudes élevées, l'aurore est précoce et, cela, pour des raisons que le lecteur pourra détailler dans n'importe quelle encyclopédie. (Johnny, lui-même, possédait la quatorzième édition de l'*Encyclopaedia Britannica* publiée en 1929 et appréciait le fait que cela lui épargne la désagréable surprise de tomber sur des images de chasseurs à réaction ou sur ces schémas d'atomes en train d'exploser avec les conséquences désastreuses que l'on connaît.)

Il prit sa voiture, emmena le chien et descendit vers le rivage du lac Michigan, à quelques kilomètres. C'était un de ces matins ombreux, à la fois chatoyant et blafard ; l'air immobile et déjà chaud paraissait tissé d'une fine mousseline verte et on aurait pu se croire dans un pays de conte de fées, un pays où tout se passerait toujours très bien. Le chien entra dans le lac et plongea complètement la tête dans l'eau ; c'est ainsi qu'il buvait. Il ouvrait la gueule et laissait entrer l'eau. Johnny se demanda depuis combien de temps il ne s'était pas levé de si bonne heure. Il songea qu'à son âge — quarante-deux ans — il était temps d'avancer le gros réveil qui trônait sur la table de nuit et de goûter plus souvent à la sérénité de la terre, loin de la frénésie qui agite le monde quelques heures plus tard. Bien que le rivage opposé soit hors de vue, Johnny avait le sentiment gênant que le lac méritait d'être plus grand. Et pourtant, il s'étendait sur plus de six cents kilomètres vers le nord, tellement au nord que Chicago était très vite oublié. Et l'eau était si claire, si pure... Il se demanda pourquoi il désirait que le lac soit plus grand. Puis sa pensée se clarifia et il se souvint que le Pacifique lui avait toujours paru plus vaste que l'Atlantique. Son cauchemar revint soudain avec tant de force qu'il se retourna fébrilement, cherchant du regard quelque chose de vivant afin de se convaincre qu'il était bien sorti du monde des songes. Hudley passa devant lui, en courant, faisant fuir quelques mouettes avec une maladresse rassurante.

La surface du lac frémissait à peine et offrait un décor peu propice à ses rêves morbides ; au large, très loin, on trouvait les îles Manitou. Johnny savait qu'elles étaient supposées abriter le Grand Esprit, mais il ignorait les détails de cette croyance. Même les hippies les plus crasseux s'accordaient à dire que les pauvres Indiens de la région présentaient bien moins d'intérêt que ceux des montagnes Rocheuses. Il y avait beau temps qu'ils avaient abandonné leur bimbeloterie de turquoise pour le confort plus rationnel du poêle à bois. Le nom secret de Johnny était son seul lien avec les Indiens d'Amérique. Ce nom lui avait été décerné trente ans plus tôt alors qu'il était scout et qu'on allait l'introniser dans l'ordre sacré des Webelos. Le chef de troupe qui dirigeait également l'orchestre du collège était une sorte de visionnaire ; il lui plaisait de doter ce garçon morose d'un nom qui le ferait basculer dans les replis les plus sombres du ciel : Sorcier. Il se nommerait Sorcier. Et depuis ce jour, dans le cadre secret de ses pensées, il était Sorcier. Moins d'un an plus tard, le chef de troupe fut expulsé de la ville pour avoir été surpris en pleine frénésie sodomite près des latrines d'un camp d'été.

Il réalisa subitement qu'en restant face à l'ouest, il n'avait vraiment aucune chance d'assister au lever du soleil. Il poussa le gros chien à l'arrière de son break Subaru et roula en direction de l'est, vers l'autre rive de la péninsule de Leelanau. Alors qu'il traversait le village, le soleil s'éleva au-dessus de l'horizon. L'épicerie locale, son point de chute favori, était encore fermée et n'ouvrirait pas avant une bonne heure. Il avait retrouvé une respiration profonde et régulière, loin de ce cadavre à tête de prune. Il dirigea la grosse voiture vers sa maison dans l'espoir que, à son réveil, Diana pourrait lui consacrer le temps d'une ou deux mignardises. Il eut un choc en traversant une route qu'il ne connaissait pas. Depuis plus d'un an qu'il était au chômage, il avait l'impression d'avoir parcouru tous les chemins et toutes les voies figurant sur la carte. Et voilà qu'on lui en mettait une nouvelle sous le nez.

La route était dissimulée par un bouquet d'arbres et avait l'air d'une entrée privée. Un panneau indiquait qu'il s'agissait d'une impasse. Il roula sur quelques centaines de mètres et se retrouva dans la cour d'une ferme en ruine. Les vandales étaient déjà passés et des débris de toutes sortes jonchaient le sol. Il autorisa Hudley à effrayer une brassée de pigeons et remarqua qu'à travers l'une des fenêtres béantes de la ferme il avait une vue plongeante sur les îles Manitou, au milieu du lac. Magnifique. Il contourna la maison et alla encadrer le soleil rouge au milieu d'une autre fenêtre. Posant un regard qu'il estimait artiste sur les ruines qui l'entouraient, il les jugea « intéressantes » et repartit.

En arrivant à la maison, il éprouva une pointe de déception en constatant que Diana était déjà levée. Il but un verre d'eau glacée tandis qu'elle s'activait auprès d'une cafetière électrique achetée sur la foi d'un message publicitaire, à la télévision.

« Un petit coup, en vitesse ? proposa-t-il en la suivant dans la chambre où elle enfila son uniforme d'infirmière.

— Pas le temps, mon chéri. Et sois gentil, pour le dîner de ce soir, quelque chose de simple. Vas-y doucement avec le piment de Cayenne.

— Ah misère ! J'ai même pas pu tirer un coup et, en plus, on critique ma cuisine. Est-ce que tu as au moins le temps de me border ? demanda-t-il sournoisement.

— Oui, mais fais vite. »

Elle tapota du bout du pied tandis qu'il s'arrachait de ses vêtements et se précipitait dans le lit. Diana avait été la seule fille au milieu de quatre frères ; elle en gardait une profonde connaissance des hommes et de leurs besoins. Elle remonta le drap, l'arrangea autour du cou de son mari qu'elle embrassa sur le front. Johnny était un dormeur hors pair et il sombrait déjà tandis qu'elle se brossait encore les cheveux. Elle remarqua que ses sourcils s'épaississaient. La cuisine épicée et les cauchemars absurdes ne lui avaient guère donné le temps de goûter tout le sommeil que mérite une assistante chirurgicale. Juste avant de partir, elle le regarda une dernière fois. Le pauvre, songea-t-elle, il vient seulement de réaliser que lui aussi, il va mourir un jour...

En fait, Johnny rêvait qu'on lui dictait des instructions. C'était un de ces songes assez rares où une voix se fait entendre pour donner des conseils ou des ordres. Et la voix lui commandait de changer de vie. L'été précédent, sa grand-mère de quatre-vingt-seize ans avait évoqué une voix semblable, entendue en pleine nuit : d'abord elle avait perçu un cantique chanté en suédois sur un registre de soprano, puis le déferlement puissant d'une large rivière et enfin la voix qui disait d'un ton impératif : « Ne retourne jamais à Milwaukee. Il y a de la boue dans les rues de Milwaukee. » Johnny décelait des accents prophétiques dans le rêve de sa grand-mère. Il se dit que, si un évangéliste à la mode faisait le même songe, ce serait un désastre pour l'activité touristique de Milwaukee. Il était moins facile de changer de vie, de jeter son gant à la face de l'existence. Profondément enfoncé dans son sommeil, Johnny fit quelques essais. Il devint tour à tour cowboy, pompier, fermier, marin se dressant à la proue d'un brigantin sur des eaux noires comme du charbon. C'était une suite de brutales initiations troublées, vers la fin, par la vision de Johnny se faisant faire une pipe par une vieillarde, quelque part en Espagne. Son visage ressemblait à une noix épluchée mais sa voix, tout en suçant, s'élevait comme celle d'un oracle barytonesque et venait en réalité des profondeurs d'une mare formée sous un arbre déraciné.

2

L'ennui, c'est qu'on ne change pas impunément de peau. Pour s'en convaincre, il suffit d'observer l'état de déroute mentale qui est souvent le propre des acteurs. Il faut les rencontrer. Il faut voir la folie tourbillonner dans leur regard.

John Lundgren-Sorcier médita sur les aspects et les perspectives de sa nouvelle vie en déjeunant d'un reste de *Hasenpfeffer* — un civet de lapin à l'allemande. La veille, au dîner, Diana avait modérément apprécié le plat. En cuisinier néophyte, John ne comprenait pas encore qu'une main trop lourde sur les épices pût avoir des effets désastreux. A présent, il chipotait dans son assiette, promenant sa fourchette parmi les pâtes afin de les imprégner de la sauce brune. Vers la fin de la cuisson, il avait distraitement ajouté six gousses d'ail et s'était vu forcé de reconnaître, avec Diana, que le résultat final était plutôt brutal. Brutal mais puissant, ajouta-t-il pour se disculper.

« Tu ne pourrais pas la boucler de temps en temps ? lui demanda-t-elle.

— Désolé, chérie. C'est la première fois que je me lance dans le *Hasenpfeffer*.

— Je suis également désolée. Nous avons perdu un malade aujourd'hui.

— Quel âge ?

— Le même que le tien, à peu près. Mais terriblement obèse. C'était monstrueux de faire un massage cardiaque sur une poitrine aussi grasse et poilue. »

À quarante-deux ans, John se découvrait un intérêt nouveau pour les indices de mortalité. Les chroniques nécrologiques de *Time Magazine* lui paraissaient plus poignantes qu'autrefois.

« Ce n'est guère un sujet de conversation pendant le dîner », dit-il en désignant son assiette.

Diana repoussa la sienne, presque pleine, et alluma une cigarette.

« Il s'est complètement répandu sur les draps. La grosse commission, si tu vois ce que je veux dire. La veille, il avait participé à un de ces concours idiots... à celui qui mangera le plus de pizzas dans le temps le plus bref. Il pesait plus de cent cinquante kilos. Dans la vie, il conduisait un fourgon postal. Il laisse une femme et deux jeunes enfants. Pendant qu'il mourait, les gosses étaient dans la salle d'attente et lisaient des histoires d'épouvante.

— Diana ! » Il continua de manger, mais le cœur n'y était plus.

« C'est toi-même qui m'as conseillé de me détendre après le boulot. »

Et maintenant, tandis qu'il remuait les pâtes brunes du bout de sa fourchette, il songeait que le travail d'une infirmière attachée aux urgences était générateur d'une certaine insensibilité. Encore chargé des relents de son rêve morbide, il se demanda dans quelle mesure cet état d'esprit serait compatible avec la nouvelle vie qu'il se proposait de mener. Diana était d'une nature qui tendait vers l'acerbe, le caustique ; il jugea préférable de garder le secret sur sa conversion jusqu'à ce qu'elle soit complètement établie. Il posa son assiette sur le sol et la poussa vers Hudley, un airedale massif. Le chien donna un seul coup de langue et se détourna aussitôt du *Hasenpfeffer*. Hudley n'avait jamais refusé de nourriture auparavant, pas même la feuille de laitue ou le biscuit relevé au Tabasco que John lui servait parfois en guise de punition. Hudley avalait tout. Lundgren-Sorcier l'avait acheté après avoir lu un article sur les airedales dans une revue spécialisée. On y parlait du « feu d'airedale » et cette expression le séduisait. A présent que le chien était adulte, il fallait bien reconnaître qu'il présentait des mœurs un peu particulières. Dès sa puberté, Hudley s'était pris d'une passion purement sexuelle pour les poubelles. Chaque fois qu'il en rencontrait une, il la renversait et se mettait aussitôt en devoir de l'enculer avec une ardeur presque hypnotique. Remarquable, constatait Diana ; ce chien est exactement le compagnon qu'il te fallait. Elle venait de la campagne et pour elle, les animaux d'agrément n'étaient que des incongruités. Elle traitait Hudley avec justice, certes, mais également avec sévérité. De son côté, Sorcier noyait le chien sous des flots de tendresse comme on le ferait pour un ami cher mais un peu obtus. Par voie de conséquence presque inévitable, Hudley nourrissait une véritable adoration pour Diana mais ne manifestait à Sorcier qu'une tolérance vite fatiguée, sauf lorsqu'il s'agissait de manger ou d'aller se promener en voiture. Pour le meilleur ou pour le pire, ce chien était la Rossinante de Sorcier. Vexé du peu d'intérêt que l'animal montrait pour sa cuisine, Johnny se dirigea vers le réfrigérateur et en sortit un paquet de fromage râpé dont il saupoudra abondamment le reste de civet. Hudley adorait le fromage, mais, même avec du gruyère en couche épaisse, il persistait à ne pas aimer le *Hasenpfeffer*. Il grogna, tourna en rond et s'endormit brutalement au milieu d'une tache de soleil filtrant par la fenêtre.

Autant pour la cuisine, se dit Sorcier. Revenons au futur. Planifions ! D'abord, prendre une douche. Ensuite, passer en revue chaque moment de la vie et voir comment il pourrait être... radicalisé ! Après tout, une simple mouche à vinaigre peut altérer le goût d'un verre de vin. Il suffit de savoir s'organiser. Passons maintenant aux choses plus spécifiques : il faut aller pointer au bureau de chômage. Puis prévoir le dîner. Envisager quelque chose de subtil plutôt qu'un civet froid en vinaigrette. Et Johnny se dirigea vers la douche en sautant à pieds joints, comme un très gros lapin.

A ce stade, on serait tenté de croire que Johnny Lundgren (*alias* Sorcier) souffrait de quelques courants d'air dans la cervelle ; on serait encore plus tenté de le penser en lisant son curriculum vitae. Mais ce serait une fausse indication car un curriculum n'est vraiment valable qu'à condition de s'appliquer à un moteur, un navire ou un immeuble.

Il avait traversé deux mariages de sept années chacun : le premier était un chaudron infernal où mijotaient ensemble le chagrin et l'ivresse. Il se termina le jour où Sorcier rencontra Diana dans une fête foraine. Il lui proposa aussitôt le mariage et elle accepta. Il la croyait aussi romantique que lui et, pourtant, quelque temps plus tard, lorsqu'il lui fit entendre une chanson de Bob Dylan où il était question d'une fille rencontrée dans une fête foraine, elle le surprit en éclatant d'un long rire sarcastique. Il en conclut que les chansons populaires n'éveillaient pas de grands échos en elle. Quelques nuits plus tard, tandis qu'il feuilletait le dernier numéro de *Playboy* à la recherche d'un bon article ou d'une plaisante paire de fesses, il entendit Diana accompagner de la voix un enregistrement du *Messie* de Haendel.

Debout devant le lavabo après une douche à peine satisfaisante, il essuya le miroir embué par la condensation afin d'observer sa bite. Très bien, jugea-t-il, elle est toujours à poste. Puis il examina le reste du corps et le trouva très acceptable... à condition de vouloir ignorer une certaine épaisseur amassée sur les hanches. Johnny mesurait plus d'un mètre quatre-vingts et pesait environ quatre-vingts kilos. Il avait toujours eu des problèmes de poids ; autrefois, l'armée de l'air lui avait ordonné de perdre au moins cinq kilos avant de l'accepter dans ses rangs. Il s'était liquéfié le lard et l'esprit en de longues séances de bain de vapeur. Il voulait devenir pilote mais sa candidature fut rejetée par la faute d'un léger stigmate dans l'œil droit.

En s'habillant, il ferma les yeux afin de retrouver l'atmosphère de ses rêves d'avenir : le matin légèrement verdâtre, l'eau limpide du lac, porteuse des promesses d'une nouvelle vie. Il partit à reculons et se laissa retomber sur le lit. Sorcier n'était ni bête ni velléitaire. Il avait un esprit curieux et n'était guère sensible aux modes, aussi bien vestimentaires que sociales. Alors qu'il était en sciences économiques, il s'était fait une joie d'agrémenter ses études par des cours impromptus de littérature, de philosophie et de psychologie. Il passait pour un sage auprès de ses condisciples. A ceux qui se plaignaient des difficultés de l'existence, il disait volontiers : « Va raconter tes misères à Anne Frank. » Lui-même se flattait de garder la tête froide en toutes circonstances.

Par exemple, quelques nuits plus tôt, après avoir fait l'amour comme des furieux, Diana et lui s'étaient allongés devant le téléviseur pour suivre une émission où une sociologue révélait à la masse des téléspectateurs que, selon ses recherches, quatre-vingt-cinq pour cent des femmes définissaient la masculinité d'un homme selon son aptitude à les entretenir correctement. Diana prit la main de Johnny dans la sienne avec une tendresse inhabituelle :

« Ne te laisse pas abattre.

— Je ne me laisse pas abattre.

— Tu finiras bien par trouver quelque chose. Ne te laisse pas déprimer par ces histoires. Toutes ces bonnes femmes ne sont que des connasses sans cervelle.

— Ne t'en fais pas pour moi, mon cœur. Je ne voudrais pas avoir l'air prétentieux, mais j'ai toujours fait les choses à ma manière.

— C'est terriblement prétentieux de dire ça. Tu devrais cesser d'écouter la radio... ou la télévision.

— Je m'intéresse à ce qui se passe dans le monde. Je veux savoir comment vit la planète au-delà de nos minuscules frontières.

22

— Tiens, voilà autre chose... Et pourquoi ne referais-tu pas des portraits, comme autrefois ?

— Pas question ! Changeons de sujet. »

Et ils se plongèrent à nouveau dans un intermède sexuel tellement passionné qu'ils en tombèrent du lit. Couché près de la porte, le chien grogna de déplaisir.

3

Sorcier était furieux. Marilyn, sa première femme, lui disait toujours : « Définis ta colère. » Elle manifestait un penchant exaspérant pour les formes les plus oiseuses de la psychologie. Durant un passage particulièrement rocailleux de leur mariage, elle avait absolument voulu le convaincre que leur problème venait du fait qu'ils n'avaient jamais « appris à se toucher ». Et peu importait que leurs exploits sexuels soient de nature à faire bafouiller d'envie les metteurs en scène pornographiques les plus éprouvés. Elle avait une manière inimitable de s'avancer vers lui, hanches en avant, comme si elle était Clint Eastwood et son minuscule clitoris un 44 magnum.

L'avenir lui appartenait, nom de Dieu ! Il venait de gaspiller une précieuse année à se débattre dans des pensées négatives et des poussées d'autocritique. Tout simplement parce qu'il n'y avait plus de place pour lui dans la fourmilière laborieuse de Traverse City. Il ballottait comme un voilier démâté sur un océan sans fond, constamment à la recherche d'une sorte d'équilibre. La perte soudaine d'un salaire annuel de quarante-cinq mille dollars, gagné en qualité de responsable d'un fonds d'investissement, lui avait brutalement ravagé les entrailles. Le rêve impliquait une nouvelle chance, une brèche dans la réalité, le soleil étincelant crevant enfin les nuages d'un orage d'été.

Il saisit une boîte de nourriture pour chien et l'ouvrit avec une vigueur toute neuve. Hudley s'approcha en émettant son grognement habituel.

« Ta gueule ! hurla Sorcier. Ferme ta gueule, espèce de connard ! » Le chien s'assit devant lui, visiblement étonné. Sorcier le prit par la peau du cou et souleva les quarante-cinq kilos de l'animal jusqu'à pouvoir lui crier dans le museau : « Bougre d'enfoiré de salopard de merde ! Tu entres encore ici en grognant et je te jure que je t'arrache la tête et que je la fous aux chiottes. T'as compris, crétin ? » Puis il le laissa retomber comme une serpillière. Après un moment d'hésitation, le chien se mit à manger avec une expression soucieuse, stupéfait par cette conduite sans précédent et ignorant les causes de cette brusque colère.

Sorcier alla se rafraîchir la tête sous le porche, respirant fortement afin de contrôler le flot d'adrénaline. Quelques instants plus tard, le chien gratta à la porte. Sorcier le fit sortir et Hudley vint se frotter contre sa jambe en remuant la queue. Le fascisme ! Avec les chiens, il n'y a que ça de vrai. Il réalisa que le fait de s'être conduit de manière différente lui avait éclairci les idées. Il espérait que l'occasion se présenterait à nouveau très bientôt. En attendant, le problème du dîner demeurait entier. Sous le coup d'une lubie, il avait acheté trois kilos de calmars congelés pour le prix dérisoire de soixante-quinze *cents* la livre. Mais il n'avait jamais mangé de calmars et n'avait aucune idée sur la manière de les préparer. Il se dit que ce serait sans doute l'occasion de vivre une nouvelle aventure, aussi modeste soit-elle. Sa colère provoquait en lui une étrange poussée de luxure et il envisagea de s'en défaire par une brève séance de masturbation. Mais il changea d'avis en songeant que cette dépense d'énergie se ferait, sans doute, au détriment de sa cuisine. Une fois, à New York, quelques années plus tôt, il s'était masturbé dans une chambre d'hôtel pour se consoler d'un atterrissage un peu violent à La Guardia ; il s'était endormi et avait raté une importante conférence à la Fondation Ford. Il s'était excusé en invoquant une crise de colite provoquée par l'émotion d'une catastrophe aérienne manquée de peu. Mais il frémissait encore en pensant que ces personnages terriblement importants de la Fondation Ford devineraient qu'en réalité, il s'était tapé la colonne en rivant son regard sur une photo de *Playboy* où une Californienne montrait son cul et le reste sans oublier d'exprimer un profond intérêt pour la planche à voile, le roman gothique et les intellectuels à moustache blonde.

Non, une branlette serait anti-productive : les calmars congelés exigeaient toute son attention et ses ressources. Le poulet rôti de l'avant-veille n'avait pas été une réussite et il admit qu'il serait temps de refréner ses impulsions créatrices au bénéfice d'un bon vieux livre de cuisine. Le poulet lui-même était succulent, mais, au moment de le servir, la farce à base d'huîtres qui faisait l'originalité du plat s'était répandue comme un filet de sécrétions fécales. Il dut reconnaître qu'une boîte d'huîtres congelées dans leur liquide nacré méritait d'autres utilisations.

« Oh, mon Dieu ! s'était écriée Diana.

— Ouais... c'est pas terrible.

— C'est peut-être bon quand même. Je pourrais essayer de le manger en fermant les yeux.

— Ah, c'est très drôle, vraiment ! Un plat n'a pas besoin d'être beau pour être bon.

— Excuse-moi. Donne-moi seulement une cuisse et une aile. Je te laisse la farce.

— Tu vas goûter à la farce, nom de Dieu !

— Rien à faire, bonhomme ! Le poulet n'est pas mauvais. Un peu sec, mais mangeable. Je parie que tu avais des idées cochonnes dans le crâne.

— Tout juste, Sherlock ! Comment as-tu deviné ?

— Tu as toujours la bouche légèrement entrouverte et ta langue sort de là comme la tête d'un gros serpent qui pointe hors de son marécage. Je parie même que tu pensais à une autre femme, espèce de gros lard !

— Je ne suis pas tellement gros. Cinq kilos de trop, au maximum.

— Dix, à mon avis. J'espère seulement que tu ne pensais pas à tu-sais-qui... mademoiselle Sombrero! »

C'était une histoire ancienne, mais le souvenir d'Isabella restait planté dans l'esprit de Diana comme une vilaine écharde. Six ans plus tôt, Sorcier avait confessé son infidélité en pleurant de grosses larmes. Après le choc initial, Diana l'avait consolé en l'assurant qu'elle lui pardonnait cet écart. Mais la soirée bascula à nouveau dans le drame lorsqu'elle annonça qu'elle avait elle-même quelque chose à confesser. Peu de temps après la fin de ses études, alors que Sorcier la considérait déjà comme sa promise, Diana était allée à Chicago afin de se constituer un dossier de mannequin chez un grand photographe du coin. Son père avait financé le voyage, convaincu que sa petite fille était la plus jolie chose au monde. Tandis que Johnny séchait ses pleurs, elle avoua que, durant une séance de pose, le photographe avait abusé de sa candeur. Sous le coup d'une intense surprise, elle n'avait pas trouvé le moyen de résister. Sorcier se dressa et se mit à arpenter la chambre, en proie à une formidable crise de jalousie.

« Tu veux dire qu'il t'a sautée, là, sur le tas? Pas même un petit câlin auparavant? Paf! Direct?

— Mais non, idiot. J'avais les yeux fermés. J'étais censée dormir... ou quelque chose comme ça. Il m'a eue par surprise.

— Je ne comprends pas.

— Puisque tu veux absolument que je te donne les détails obscènes... il a mis sa langue... et tout est parti de là.

— Ça a toujours été ton point faible. Mais enfin... je ne sais pas, moi... tu aurais pu lui arracher les cheveux, faire quelque chose. Il avait une grosse queue?

— Pas terrible. Moyen. Presque tout le monde est moyen.

— Et sur quoi te bases-tu pour dire ça? Hein, mademoiselle Promiscuité?

— Ça ne te regarde pas, gros lard. Je ne suis pas une rangée de tomates dans ton potager. Je n'allais quand même pas rester chaste sous le prétexte enivrant mais incertain de devenir bientôt ta femme! Et cesse d'arpenter ce tapis comme si tu étais le coup le plus formidable de la Création, espèce de nazi!»

La soirée fut désagréablement tumultueuse, mais la semaine qui suivit les amena à des excès de luxure tout à fait prodigieux, seulement troublés par l'arrivée des règles de Diana. Dans ce domaine, Sorcier demeurait un calviniste assez pointilleux. Et, le soir du poulet aux huîtres, il s'était retenu pour ne pas lui flanquer l'immonde bouillasse à la figure. Des larmes de rage forçaient leur passage, uniquement retenues par la vision fugitive du fameux rêve, au moment où il se faisait sucer à Séville. Est-ce que ça se passait à Séville? Le parfum fermenté des huîtres cuites le replongeait dans une nuit de pleine lune, à Corona, agrémentée d'une brise légère venant de Flushing Bay... et une employée aux archives qui se nommait Isabella et dont les traits espagnols (portoricains, plutôt) l'avaient complètement subjugué. Il lui avait chuchoté le numéro de sa chambre puis, ayant piqué sa curiosité, il lui avait offert un verre, puis un dîner... et ils s'étaient retrouvés sur le toit de sa maison de Corona, faisant l'amour sur un matelas, en plein air. Une nuit magique. A l'étage au-dessous, le cousin d'Isabella passait, sur son électrophone, des disques de chansons étrangères où il était question d'amour et de tourment.

Diana le tira de sa rêverie en agitant une cuisse de poulet devant ses yeux. Il rougit et revint à table.

« Je pensais à mon boulot. A mon ancien boulot. »

4

Trois sœurs de treize, quatorze et quinze ans jouaient dans les eaux du lac Michigan, devant une plage étroite de sable blond ; elles portaient des maillots de bain verts échancrés très haut sur les cuisses, selon la nouvelle mode. Sorcier ne les connaissait pas et n'avait nullement la preuve qu'elles soient sœurs ou que leurs âges se situent entre treize et quinze ans. Il venait de fabriquer cette idée, obéissant ainsi à un besoin irrépressible de créer et de consommer des éléments d'information purement spéculatifs. C'était un moyen de contrebalancer un sens de l'observation très approximatif. Il ne savait pas vraiment regarder autour de lui ; eût-il choisi d'être écrivain, il aurait consacré sa vie à rédiger une *Histoire de la pluie...* des origines à nos jours.

Les trois sœurs continuaient de jouer, inconscientes des pensées qu'il remuait, ce qui, à sa grande surprise, était assez fréquent. Jouez, fillettes ! C'est à ce moment qu'elles le remarquèrent et se retournèrent toutes les trois vers lui. Il agita le bras en direction de l'une d'elles dont le maillot, insinué dans la raie des fesses, produisait un charmant effet.

Il était cinq heures de l'après-midi et il ne restait qu'eux sur la plage. Le matin, il avait accompagné Diana à son travail en conduisant avec une expression intense qui ne reflétait rien de précis. Entre eux, sur le siège avant. son attaché-case Hermès témoignait de temps plus prospères. En quittant l'hôpital, elle dînerait légèrement et se rendrait ensuite à la réunion de son club féministe, un groupe qu'elle dirigeait avec autant de grâce que d'intelligence. Elle était issue de la campagne et bien résolue à ne pas y retourner. Mais ses origines lui donnaient une assurance qui lui faisait traverser la vie avec solidité et confiance. Seule fille au milieu de quatre frères et littéralement adorée par son père, elle avait été élevée dans une atmosphère assez rare d'estime à la fois paternelle et masculine. A trente-deux ans, elle n'avait pas une carie et détenait un quotient intellectuel supérieur à celui de Sorcier. Il s'en remettait mal. Ah, Grand Dieu ! Que ne ferais-je pas pour un gros salaire ?

Il tapota l'attaché-case puis franchit cette barrière et glissa sa main sous la jupe de l'uniforme immaculé de Diana. Vive les porte-jarretelles, bon sang ! Il lui arrivait souvent de conduire avec une main sous la jupe de sa femme, mais son usage presque exclusif des collants rendait ce genre d'exploration un peu dérisoire. Malgré cela, il fit remonter sa main et pointa le petit doigt en direction de la cible.

« Arrête ! Je ne veux pas arriver à l'hôpital dans tous mes états.

— Excuse-moi, je pensais à autre chose.

— Menteur ! Tu as raté ta chance, ce matin. Il fallait te réveiller plus tôt.

— La torpeur maladive du chômeur.

— Tu as trouvé cette expression dans le journal d'hier. Je l'ai lue également. Cesse de pêcher tes états d'âme dans la presse quotidienne.

— Tu as raison. Une heure avec le journal est une heure perdue. Autrefois, je me souviens, il ne me fallait que quinze minutes pour le parcourir.

— Cesse de te souvenir. Ce n'est pas bon pour toi.

— Encore un reflet de ta sagesse orientale ?

— Pour l'amour du ciel, Johnny... tout ce que je veux, c'est que tu retrouves ton épine dorsale et ta joie de vivre.

— Merci. Mais ne t'en fais pas. J'ai des projets. »

Le projet du jour consistait à passer l'après-midi sur la plage en évitant de tomber dans les épais nuages de moustiques qui infestent le Michigan au mois de juin. On racontait que des promeneurs égarés dans la forêt étaient morts sous les piqûres de ces maudites bestioles. Sorcier aimait assez les rites de la vie primitive à condition de ne pas y trouver de moustiques. Diana avait raison au sujet des journaux ; le temps gaspillé à les lire était une sorte de petite mort. La seule information récente encore attachée à sa mémoire concernait un couple de Brésiliens qui avaient disparu durant leur lune de miel. L'article racontait qu'au cours d'une promenade, le sol avait cédé sous leurs pieds et qu'ils étaient tombés dans une rivière souterraine. Mais l'Amérique du Sud n'avait aucun attrait aux yeux de Sorcier, tandis que la plage le faisait penser au grand Gauguin.

L'échec des ambitions artistiques de Sorcier était une blessure trop vive et trop profonde pour être reconnue. Poussé par sa mère, il avait gagné un badge de dessinateur, chez les scouts. C'est ainsi qu'il démarra sa carrière, à treize ans. Plus tard, à l'université, il se révéla un portraitiste très acceptable et cela lui permit même de financer une partie de ses études. Il peignit une quantité de femmes riches, d'hommes d'affaires, de politiciens et d'enfants. Ses compagnons d'études lui commandaient souvent des nus. Ils formaient une agréable bande de masturbateurs sans complexes et ces dessins venaient au secours de leur imagination. Une fois même, par pure gentillesse, il avait fait un nu masculin pour le seul pédé du groupe, une folle minuscule qui venait de Kalamazoo. Heureusement pour lui, le pédé était issu d'une famille très riche, ce qui lui permettait de jouir d'une paix relative.

Sorcier sentit son cœur se gonfler devant la beauté de la plage. Ah, être le frère de Gauguin ! Être Gauguin, tout simplement. Quelle force, quelle grâce, quelle énergie ! La mère de Sorcier était morte très tôt de dystrophie musculaire et cette disparition sonna le glas de ses aspirations artistiques. Sans sa mère pour le pousser dans cette voie, ce projet de carrière n'avait plus de sens. Son père, divisionnaire dans la police de Minneapolis, était proche de la retraite et il encouragea son fils à se diriger vers des diplômes plus constructifs. Le miroir changeant du lac le ramena à Gauguin. Le grand Gauguin aurait attiré les trois sœurs dans son atelier en trois coups de cuiller à pot. Durant l'été de ses vingt-deux ans, en 1960, Sorcier était parti pour New York en emportant une brassée de ses peintures. Il prit le car et, durant un arrêt-pipi à Pittsburgh, il se coiffa timidement d'un béret pour faire plus artiste. Ah, la vie de bohème ! Le bleu de l'océan ! Un autre de ses regrets était de n'avoir pu faire la guerre du Pacifique dans la marine, avec son père et ses oncles. Son père avait eu le privilège de serrer la main du général MacArthur et, sur le mur de son bureau, il y avait une photo pour le prouver.

L'une des filles en vert s'approcha ; sa marche dans le sable faisait rouler les muscles de ses jambes. Un mince duvet apparaissait à l'aine et l'on aurait dit que son pubis était une demi-pêche qui ne demandait qu'à jaillir du maillot. Sorcier en eut la gorge serrée.

« Vous avez une clope, s'il vous plaît ?

— Bien sûr, mais ce sont des *ultra light*. Il faut que je surveille ma santé.

— Mes cigarettes sont mouillées. On avait apporté un joint, mais il est également mouillé.

— Désolé, je n'ai pas de joint à vous offrir. Autrefois, il m'arrivait de fumer de l'herbe de temps en temps.

— Pourquoi vous ne fumez plus ? » Elle tira une longue bouffée et s'assit en tailleur à deux mètres de son visage.

« Je ne sais pas. Il me semblait que ça nuisait à mon intégrité. » Il était aux anges. La fille sentait bon le soleil.

« Intégrité mon cul ! Moi, j'aime bien m'envoyer en l'air.

— Vous êtes très jolie.

— Et alors ?

— Alors rien. C'était juste un compliment.

— Alors la prochaine fois, amenez-vous avec un joint et peut-être qu'on pourra faire de la musique. » Elle cligna de l'œil et s'en alla.

Il songea que la fille serait parfaite si seulement elle parlait comme Audrey Hepburn. Mais, quel que soit son langage et si l'occasion s'en présentait, il ne la laisserait certainement pas dormir sur la carpette.

5

En revenant à la maison, il se laissa tomber sur le lit, un peu abruti par le soleil. Il rêva tout éveillé à sa première conquête d'artiste, à New York, vingt ans plus tôt :

Elle retira son peignoir. Rien d'inhabituel, pensa-t-il. Elle vint s'asseoir près de lui, sur le lit, et il s'allongea en posant sa tête sur les genoux de la fille. Le mur s'ornait de la même affiche de corrida que celle dont il avait décoré sa propre chambre. Bizarrement, son corps dégageait des effluves rose pâle. Elle retira le béret qu'il avait conservé sur la tête et écarta légèrement les jambes.

« Encore un de ces cinglés d'artistes, dit-elle.

— Si on veut, oui.

— J'ai toujours voulu vivre la vie de bohème, mais je crois que je n'ai pas ce qu'il faut pour ça. »

Le visage niché entre ses genoux, il fixa son regard sur le pubis et le nombril. La fille avait un corps agréablement rondouillard.

« Je crois que c'était mon destin de devenir artiste. Enfin... de faire de l'art, quoi ! »

Elle écarta un peu plus les jambes.

« Tu ne crois pas qu'on est en train de perdre du temps ? observa-t-elle. Quelles sont tes préférences au lit ?

— Moi ? Je suis partant pour tout. » Il se redressa et commença à retirer sa chemise.

« Moi, je suis plutôt une buccale. On donne et on reçoit. Tu vois ce que je veux dire ?

— Je crois que je vois, oui. »

Il se livra à des contorsions compliquées afin d'ôter ses chaussures, son pantalon et son caleçon en même temps. Dès qu'il fut à l'air libre, elle se rua en avant et s'empara de son sexe comme pour démarrer un moteur de hors-bord. Si seulement le grand Gauguin pouvait me voir. Elle fit mine de viser, puis plongea et engloutit son pénis d'un seul coup. Ah, ça changeait sérieusement des mordillades confuses reçues à l'université ! Voilà, c'est ça, New York. C'est ça, Greenwich Village. Elle l'attira sur le lit, semblable à une implacable machine happante et aspirante. Elle se plaça de manière à pouvoir passer une cuisse par-dessus la tête de Johnny. Très vite, il tenta de ralentir le rythme forcené qu'elle lui imposait ; les poussées brutales du pubis sur sa bouche menaçaient de lui endommager sévèrement les lèvres.

Il y eut enfin un moment de répit et ils se rhabillèrent pour aller dîner dans un restaurant italien, à l'angle de Bleeker. L'endroit dégageait un charme désuet avec ses nappes à carreaux rouges et blancs, ses bougies fichées dans des bouteilles de Chianti et, étrangement, la même affiche de Manolete que chez la fille. Ils avaient faim et soif. Elle leva son verre et le choqua contre le sien.

« Le vin est la nourriture de l'amour. »

Il lui répondit par un regard qu'il tenta de rendre profond. Elle avait un peu l'allure d'une Walkyrie.

« J'ignorais que l'amour pouvait ressembler à ça.

— J'ai fait de mon mieux pour te faire plaisir, mon Johnny. » Elle prit sa main droite entre les siennes et l'embrassa.

Les pâtes étaient collantes mais la sauce marinara, agrémentée de petites saucisses, se révéla délicieuse. Il aimait le goût un peu vulgaire de l'ail, un assaisonnement totalement proscrit dans la maison de ses parents. La seule note discordante de ce dîner s'éleva lorsqu'elle l'empêcha de prendre du café après le repas.

« J'ai dit que le vin est la nourriture de l'amour. Pas le café. Le café et le sexe sont ennemis.

— Qui t'a dit ça ?

— Mon expérience... et elle en connaît un bout, mon expérience. Le café, c'est la mort. Crois-moi, Johnny.

— On ne peut quand même pas faire l'amour tout le temps à la même cadence.

— Johnny, les limites de l'homme sont fixées par l'homme et non par Dieu. Tu n'as probablement aucune idée de tes propres capacités. Peut-être que tu peux baiser sans débander pendant dix ou quinze heures.

— Peut-être. » Il était un peu dérouté par la verdeur de son langage.

« Très peu de gens connaissent leur véritable potentiel. Et quand il s'agit de baiser, ils se connaissent encore moins. Les hommes apprennent à jouer au football, au tennis ou à Dieu sait quoi, mais très peu font l'effort d'apprendre à baiser. »

Son esprit s'embrouilla. Il s'imaginait au collège, apprenant à faire l'amour comme on apprend à jouer au football. L'entraîneur lui disait : « Lundgren, mon gars, je vais faire de toi le meilleur brouteur de chattes de toute l'école et, si tu ne t'appliques pas, je te balance hors de l'équipe. Allez, mon vieux ! Vas-y, concentre-toi, fonce là-dedans, mets-y tout ton cœur. Hardi, petit ! »

Après une nouvelle séance aussi prolongée que la première, il découvrit, sous la lumière brutale de la salle de bains, que sa quéquette commençait à se râper de manière alarmante. Devait-il continuer malgré ses blessures ? La fille manœuvrait son outil dans tous les sens ; elle lui avait même ouvert la petite porte, une pratique que Johnny ne connaissait qu'à travers les gaudrioles de vestiaire, au stade. Il devenait urgent de dormir.

Elle était dans la cuisine, toute nue, assise sur un tabouret et tenant à la main un grand verre de nourriture d'amour. Il but un verre d'eau, puis avala, coup sur coup, deux petits whiskies. Ils poussèrent ensemble un grand soupir, elle parce qu'elle en voulait encore, lui parce qu'il n'en voulait plus et ne rêvait que de son lit et d'un bon livre.

« Ça t'intéresserait de connaître ma philosophie des choses ? » Du plat de la main, elle releva ses cheveux moites. « J'ai des particularités très spéciales. Tiens, par exemple, je suis née à Philadelphie et je ne vis à New York que depuis cinq ans. Pourtant, tout le monde croit que je suis d'ici. Eh bien non, je suis de Philadelphie. J'ai appris à programmer les ordinateurs et je travaille dur. Tu sais que j'ai été mariée ?

— Non, je ne m'en serais jamais douté.

— Oui, c'est la triste vérité. Il est mort dans la guerre de Corée. J'ai trente-cinq ans, mais je fais plus jeune. Tu ne trouves pas ?

— Si... enfin, je ne sais pas. Je ne suis pas très fort pour deviner les âges. Moi, ce qui m'intéresse, c'est l'être, pas son âge.

— C'est gentil. Bob était comme ça avec moi. Et moi, j'étais comme ça avec lui. Il était plus vieux que moi, mais il était chouette... et ces enfoirés de chinetoques me l'ont tué. Ils me l'ont tué. » Elle se mit à pleurer et il s'approcha pour la réconforter. « Oh, ça va maintenant. Dans le fond, quand je baise avec toi, c'est comme si je baisais avec Bob. Les hommes sont l'homme. Tu comprends ce que je veux dire ?

— ... Pas vraiment. » Il se sentait maladroit et stupide.

« Eh bien, ça fait partie de ma philosophie des choses, mais il est encore trop tôt pour la révéler à n'importe qui. Pour moi, il y a beaucoup de morts qui ne sont pas vraiment morts. Je les appelle les non-morts. Bob me revient sous des formes différentes. Peut-être bien qu'il est dans ta peau, en ce moment. Peux-tu me prouver que tu n'es pas Bob ?

— Ben non, je ne peux pas.

— Tu vois ! Même vos bites sont de la même taille, mais Bob avait les yeux bleus. La tienne est peut-être un peu plus épaisse. Moi, je crois à la toute-puissance de l'amour et lorsqu'on a enterré Bob dans le bled de ses parents, à Altoona, je savais qu'il n'avait pas vraiment disparu. Une fois, il m'est même revenu sous la forme d'un nègre. Je peux te dire ça, à toi, parce que tu es artiste et que tu n'aurais pas l'idée de me critiquer. »

Il la serra contre lui ; il se sentait pénétré de tous les chagrins étranges qui hantent le monde. Elle se releva, lui tourna le dos et se plia en avant sur la table de formica. Son derrière grassouillet se mit à onduler devant Johnny.

« Allez, encore un coup et après tu t'en iras. Je dois travailler tôt, demain matin. »

Il trouvait qu'il y avait en elle quelque chose de gracieux, bien que profondément triste, quelque chose d'océanique, de parfaitement vivant. En rentrant chez lui, il s'arrêta dans un snack de Sheridan Square où il avala deux portions d'œufs pochés et deux tasses d'anti-sexe. Plus tard, en regagnant ses humbles quartiers, il sentit sa queue frottant douloureusement contre le tissu du pantalon. Il songea que cette douleur très localisée était un véritable symbole de vie.

6

Il émergea de sa rêverie en face des calmars congelés, dans l'évier de la cuisine. C'est incroyable d'être encore aussi bête à quarante-deux ans. Il ne savait absolument rien des calmars, sinon qu'ils venaient de l'océan et qu'il était improbable de les voir revenir à la vie malgré le jet brutal du robinet. L'un d'eux était assez dégelé pour se détacher de la masse compacte que formaient ses congénères. Le chien se tenait près de l'évier et Johnny lui chatouilla la truffe avec les tentacules de la petite créature.

« Tu as de la veine que cette bestiasse ne fasse pas dix mètres de long, comme certains de ses cousins. »

Hudley goba le calmar, s'étouffa et le recracha aussitôt. Johnny décela une sorte de filament bizarre au milieu des tentacules. Malgré leur faible prix, l'achat des calmars lui paraissait soudain moins judicieux.

Il se versa un grand verre de vin rouge et s'installa à la table, en face d'une pile de livres de cuisine. Aucun ne parlait de calmar, de seiche ni même de pieuvre. Selon la loi inévitable des alternances, le rêve se teintait à présent du pire après avoir nagé dans le meilleur. La clarté de ses idées, le sentiment de grâce et de force qu'il avait éprouvé lui laissaient un goût amer en disparaissant dans les replis de la logique. Il fallait entreprendre de grandes démarches, mais les grandes démarches habituelles de l'homme concernent son travail. Or, il n'avait pas de travail. Sa mère étant morte, c'est sa tante qui avait amoureusement encadré ses diplômes universitaires afin de les lui offrir à Noël. Depuis, ils gisaient sur l'étagère supérieure d'un placard, en compagnie d'un entassement de numéros de *Penthouse, Playboy* et autres magazines semi-pornos. Johnny se tenait à l'écart du véritable porno. Il y avait également un godemiché électrique qui n'avait presque jamais servi et que Diana trouvait complètement absurde. Johnny songea qu'elle n'était pas le genre de femme à se laisser séduire par de tels artifices ; le seul fait de descendre la rampe de l'escalier à califourchon suffisait probablement à la mettre en transe.

Il se remémora l'activité échevelée qu'il déployait autrefois à vendre des ordinateurs pour le compte de Burroughs : les déjeuners-conférences express tenus dans les aéroports aux quatre coins du pays, les séances d'animation des ventes avec ses collègues, cette ambiance pleine de dynamisme et d'émulation... Tout cela s'était considérablement calmé au bout de quelques années. Puis il y avait eu la subite promotion qui l'avait expédié à la direction administrative d'un fonds d'investissement. Marilyn en était heureuse, mais son père, un agent de change qui vivait à Bloomfield Hills, manifestait une certaine réserve et recommandait à Johnny de rester dans les ordinateurs. Ce jugement se révéla prophétique car, un jour, le fisc se mit à inventer des procédures diaboliques pour démontrer que les fonds d'investissement n'étaient que des montages habiles destinés à frauder le Trésor. De toute manière, à ce stade, son mariage était déjà réduit à l'état de fumerolle sulfureuse. Il fut invité à donner une conférence au club économique de Sparte. Son titre : « Le Calvaire des fonds d'investissement. » Diana était présente, en compagnie d'un étudiant de dernière année qui posait des questions insidieuses. Cela les amena à se retrouver pour prendre un verre, après la causerie, dans le but officiel d'approfondir le sujet. Leur avenir se trouva scellé lorsque l'étudiant quitta la table pour aller pisser. Durant son absence, Johnny et Diana échangèrent un de ces longs regards silencieux qui trahissent le coup de foudre et en annoncent les conséquences, généralement désordonnées.

Le robinet coulait toujours. Il revint dans la cuisine et découvrit qu'il avait ouvert l'eau chaude, par erreur. Il se trouvait maintenant en face de trois kilos de calmars partiellement pochés et qui le regardaient sans amitié du fond de l'évier. Les yeux des calmars avaient quelque chose de brumeux et de déliquescent.

Sa respiration se bloqua. Il se rua vers la chambre et, sous une impulsion brutale, il prit ensemble les magazines semi-pornos, le godemiché et les diplômes. Puis il retraversa la cuisine en courant, suivi de Hudley qui gueulait comme un âne. Il jeta le tout dans une poubelle et y balança également quelques-unes de ces briquettes qui servent à allumer le barbecue. Il craqua une allumette et une grande flamme orangée s'éleva. Toujours gueulant, le chien courait en cercles concentriques autour du bûcher purificateur. Sorcier se recula, étonné par la chaleur qui se dégageait du feu, une chaleur qui traduisait sans doute les protestations de tous ces culs et de toutes ces chattes subitement sacrifiés. Il se retourna et regarda le soleil, un peu surpris de constater qu'il existait encore.

Il lui sembla que sa voix changeait de timbre lorsqu'il téléphona à un de ses vieux amis, à New York. Ralph Garth était poète, sculpteur, peintre, bon vivant et un peu escroc sur les bords. Ralph saurait ce qu'il fallait faire des calmars. Les mollusques lui semblaient moins redoutables depuis l'autodafé des magazines. Sur la recommandation de Johnny, une fondation spécialisée dans l'encouragement des arts plastiques avait attribué à Ralph une bourse destinée à le dégager de tous soucis financiers pendant un an. Les administrateurs furent un peu déroutés par les fruits de leur générosité. Après un an de travail, Ralph leur dévoila une énorme machine où des personnages en plâtre peint étaient articulés par des moteurs électriques. La composition se nommait *La Nouvelle Léda* et représentait un gigantesque cygne dont l'énorme sexe rouge vif plongeait gaillardement dans le fondement d'une majorette qui ressemblait curieusement à Diana. Lorsque la machine se mettait en marche, Ralph se tenait sur le côté, habillé en chauffeur de locomotive et lubrifiait les rouages à l'aide d'une burette de mécanicien. Un peu plus tard, Ralph parvint à s'immiscer dans le cadre d'un projet de la NASA qui s'intitulait « L'Art dans l'espace ». Cette fois, Ralph se proposait de projeter dans l'ionosphère un film d'avant-garde qui se nommait *Les Créatures de feu*. Avant la projection, il y eut un grand dîner auquel assistaient l'épouse du gouverneur qui se piquait de sens artistique, un officiel important de la NASA (qui s'avéra être une folle perdue), un président d'université et toute une brochette de célébrités mondaines. Et c'est ainsi qu'au cours d'une agréable soirée d'automne Ralph projeta le film dans les cieux sur un cylindre de lumière, un peu comme ces enfants qui pointent une lampe électrique vers la lune. Ce fut un succès marqué de francs applaudissements. Ayant appris ce que contenait le film, Johnny s'était fortement opposé à Ralph qui voulait le projeter *avant* le dîner. En effet, l'une des scènes montrait un travesti en train de déguster une assiette pleine de crottes de caniche. C'était un peu dur, pour ce genre de public. Diana voulut s'enquérir des raisons qui pouvaient pousser quelqu'un, même travesti, à vouloir manger des crottes de caniche. Ralph lui répondit que le royaume de la pensée étendait ses frontières bien au-delà des philosophies personnelles de Diana. Cette séance lui rapporta dix mille dollars de subsides grâce auxquels il passa l'hiver à se gaver d'osso bucco dans une petite île de la Jamaïque.

« Ralph ? C'est Sorcier... je veux dire Johnny.

— Salut, Johnny ! Qui est Sorcier ?

— Un alter ego. Dis-moi, j'ai des calmars. Comment est-ce que je les fais cuire ?

— S'ils ne sont pas frais, donne-les à des nègres. »

Ralph avait une attitude cavalière à l'égard des Noirs et prétendait qu'un groupe d'entre eux avait violé sa sœur. Après une brève enquête, Sorcier devait découvrir que Ralph n'avait jamais eu de sœur.

« Il n'y a pas de nègres dans mon coin et tu le sais bien. De plus, je ne suis pas sûr que les calmars soient frais. Ils sont congelés.

— Oh, misère ! Laisse-les se réchauffer jusqu'à température ambiante. Dès qu'ils auront atteint une consistance vaginale, tu fourres ton doigt dedans et tu leur sors les tripes.

— Ces filaments et ces bidules ?

— Exact ! Ensuite, tu les coupes en rondelles et tu prépares une marinade à base d'ail, de basilic, de thym, de poivre rouge et de tomates fraîches.

— Ici, en juin, il n'y a pas de tomates fraîches.

— Qu'est-ce que tu veux que ça me foute ? Tu ferais mieux de m'envoyer Diana, à New York.

— Ta gueule, Ralph. Ne recommence pas tes salades.

— Toujours aussi bêtement jaloux, hein ? Tu ne vois pas que tu l'étouffes, cette pauvre fille ?

— J'ai vu un truc qui devrait te plaire. On appelle ça les " Mâchoires de la vie ".

— T'es pas dans le coup, bonhomme. Je suis déjà branché et je suis en train d'en faire fabriquer une réplique dont je me servirai pour sortir trois pingouins empaillés d'une Ford en flammes. Ça se passera au stade de base-ball à l'occasion d'une grande manifestation artistique. Ce sera un truc unique. Tu veux que je t'envoie des billets ? »

7

Le dîner fut un succès, même si Diana ne put résister à la tentation de commettre quelques plaisanteries vaseuses sur les calmars. Il ne restait rien dans son assiette! C'était ça l'important. Certes, on pouvait regretter qu'elle ne se soit pas resservie, mais, dans l'ensemble, la bataille pouvait être considérée comme gagnée.

Tandis qu'il s'activait à nettoyer la cuisine, il pouvait entendre son rire, ainsi que celui de deux de ses amies, Louise et Gretchen. Sorcier en était assez agacé. Il était plus de minuit et les trois femmes se gavaient de popcorn en regardant une émission de télévision où une sociologue en renom parlait de masturbation. Il songea qu'autrefois — il n'y a pas si longtemps — on courait le risque de se faire fouetter en place publique si on parlait de telles choses à la télévision. « Le monde n'est plus ce qu'il était », dit-il aux femmes. Elles le traitèrent de vieux schnock démodé. Louise pesait quarante-cinq kilos et Gretchen atteignait facilement le double. Je parie qu'elles se gougnotent, songea Sorcier dans un élan vengeur. Il ne pouvait pas les sentir, et cette Louise décharnée et stridente l'exaspérait plus que toute autre. Ce serait un plaisir délicat de la parachuter au cœur de l'Afrique afin qu'un millier de bougnoules puissent la jeter aux cochons.

« Avoue que tu te branles, dit-elle à Johnny.

44

— Ça ne te regarde pas.

— Mais si, ça me regarde. Aussi longtemps que tu nous trouves critiquables, ça me regarde.

— Je ne me branle pas, c'est infantile.

— Infantile mon cul ! Diana, avoue qu'il se branle !

— Non, je ne crois pas.

— Il est trop malin pour se faire prendre en flagrant délit. Mais je suis certaine qu'il collectionne les magazines pornos.

— Je te parie mille dollars qu'il n'y a pas un seul magazine porno dans la maison.

— Johnny, gronda Diana. Tu sais bien qu'il y en a toute une pile.

— Mille dollars ! »

Diana alla vers le placard de la chambre tandis que Gretchen examinait les entassements de journaux qui se trouvaient dans le salon. Louise tapotait du pied en affichant une expression outragée. Sorcier remarqua que son pantalon était tellement collant qu'il révélait les détails les plus intimes de son sexe. Elle eut un sourire féroce en voyant revenir Diana.

« Ils ont disparu, dit Diana avec perplexité. Le godemiché a également disparu.

— C'est bien ce que je disais, conclut Johnny avec hauteur en retournant dans la cuisine.

— Je suis sûre qu'il se branle. Ils se branlent tous. C'est plus fort qu'eux ; qu'ils soient en train de lire le journal ou de conduire une voiture, ils ne peuvent pas s'empêcher de se tripoter le machin. Un jour, j'ai même demandé à Fred de le faire devant moi pour amener un peu d'oxygène dans notre vie intime. » Louise termina sa phrase sur un reniflement de mépris.

« Johnny, cria Gretchen, tu ne voudrais pas nous faire du pop-corn ? »

Lorsqu'il revint dans le salon pour les servir, les femmes étaient d'excellente humeur. Le débat sur la masturbation était en plein essor et il ne put s'empêcher de rougir en déposant le saladier de pop-corn sur la table.

« Il pique un fard ! hurla Louise.

— Silence ! » Diana et Gretchen étaient rivées au téléviseur.

« Je vous laisse à vos perversités », déclara Johnny, mais personne ne l'écoutait.

Assis à la table de cuisine, Johnny détaillait le contenu de son attaché-case tout en picorant dans un bol de pop-corn. Il y avait une bouteille vide de chablis, un quotidien vieux de quatre jours et le livre de David Halberstam sur le pouvoir de la presse. Le pouvoir, songea Sorcier, il n'y a que ça de vrai. C'est grâce à une démonstration de pouvoir qu'il avait enfin dompté Hudley. Mais le contenu de son attaché-case ne trahissait guère un homme de pouvoir. Les trois filles rencontrées sur la plage sortirent de l'eau pour rendans ses fantasmes. Voyons, se dit-il, elles seraient dans... dans une cabine de bain. Non, dans une vieille grange. Non, mieux encore, elles sont dans une immense salle de bains à la californienne. Elles sont en train de retirer leurs maillots mouillés lorsque Sorcier entre dans la pièce, par erreur bien sûr. Mû par la galanterie, il fait mine de se retirer mais elles lui crient de rester et de venir leur sécher le dos. Puis elles le déshabillent avec des gestes tendres et ils se précipitent tous sous la douche. (Il y avait toujours une séance de douche dans les fantasmes de Sorcier... un rejet inconscient de l'odeur un peu forte des corps en chaleur.) Le sol de la salle de bains est recouvert de moquette. Elles jouent à am-stram-gram pour savoir laquelle des trois se fera sauter en premier. Sorcier s'allonge sur le dos et l'une des filles s'assoit sur son visage tandis qu'une autre vient s'empaler sur son glaive de lumière. Quelqu'un frappe à la porte. Non, merde, personne ne frappe. Toujours la même chose avec les fantasmes : dès que ça commence à devenir bon, l'esprit invente des interruptions frustrantes. Personne ne frappe à la porte. Voilà ! De sa main gauche, Sorcier brandouille furieusement la troisième. Il flotte dans un concert de gémissements. Puis il les baise toutes les trois jusqu'à ce qu'elles ne puissent plus parler, marcher, ni même ramper. Chacune d'elles s'éclate en soixante-dix-sept orgasmes. Le sept a toujours été son chiffre favori. Pour finir, on donne un grand banquet en son honneur.

L'émission était terminée et il entendit les trois femmes venir vers lui en jacassant. Il tenta de réprimer son érection et referma l'attaché-case avec un bruit sec.

« Tu n'as rien manqué, lui dit Louise. C'était un débat très timide.

— En revanche, le pop-corn était délicieux », ajouta Gretchen en finissant celui de Sorcier.

Diana lui gratta la tête et il l'étreignit avec énergie. Son esprit demeurait dans la salle de bains californienne, au milieu des trois maillots verts. Il se leva et serra fortement Louise contre lui, faisant en sorte qu'elle ne puisse pas ignorer la raideur de son émoi. Les yeux de Louise s'élargirent d'étonnement, mais, pour une fois, elle ne fit aucun commentaire.

Louise et Gretchen s'en allèrent et Sorcier entraîna sa blonde épouse dans le salon. Il éteignit toutes les lampes et ne garda que la mire du téléviseur en guise d'éclairage. Il tira lentement sur le jean de Diana, la retourna, l'inclina sur une ottomane de cuir et se mit à sabrer comme un fou. Puis il l'allongea sur le dos et lui dévora l'intimité durant plus d'une demi-heure. Puis il recommença. Il était quatre heures du matin lorsqu'ils se traînèrent enfin vers le lit.

« Alors ? C'est pas mieux que la branlette ?

— L'un n'empêche pas l'autre, répondit Diana en allant fouiller dans le placard.

— Tu es de mauvaise foi.

— Qu'as-tu fait des magazines ?

— Je les ai brûlés.

— Tes diplômes ne sont plus là.

— Je les ai également brûlés, de même que ce petit joujou sexuel.

— Tu perds la boule, ou quoi ?

— Je change de vie. Mais je ne veux pas en parler avant que la transformation soit accomplie.

— D'accord, mon chéri. Je t'aime. Tu m'as superbement fait l'amour.

— Oui, mais tu refuses d'admettre que c'est meilleur que la branlette.

— Pourquoi faut-il que ce soit meilleur ? Il suffit que ce soit différent. »

Il eut un cauchemar dont il s'extirpa à l'aube au milieu du chant d'un millier d'oiseaux. Il se sentait fort et intrépide, fier d'avoir dominé ses rêves morbides et la journée qui leur avait succédé. La vie lui apparaissait pleine de promesses juteuses dans lesquelles il se vautrerait avec délices. Il faisait chaud et Diana avait rejeté le drap qui la recouvrait. Son derrière pointait vers Sorcier comme une cellule magique. Si ce n'est pas ça, la beauté, je me demande bien ce que ça peut être !

8

Qui était cet homme? Demandons-nous plutôt qui *est* cet homme car, pour le moment, il est tout à fait vivant et se porte encore très bien. Son épouse se porte également très bien et ce n'est que plus avant dans notre histoire qu'elle manquera de se faire descendre à coups de fusil. Qui donc serait assez monstrueux pour pointer une arme en direction d'une aussi gracieuse beauté? Elle mesure un mètre soixante-dix, elle allie un regard vert à des cheveux d'un blond très clair, sa peau est crémeuse, ses formes sont juste assez généreuses pour la situer hors du circuit des mannequins de mode, elle est d'origine germano-scandinave, sa poitrine est d'un volume agréable, rien de commun avec ces radasses pancréatiques qui ornent les pages de la presse érotique. Les rares hommes qui ont eu le privilège de la voir nue, se penchant pour ramasser ses vêtements, ces hommes-là sont susceptibles de garder cette vision inscrite au fer rouge dans leur mémoire jusque sur leur lit de mort. Elle possède une paire de fesses merveilleusement fermes et des jambes interminables, finement musclées par la pratique des chevaux à demi sauvages de son adolescence, ainsi que par un passage dans l'équipe de natation, au collège. Seule la modestie la plus élémentaire nous interdit de détailler les splendeurs de sa vulve et de son périnée — ces bretelles d'accès également divines.

Mais au milieu de ces prodiges, Diana présentait tout de même un travers rédhibitoire pour tout homme amené à la connaître de près : depuis sa prime enfance, elle manifestait un esprit terriblement pragmatique et une curiosité passionnée pour la manière dont fonctionnent les êtres et les choses. A la ferme, elle aidait son père à la mise au monde des veaux. Elle vidait elle-même les poules et prenait des notes sur la formation progressive des œufs à l'intérieur du volatile, passant des graviers fétides aux petites billes, puis aux minuscules perles pour arriver enfin à l'œuf complet que la poule n'avait pas eu le temps d'expulser avant de perdre la tête en vue du repas dominical. Un jour, sa mère s'interposa juste à temps pour l'empêcher de disséquer un jeune chiot qui venait de mourir.

En fait, tout cela n'est pas très méchant. Les femmes ont une soif naturelle de connaissance. En tout cas, cette tournure d'esprit l'avait amenée à devenir la meilleure assistante chirurgicale du nord du Michigan ; elle serait même allée jusqu'à faire sa médecine si, entre-temps, elle n'était tombée amoureuse de notre héros. Sortie de son uniforme, elle avait tendance à s'habiller à l'encontre de sa beauté... Elle n'aimait que les vêtements de sport informes et se maquillait rarement. C'était une farouche adepte des mouvements féministes et elle faisait la loi dans un groupe de femmes animées de la même foi. Elle enrageait de sa vague ressemblance avec Farrah Fawcett, et les pompistes, les épiciers ou les médecins qui lui en faisaient la remarque ne manquaient jamais de le regretter. Elle était brillante et séduisante, mais ce côté pragmatique terrifiait son mari qui, à l'inverse, était d'un romantisme échevelé. Elle connaissait les hommes et leur fonctionnement ; il lui paraissait normal de suivre ses propres impulsions à condition de les envelopper dans un voile épais de discrétion. C'est ainsi qu'au cours d'un congrès de chirurgie à Chicago, elle s'offrit la fantaisie de draguer l'un des conférenciers et de l'entraîner dans sa chambre d'hôtel, loin au-dessus des guerres de la drogue qui ravagent les rues et qui, par leur sauvagerie, plongeraient Attila, Fu Manchu et Billy The Kid dans la plus grande confusion d'esprit. Lorsqu'ils furent déshabillés, elle poussa ce brillant esprit universitaire sur le grand lit et examina solennellement son pénis dressé vers le plafond. Rendu nerveux par cet examen prolongé, le pauvre homme se mit à trembler de manière irrépressible. Alors elle lâcha un long rire victorieux — ainsi qu'elle le faisait toujours avant l'amour — et vint s'embrocher directement sur le conférencier. Quelques heures plus tard, il était prêt à abandonner sa femme, ses enfants et sa chaire à l'université. Elle lui planta une bise sur le front et lui ordonna de ne pas faire l'idiot. Bien entendu, son mari ignorait tout de cet épisode qui ne reflétait d'ailleurs aucune perversité. C'était simplement un besoin ; depuis son mariage, une fois par an en moyenne, il lui fallait faire l'amour avec un homme de culture exceptionnelle. Diana appartenait à cette race de femmes peu répandue dont les fantasmes sexuels touchent au sublime lorsqu'elles se voient au lit avec un prix Nobel.

Son compagnon était d'un métal apparemment différent : Johnny Lundgren, John Milton Lundgren, Johnny, *alias* Sorcier pour lui seul, petite touche de mystère qu'il se réservait pour abolir l'ennui et la banalité dans une région au climat hivernal tellement rude que les autochtones n'avaient rien trouvé de mieux que de gober des œufs crus afin de combattre la morosité des samedis soir. Le champion de la péninsule de Leelanau se nommait Don Schneck ; il était entré dans la légende par une soirée enneigée de mars en avalant sept douzaines d'œufs qu'il avait ensuite vomis sous les commentaires hilares de ses compagnons. Quatre-vingt-quatre œufs crus... il faut le faire !

Johnny était un homme parfois précis. Il possédait trois armes : un pistolet de calibre 38, une carabine Remington de 35 et un fusil de chasse de 20, tous offerts par son père mais dont aucun n'avait servi depuis plus de dix ans. Chaque année, le jour de la fête nationale, les pétards et les feux d'artifice lui remettaient en mémoire l'existence de son arsenal. Alors, il sortait les armes de leur enveloppe afin de les nettoyer et les graisser avec un soin peut-être excessif. Johnny avait une grande tête, de grandes mains et de grands pieds. Ses épaules étaient larges, ses cuisses épaisses et cela le faisait paraître plus grand qu'il n'était en réalité. Son nez, ses dents et ses yeux étaient également surdimensionnés. Il se classait dans la catégorie des beaux mâles un peu empêtrés d'eux-mêmes. De plus, il était extrêmement intelligent mais, depuis quelque temps, cela ne lui servait plus à grand-chose.

C'est toujours la même histoire : lorsqu'on tombe d'un job à quarante-cinq mille dollars dans le chômage complet, on a l'impression que l'ascenseur n'en finit plus de descendre. Le seul élément qui semble manquer est une corde autour du cou. Lorsqu'il perdit son emploi, Diana et lui voulurent absolument quitter la ville, mais ils ne savaient pas où se fixer. En laissant de côté le nord de la péninsule, le Michigan ressemble un peu à une moufle : tout ce qu'on trouve au sud des doigts devenus invisibles est constitué par des concentrations d'usines essaimées au milieu d'immensités agricoles. Fondamentalement, c'est une région peu riante qui ressemble assez aux Midlands, un paysage sans charme de vastes étendues consacrées à l'agro-alimentaire, clouté, ici et là, de villes industrielles aussi sinistres et sombres que Calcutta : Flint, Lansing, Detroit, Battle Creek, Kalamazoo... des noms souvent célébrés en chansons, mais en chansons seulement. Il faut dire aussi que ces villes sont prospères ; la main-d'œuvre exige et perçoit des salaires nettement supérieurs à la moyenne nationale et les cadres sont parmi les mieux payés de la planète. Mais la qualité de la vie ne s'en ressent pas. Cela revient un peu à posséder un équipement de plongée ultra moderne mais à n'avoir qu'un marécage pour s'en servir. Alors, ils s'enfuirent vers le nord, vers les lacs et les torrents d'eau limpide, vers ces petits villages parfumés par les forêts résineuses qui les entourent, vers ces collines et ces vallons avec leurs petites fermes familiales nichées au détour des routes. Les paysans du coin n'étaient pas tellement différents de ceux qui vivaient dans le Sud ; à la base, ils étaient aussi mesquins et aussi stupides que les autres, mais ils avaient tout de même quelque chose de plus, quelque chose d'archaïque et de nostalgique dans le comportement. Sorcier retrouvait dans cet endroit les souvenirs de ses vacances d'adolescent. Mais à présent, lorsqu'il contemplait la ravissante vallée qui s'étendait sous ses fenêtres, il en arrivait à se dire que ce Nord ressemblait de moins en moins au Nord de sa jeunesse. Les petites fermes étaient rachetées par des médecins et des agents de change qui les transformaient en résidences secondaires. Les rives des lacs commençaient à disparaître sous les cottages de rondins et les villages eux-mêmes prenaient des allures artificielles de bourgades suisses. Des hippies un peu moins fauchés que les autres montaient des commerces d'artisanat ou de nourriture macrobiotique, vendant des ceintures de gros cuir, de fausses pacotilles indiennes, des germes de blé en sacs de toile et des vitamines maison dont ils se gavaient, probablement pour combattre les effets de la drogue dont ils se bourraient par ailleurs. Maintenant, les petites routes les plus retirées s'ornaient de panneaux d'interdiction destinés à protéger les mares et les châtaigneraies désertes d'intrus qui n'existaient pas. Pas encore.

Pourtant, la région demeurait comparativement superbe et, même si son caractère nouveau s'accordait mal aux rêves de Sorcier, celui-ci trouvait le moyen de s'en consoler. Diana, en revanche, aimait cet endroit sans aucune réserve ; il est vrai que les douces amertumes de la nostalgie lui étaient complètement étrangères. Sa connaissance de la nature demeurait infiniment supérieure à celle de Sorcier ; il était presque ignorant en matière de botanique ou d'ornithologie. Il s'attachait à une vision élargie des choses et ses émotions de promeneur solitaire portaient surtout sur les souvenirs de jeunesse qu'évoquaient les clairières et les étangs. Au niveau de l'inconscient, il souhaitait fortement adapter le monde à l'idée qu'il s'en faisait. Pour lui, le bulletin météo était parfois d'évangile et, si le lendemain les prévisions se révélaient fausses, toute la journée en était perturbée.

En matière de religion, ses croyances se situaient encore dans le domaine des incertitudes. Son père se prétendait athée mais il reconnaissait qu'un jour, pendant la guerre, alors qu'un typhon secouait son navire dans le sud du Pacifique, une prière lui était montée aux lèvres. Plus tard, il voulut se déculpabiliser en affirmant qu'il priait pour le salut des blessés et non pour sa propre sauvegarde. Les blessés qui gémissaient dans l'énorme roulis, les coursives noyées de sang et de vomissures, le Pacifique... Ainsi, le père de Sorcier avait tenté de calmer l'océan avec une prière et pour lui, la morale de cette affaire était que ça n'avait pas marché. A l'inverse, écrasée par la douleur sur son lit de mort, la mère de Sorcier entonnait des hymnes en suédois, chantant plaintivement la gloire du Père, du Fils et du Saint-Esprit :

> *Tryggare kan ingen vara*
> *Än Guds lilla barna*
> *skara Stjärnanej på himla fästet*
> *Fågel eji kändá nästet*

Qui donc était ce Saint-Esprit, se demandait Sorcier en tenant la main de sa mère, une main qui avait déjà la consistance d'un poisson mort. Comment pouvait-on parler de la miséricorde de ce triumvirat alors que la main de sa mère avait la consistance d'un poisson mort ? Ses pensées s'embrouillaient, il levait les yeux vers le plafond, vers le ciel, et il se mettait à balbutier une prière maladroite. Il ne connaissait pas les mots. Il improvisait une incantation préadamite, quelque chose de profondément ancien qui aurait pu se chanter à l'époque où les mères s'élevaient bienheureusement vers l'au-delà, accompagnées par la musique des flûtes célestes et le bruissement de soixante-dix-sept tourterelles immaculées.

Sorcier refusait de considérer l'existence comme une suite d'échecs dont on ne se remet pas autrement qu'en allant se cacher à six pieds sous terre. Non ! Il avait la conviction profonde que sa mère était effectivement au paradis. Si elle n'y était pas, alors rien n'avait plus de sens. Il n'existait pas une fibre de cynisme en lui. Lors d'un voyage à New York, il avait emmené Diana à une représentation de *L'Homme de la Manche.* Elle trouva le spectacle détestable et Sorcier en fut désappointé ; lui-même participait entièrement aux tribulations de Don Quichotte. Il y a du vrai dans ce que prétend le vieux dicton populaire : on s'accroche à ce qu'on trouve.

9

Que reste-t-il lorsque tout le monde est parti ? Il
regarda la Volvo jaune de Diana s'éloigner vers Traverse City et, lorsqu'elle disparut à l'angle du chemin, il
tendit l'oreille pour continuer d'entendre le bruit de
son pot d'échappement troué. Il se sentait aussi seul
que le chien hurlant à la lune, quelque part dans le lointain. Il ne reste que moi dans ce matin de juin et une
feuille vient de se détacher de sa branche à trente
mètres devant moi. Et si j'abolis mes cinq sens, suis-je
toujours là ? Bien sûr ! Il reste toujours quatre-vingts
kilos de viande, debout devant la maison et regardant
tournoyer une feuille bientôt morte. L'impression
d'épaisseur ressentie par le corps alterne avec la banalité d'une pensée axée sur une feuille parmi des milliards d'autres. La mort prématurée de cette feuille lui
faisait de la peine. Il avait éprouvé quelque chose de
semblable, une fois, en voyant mourir les arbres d'une
forêt inondée (lorsqu'il était encore enfant, il parlait
volontiers aux arbres jusqu'au jour où le gosse d'un
voisin le surprit et alla le raconter à tout le monde).
Pour lui, l'eau se mesurait en approximations : trop
d'eau, assez d'eau, trop peu d'eau. Ses pensées s'effilo-
chèrent, se brouillèrent puis redevinrent claires. A quel
moment le désir de changer son avenir devient-il syno-
nyme d'éternité ? Au moment de mourir ?

Plutôt que de continuer à se faire peur, il décida de

retourner dans le cadre rassurant de la cuisine. Là, il compléta une liste d'achats en sirotant un grand verre de bourgogne assez médiocre. Pain. Patates. Mort. Jus d'orange. Éternité. Ajax ammoniaqué. Rêves. Ail... et peut-être aussi quelques feuilles d'estragon. Il freina son imagination juste avant qu'elle ne l'amène à se représenter ses propres funérailles. Il n'avait pas conscience des dangers d'une obsession qui le poussait à se retrancher aussi complètement du réel. Selon Héraclite, l'homme éveillé partage un même monde avec ses semblables ; l'homme endormi devient un monde à lui seul. Si un chœur grec s'était trouvé à ses côtés, dans la cuisine, il se serait probablement écrié : Hélas ! Un rêve n'est pas une mappemonde ou un manuel d'apprentissage, pauvre con ! Précipite-toi à l'église ou chez un psychiatre. Cours te soûler dans ton bar favori, prosterne-toi devant le genre féminin. Ne te sépare pas de toi-même. Engage-toi dans l'armée, trouve-toi un job, aide les autres. Ne fais pas de ta vie un si noir secret. Hélas ! etc.

Au supermarché, son esprit demeurait embrumé malgré le badinage habituel qu'il engageait avec le boucher au nez bulbeux. C'était toujours la même question :

« Alors Johnny, comment vont les couilles ?

— Elles vont bien... d'ailleurs j'ai l'impression qu'elles vont servir dans pas longtemps.

— Ah, j'ai été jeune, moi aussi ! Mais maintenant, j'ai des crises de goutte. Impossible de chasser la gueuse quand on a la goutte. Il n'y a pas un homme sur terre qui pourrait baiser avec un pied qui lui fait aussi mal. C'est un fait vérifié.

— Même pas avec Ava Gardner ? »

Sorcier savait que le boucher avait une passion pour Ava Gardner. En dépit des ragots qui lui attribuaient un âge presque canonique, elle demeurait très présente dans les fantasmes des mâles américains.

« Johnny, mon gars, Ava pourrait peut-être m'inciter à prendre des risques mais je crois qu'elle ne viendra jamais dans ce coin. Il faut que je me fasse une raison : c'est vraiment terminé pour le vieux Frank ! »

Et le visage du boucher prit une expression tellement misérable que Sorcier se sentit submergé de mélancolie. C'est alors que la jeune et ravissante épouse d'un agent de change vint ranger son chariot près de lui. Elle était moite de sueur et portait un ensemble de tennis jaune avec des pompons de coton sur les chaussures. Les deux hommes la regardèrent avec tant de fixité qu'elle se troubla et se mit à rougir. Sorcier se pencha vers l'étalage et prit un paquet de cuisses de dinde.

« Vous êtes jolie », dit-il sans attendre de réponse.

De retour dans sa cuisine, il s'arracha d'un fantasme naissant sur la jeune femme en jaune et se versa un verre de vin afin de mieux réfléchir au problème des cuisses de dinde. Il but à grandes gorgées. Qu'est-ce que je vais bien pouvoir foutre de ces sacrés Bon Dieu de cuisses de dinde ? Son regard s'était attardé sur les cuisses bronzées de la femme et par voie de conséquence, il avait pris des cuisses de dinde. On pourrait peut-être en faire une soupe. Une soupe nourrissante, quelque chose de simple qui reposerait Diana d'une longue journée passée à tendre des instruments de torture à ces bouchers en blouse blanche. Il imaginait l'autre sur le siège arrière de la Subaru avec son petit ensemble jaune et la culotte en moins. Oh oui, Johnny, prends-moi ! dirait-elle en levant les bras vers un vol de canards sauvages. Oui, une bonne soupe, ça sera très bien.

Mais il s'endormit et la soupe, en bouillant, s'évapora jusqu'à ne laisser qu'un quart de substance épaisse qui, fort heureusement, ressemblait à une sauce brune. Il se passa une main sur le visage et prépara du café. Qu'est-ce qu'on peut faire avec un quart de sauce brune ? Et pourquoi fallait-il qu'il dorme douze heures sur vingt-quatre ? Ah, merde ! Il fixa rêveusement un gros rutabaga qu'un ami venait de lui offrir. Il se sentit subitement saisi d'un grand élan créatif.

Une heure plus tard, le rutabaga était épluché, évidé

et rempli de sauce brune. Il le mit au four avec le sentiment d'avoir inventé quelque chose de parfaitement original. Puis il se doucha, s'enduisit le visage de savon à barbe tout en repensant à la tenue de tennis jaune et se rasa en bandant comme un âne. Son sexe dressé contre le lavabo ainsi que la sauce qui mijotait au fond du rutabaga lui donnaient une soudaine vitalité. Je ne suis pas encore foutu, nom de Dieu! L'avenir lui appartenait et il pouvait en tracer le contour du bout de ses doigts. Il enfila une chemise fuchsia, un pantalon de flanelle blanche et des sandales mexicaines. Puis il prépara un pichet de Margaritas, le cocktail préféré de Diana. En attendant le retour de sa femme, il relut le journal. Il se dit qu'il faudrait enfin se décider à faire quelque chose pour les Haïtiens et les Cubains.

« Mon dieu, je suis crevée. Nous avons eu deux appendicectomies graves. L'une d'elles flirtait déjà avec la péritonite. Ce que ça puait!

— Ils vont s'en sortir? demanda Johnny d'une voix rauque de dégoût.

— Probablement. En tout cas, je le souhaite. Tu sais, Johnny, il faut que tu surveilles ton poids. Il n'y a rien de pire que d'opérer à travers une large sous-couche de graisse.

— J'ai la situation bien en main, ne t'inquiète pas.

— Je l'espère. Essaie de manger seulement lorsque tu as faim plutôt que par habitude.

— Fiche-moi la paix! Tu sembles oublier qui a gagné la guerre.

— Oh! Bon, pour l'amour du ciel... je ne te dirai plus rien. C'est promis! »

Elle traversa le salon et vint s'asseoir sur ses genoux en l'embrassant. Son visage était éclairé par les Margaritas.

« Ça sent bon. Je meurs de faim. Quand est-ce qu'on mange? »

Il la repoussa de ses genoux et se précipita vers la cuisine. Il distribua quelques pincées de persil sur le rutabaga et l'apporta dans la salle à manger avec une bouteille de chardonnay glacé sous le bras.

« Qu'est-ce que c'est ? demanda-t-elle en s'asseyant.

— Un rutabaga !

— Oh, mon Dieu !

— Mais ce n'est pas tout.

— Cesse de me faire peur.

— C'est un rutabaga plein de quelque chose. »

Son visage rayonnait de triomphe.

« Plein de rutabaga ?

— Je ne plaisante pas. Essaie de deviner.

— Du cœur de rutabaga ?

— Tu n'es plus dans ta salle d'opération.

— Oh, je t'en prie !

— Quel est mon mets préféré ?

— Il y en a tant...

— Non, le préféré des préférés. A l'époque de Noël, je m'en fais même des tartines.

— De la sauce brune ! Mais où est-elle ? »

Il planta un grand couteau dans le vaste légume et la sauce fumante jaillit par le dessus. Il y avait peut-être un peu trop de sauge.

« Voilà ! cria-t-il avec bonheur.

— Ce parfum me rappelle notre voyage dans le Wyoming. Tu te souviens ? Toute cette sauge violette...

— Goûte et dis-moi quelque chose de gentil.

— Miam, miam !

— Diana, Bon Dieu ! J'ai demandé quelque chose de gentil.

— Si on faisait l'amour tout de suite après dîner ? Je me sens en forme. Personne n'est mort, aujourd'hui. »

10

Un matin, au petit déjeuner, il se révolta contre les circonstances qui l'amenaient à mijoter dans son propre jus. Comment le « moi » se mesure-t-il au « je » ? Bien des années plus tôt, son professeur de philosophie lui posait volontiers cette question. En ce temps-là, sa tête abritait un sacré désordre. De quinze à vingt-deux ans, il vivait dans un tourment qu'il tentait de faire partager à ses parents et amis, n'obtenant que des réponses du genre de : « T'es pas si malin que ça, va ! » Il faut reconnaître qu'il n'y a rien de plus irritant que ces jeunes gens qui lisent religieusement Thomas Wolfe et prennent pour argent comptant tout ce que raconte cette grosse cloche. Les générations suivantes se passionnaient plutôt pour Khalil Gibran ou Hermann Hesse ; ces goûts étaient moins dangereux mais ils semblaient avoir une tendance désastreuse à plonger les jeunes dans un état de sénilité précoce. Sorcier s'en était fait la remarque lors d'un congrès de chauffagistes spécialisés dans les poêles à bois. Cela se passait l'année précédente, alors qu'il tentait, une fois de plus, de s'introduire dans le monde de l'entreprise privée.

Le congrès fut inauguré par un « déjeuner d'ouverture » où un pasteur particulièrement prolixe parla des « alternatives énergétiques » tandis que les œufs brouillés se changeaient en gelée jaunasse dans les assiettes et que le café refroidissait dans les tasses. Le pasteur termina son sermon en encourageant chacun à « entretenir les feux du foyer » et tous les participants se ruèrent sur la nourriture comme autant de chiens esquimaux se précipitant sur des étrons humains dont la rumeur prétend qu'ils sont très friands. Ensuite, le congrès entier entonna un hymne à la gloire de l'amitié avant de s'éparpiller dans plusieurs sous-commissions qui traitaient de sujets aussi planétaires que « La Sécurité dans le chauffage par cheminée », « L'Utilisation des conifères », « L'Avenir du chauffage au bois », « La Clientèle des classes défavorisées ». Il apparaissait, en effet, que le poêle à bois demeurait l'apanage des couches moyennes et que les pauvres se laissaient difficilement persuader de dépenser cinq cents dollars pour l'acquisition d'un engin de chauffage en fonte dont le prix de revient ne dépassait pas cinquante dollars. Pourtant, les avantages économiques semblaient évidents. Dans le nord du Michigan, le bois de chauffage était très bon marché et cela créait une certaine jalousie chez les délégués des États de l'Est. Ce fut d'ailleurs l'occasion pour Lundgren-Sorcier de se mettre en vedette : il émit quelques remarques acerbes sur le fait qu'un stère de bûches coûtait vingt-cinq dollars dans le Michigan et jusqu'à cent dollars de plus à New York ou même dans le New Hampshire. Il se fit brutalement remettre à sa place par un contingent de bûcherons industriels de l'Est qui, bizarrement, usaient tous d'un langage trahissant une formation universitaire avancée. Ils prirent violemment ombrage de questions qui, selon eux, tendaient à faire croire qu'ils pratiquaient des tarifs prohibitifs. Or, c'est exactement ce que Sorcier tentait d'exprimer. Il réalisa qu'il venait de se mettre dans une situation délicate et voulut s'en sortir en disant avec un sourire qu'il n'y avait pas de fumée sans feu. Cette innocente remarque provoqua un tollé général où il fut accusé de racisme, de radicalisme, etc. Une femme musclée et visiblement adepte du culte de la tronçonneuse le taxa même de sexisme. Sorcier opta pour une retraite stratégique et alla se réfugier dans une autre salle où se tenait un séminaire consacré à

« La Philosophie du feu de bois. » Là, les discussions reposaient sur les aspects plus austères de l'écologie : la déperdition des traditions indiennes malgré l'usage des feux sacrés qui brûlaient tout au long de l'histoire de l'humanité. Sorcier se dit que cela ressemblait à ces mouvements philosophiques que certaines organisations d'homosexuels parvenaient à bâtir en glorifiant leur propre quéquette. Il se souvint de son grand-père qui coupait du bois pour chauffer la maison, et rien de plus.

Mais le « moi » se mesure au « je » dans les circonstances les moins propices. C'est de cela qu'il voulait se convaincre. La vie est faite de frontières et d'obligations ; ce n'est pas une grosse masse de purée liquide qui s'étend dans tous les sens. Sa vision d'un certain changement, la nécessité de dessiner les périmètres de son avenir devaient forcément l'amener à déterminer des règles de comportement. Il ouvrit son attaché-case et en sortit un bloc et un stylo à bille :

Règle n° 1 : SE NOURRIR AVEC MODÉRATION
Il tâta le pneu de lard qui lui encerclait la taille. Le seul fait d'avoir rédigé cette première règle lui donnait l'impression d'être déjà plus mince. Le goût de la nourriture l'envahissait insidieusement et représentait sa seule source de plaisir en dehors de ses parties de jambes en l'air avec Diana. C'est important, la nourriture. En prison, c'est un facteur fondamental pour le moral des condamnés. Une mauvaise nourriture provoque des émeutes et des massacres. A la base aérienne d'El Paso, les hommes en permission couraient en beuglant vers les restaurants, puis vers les bars, puis vers les bordels de Juarez, puis à nouveau vers les restaurants mexicains où ils se bourraient encore de mangeaille. En fin de nuit, cela se traduisait par une tendance à vomir et à s'endormir sur place. C'était toujours Lundgren qui conduisait ; lui ne vomissait jamais. Mais l'armée de l'air avait contribué à l'érosion de sa vocation artistique et ne représentait qu'une étape

intermédiaire avant d'entrer dans le monde des adultes. *Se nourrir avec modération*, car la gloutonnerie menaçait Sorcier en permanence. En face de lui, à l'autre bout de la table, il voyait les restes d'un hachis de poulet à la mode de Louisiane. Il y avait mis trop de Tabasco. Cet excès de Tabasco imposait la nécessité d'une bière pour éteindre le feu du piment. Deux bières ! Il devait maintenant combattre l'envie de faire un somme, combattre également la perspective d'un déjeuner superfétatoire. Il y avait pourtant de somptueux jarrets de porc préparés la veille avec amour et qui reposaient à présent dans le réfrigérateur, baignant délicieusement dans leur jus. Non ! C'est alors qu'une autre crainte s'introduisit dans son esprit : ne serais-je pas en train de souffrir de déficience hormonale ? Il avait lu, dans *Playboy*, un article consacré aux testostérones, mais cela le faisait irrésistiblement penser aux mouches tsé-tsé, la plaie des tropiques. Une fois, lorsqu'il était scout, un moustique lui avait sauvagement piqué le zizi. Diana avait annoncé qu'elle rentrerait tard et qu'elle se contenterait volontiers d'un dîner simple. Un poulet bouilli aux nouilles. Ou plutôt une côte de bœuf farcie aux huîtres et poêlée aux échalotes. Pas très simple ! Un poisson sucré à la hunanaise ? Hmn non ! Une sorte de garbure, une ascétique soupe aux légumes garnie de queue de bœuf braisée ? Oui, probablement.

Règle n° 2 : ÉVITER L'ADULTÈRE
Les appétits ramollis suscitent toujours des visions iridescentes de changement. Une autre partenaire. Au bureau de chômage, il y avait une petite bonne femme aux allures de majorette. Elle avait le visage pointu mais la fesse très ronde. Elle confia à Sorcier qu'elle jouait au bowling de Timberlane tous les jeudis soir. Non, songea-t-il, j'ai déjà les mains pleines sans sortir de chez moi. L'adultère, c'est le désordre, aussi bien dans la vie courante que dans les sentiments. Il faut avancer sur la route de l'avenir avec le regard fixé entre

les pieds pour éviter de remarquer les tentations qui se tiennent de chaque côté. Mais la majorette du bureau de chômage était une tentation qui ferait lever bien des regards, sans parler du reste. Il n'y a que le premier pas qui coûte. L'homme qui mangea une huître pour la première fois était d'un courage indiscutable. D'ailleurs, quelle fut la première huître mangée par un homme ? Une belon ? Une petite charentaise ? Une fine de claire ou une modeste portugaise ? C'est jeudi, aujourd'hui. Je prépare la soupe et je m'en vais en laissant un mot pour dire que je suis chez mon copain Clete. Clete me couvrira, mais, de toute manière, Diana ne vérifiera pas. Je passe un coup de fil à Patty, la majorette, et j'arrange une rencontre au bowling à une heure précise. Comme ça, je ne suis pas obligé de poireauter avec les péquenots. Et puis, je l'emmène dans la petite cabane du lac et je fais fonctionner ses petites jointures de majorette. Sa queue se leva en même temps que son désespoir. Le seul fait de créer un amendement à la règle est une insulte à l'amendement lui-même.

Règle n⁰ 3 : FAIRE DE SON MIEUX EN TOUTES CHOSES

Ça, c'était facile puisqu'il ne faisait rien. Comment ça, rien ? Et le réajustement des perspectives de l'homme, ce n'est pas du travail, ça ? Je comprends que c'est du travail. Cela demande de la finesse et de l'intelligence. Et les petites tâches de la vie ? Sa mère disait toujours qu'il faut savoir bien faire les petites choses telles que tondre la pelouse ou laver la voiture. Quand on sait bien faire ces petites choses, on est d'autant mieux préparé pour les grandes. Comme le mariage ou la carrière. Il éprouva une bouffée de plaisir en se disant qu'il était bon mari et qu'il avait été bon administrateur. De plus, il était en train de devenir un excellent cuisinier. Tout paraissait au point pour ce grand voyage vers l'avenir. L'avenir ou la mort !

Règle nº 4 : ACQUÉRIR UNE EXCELLENTE FORME PHYSIQUE

Le hachis de poulet à la Louisiane pesait lourdement sur son estomac. Le jogging, c'est pour les cons! Une longue marche dans la forêt avec le chien. Et un fusil. Et une boussole. Pas de sandwiches. Peut-être un petit bidon d'eau. Il emporta le journal dans la chambre et s'allongea en poussant un profond soupir. Acheter des haltères. Faire du yoga avec Diana. La baiser dans la position du lotus. Pourquoi diable avait-il brûlé ses magazines semi-pornos? Marcher quinze kilomètres chaque jour et communier avec la nature. Faire le tour du lac Leelanau à la rame. Quarante-cinq bornes. Hudley aimerait sûrement une longue promenade en barque. Perdre dix kilos et retrouver une ligne harmonieuse. Organiser des rencontres avec Patty, dans les bois. Manger du yaourt. Manger de la viande crue. Manger du fromage blanc à zéro pour cent. Ronfler.

11

« Tu présentes les symptômes classiques d'une dépression nerveuse. »

Diana lâcha cette bombe verbale en plein milieu du potage aux légumes agrémenté de queue de bœuf braisée. Sorcier y avait ajouté une dose massive de raifort râpé. Et Diana venait de le surprendre en flagrant délit de rêvasserie, la mâchoire pendante, l'œil égaré vers le plafond et la cuiller mollement suspendue au-dessus de l'assiette. Il ramena lentement son regard vers celui de sa femme et la contempla comme une étrangère un peu plus séduisante que les autres.

« Ai-je bien entendu ?

— Je ne sais pas. Qu'est-ce que je viens de dire ?

— Tu viens de me dire que ton père se met à acheter des voitures anciennes pour combattre l'inflation.

— J'ai dit que tu présentes tous les signes d'une bonne vieille dépression.

— Tu as parlé de symptômes. J'avais bien entendu.

— Ce n'est pas drôle, Johnny. Je crois que tu devrais consulter un spécialiste.

— Quel spécialiste ? Une pute ou un psychiatre ?

— J'en ai parlé à un des médecins de l'hôpital, un ami. Il a confirmé toutes mes craintes.

— Tu as eu le culot de parler de moi à un de ces foutus charlatans ?

— Il fallait que j'en parle à quelqu'un. J'ai pris la

liberté de fixer un rendez-vous pour toi, vendredi prochain.

— Rien à faire! Annule-le! Et dis-moi... ce copain médecin, est-ce qu'il te saute pendant l'heure du déjeuner?

— Très amusant, très paranoïaque! Il y a des mois que je te vois glandouiller inutilement. Tu n'es pas heureux et je me demande si nous ne devrions pas retourner à Chicago. Là, au moins, les possibilités sont plus nombreuses.

— J'en ai rien à foutre. Tu ne me feras pas partir d'ici.

— Personne n'essaie de te faire partir d'où que ce soit. Tu passes ta vie entre l'épicerie et la cuisine. Tu ne fais rien d'autre.

— Tu n'aimes pas ma cuisine?

— Ce n'est pas ça que je veux dire. Tu es constamment sur la défensive.

— Ce n'est pas une réaction inhabituelle lorsqu'on se fait constamment attaquer. Continue de tricoter les tripes de tes pauvres patients et laisse tomber la psychologie de bazar. Ta spécialité, c'est le corps, pas l'esprit. Souviens-toi de ça. Tu es peut-être très qualifiée pour jauger le processus mental des vaches, mais pas celui des hommes. »

Cette référence voilée aux origines paysannes de Diana lui valut de recevoir une pleine assiettée de soupe à la figure. Elle se leva comme une furie et lui siffla au visage : « Espèce de sale con! »

La soupe dégoulinait de son cou jusqu'à son ventre. D'une main ouverte à la hauteur de la ceinture, il l'empêcha de couler plus loin tandis que, de l'autre main, il débarrassait lentement sa tête des débris de flocons d'avoine, de céleri, de tomate et de viande dont elle était couverte. Il entendit Diana se précipiter vers le premier étage pour aller s'enfermer dans sa chambre secrète. Il se dirigea vers la salle de bains, se nettoya, changea de chemise et se recoiffa avec soin. Que faire, maintenant? Il enfila sa veste et monta pesamment les marches de l'escalier. Sans même réfléchir, il fit exploser la porte secrète d'un violent coup de karaté. Il y eut un hurlement. Il partit sans même se retourner.

Sur le chemin du bowling, il ne laissa filtrer qu'une seule larme. Il s'arrêta au bar de Dick pour avaler deux doubles whiskies à la file. Son cœur tambourinait irrégulièrement et il se demanda si son assurance était à jour. Sa peau valait deux cent mille dollars. Diana serait bien plus heureuse sans lui. Elle se remarierait avec un médecin.

Dans le parc de stationnement du bowling, il se ramassa sur lui-même puis se glissa à l'intérieur comme un assassin en fuite. Il gratifia Patty d'un regard sombre et elle le suivit dehors. Elle portait une jupe plissée, des chaussures de bowling et une chemise dont le dos s'ornait d'un grand « Patty » brodé. Elle sauta dans la voiture, près de lui, et ils se jetèrent littéralement l'un contre l'autre.

« Viens, on va dans un motel.

— Je ne peux pas. Il me reste encore une partie à jouer. Je ne peux pas laisser tomber les copines. »

Il démarra, mais elle saisit les clés et le moteur s'arrêta dans un bruit saccadé. Elle embaumait la pisse, le talc, la sueur et la bière. Elle alluma le plafonnier et toisa Sorcier en levant son petit nez en trompette.

« Personne ne peut m'obliger à faire ce que je ne veux pas faire. Tu comprends, Johnny ? »

Il répondit en fourrant sa grosse patte sous les jupes de la fille et en introduisant deux doigts dans sa culotte. Elle se mit aussitôt à gémir, à se tordre et à s'enfoncer sur les doigts jusqu'à la gorge. Après réflexion, Sorcier ajouta un troisième doigt. Elle se pencha sur lui et lui décerna un baiser trop béant et trop humide pour être tout à fait agréable. Puis elle se recula avec l'œil embué et éteignit le plafonnier.

« Tu sens le potage aux légumes.

— Potage aux légumes et queue de bœuf braisée. Ma femme vient de m'en flanquer une assiette à la figure.

— Pauvre Johnny. J'espère que tu lui as répondu par un grand coup de botte dans la chatte. »

Elle ouvrit prestement son pantalon, libérant un membre plutôt démobilisé.

« Je vais te faire une petite pipe en vitesse, pour te détendre. Après ça, tu iras m'attendre au bar. Il me reste une seule partie à jouer. Ensuite on pourra aller dans un coin tranquille et s'éclater comme des bêtes. »

Tandis qu'elle se mettait à l'ouvrage, Sorcier se dit que les femelles sont souvent inhumaines à l'égard de leurs sœurs. Il n'avait jamais frappé une femme et il ne lui serait certainement pas venu à l'esprit de botter la blonde Diana dans la boîte à biscuits. En réalité, il ne pensait qu'à elle et se donnait du mal pour imaginer que la bouche insondable de Patty était celle de Diana. Mais Patty était plus experte dans la mesure où elle pratiquait l'art exceptionnel de la gorge profonde. Malheureusement, cette technique s'accompagnait d'un bruit de glotte assez déconcertant et Sorcier dut faire un puissant appel à l'imagination pour parvenir à conclure : il avait treize ans, dans la maison d'été de ses parents, et il jouait au docteur indien avec une fillette de son âge dont les parents vivaient un peu plus loin, au bord du lac. Ils étaient allongés sur un lit de fougères, dans la réserve à bois. Le soleil filtrait à travers les chênes et les peupliers. Elle était Faucon-des-Marais et lui était Sorcier. La fillette mimait une torpeur née d'une décoction magique d'herbes secrètes. Après lui avoir très lentement retiré sa culotte, Sorcier se pencha sur la fine toison naissante et se mit à la mâchouiller avec ardeur. C'était sa première expérience. Il fut stupéfait lorsque Faucon-des-Marais se mit à rouler dans tous les sens. Mais non, lui disait-il, tu es supposée être droguée. Un peu plus tard, elle lui rendit le service réciproque et il perdit définitivement son âme au bénéfice des femmes dans un long cri qui perça la forêt, résonna dans les vallons et traversa le lac, un cri semblable à celui de son homonyme, le sorcier. Lorsqu'il ouvrit les yeux pour la prendre dans ses bras, la fillette avait disparu.

Quand il refit surface après le claquement de la portière, il vit Patty s'éloigner vers le bowling. Il repartit en direction de la maison avec le cœur inexplicablement lourd. Il s'arrêta une fois de plus chez Dick et avala deux autres doubles. Le barman lui demanda avec morosité ce qu'il pensait du dernier match de football. « Je m'en fous complètement », répondit Sorcier.

Diana était assise sur le canapé dans un peignoir mauve à motifs floraux. Elle avait les yeux rouges. Elle relisait le traité magistral de Corbin sur les soufites d'Avicenne. Diana n'était pas femme à perdre son temps sur des lectures mineures. Il se prosterna devant elle et, sans dire un mot, elle lui caressa les cheveux. Elle sentait la violette et la fraîcheur des criques au mois de mai. Il embrassa un genou et se dit : Ce genou est celui de Diana — elle n'est pas moi et je ne suis pas elle.

« Je me suis conduit comme un imbécile. Excuse-moi.

— Je t'aime, Johnny. Je voulais seulement t'aider.

— Je réparerai ta porte.

— Quelle porte ? »

Il éprouva une sorte de nausée. Il se souvenait clairement du formidable coup de pied dans la porte. Sa cheville lui faisait encore mal.

« Je plaisantais, dit-elle en riant. Johnny, je voudrais que tu me prennes tout habillé. »

Elle retira son peignoir et sa chemise de nuit et il se mit à la besogner avec jubilation, transpirant à gros bouillons sous sa chemise de laine et sa grosse veste, le regard fixé sur les yeux fermés de sa femme. Les yeux fermés ? Tiens, c'est nouveau, ça.

12

Il s'habilla rapidement et revêtit une chemise de vigogne, un pantalon de grosse gabardine, des mocassins anglais et une veste de daim. Cette tenue lui paraissait discrète et doublement appropriée : d'abord à sa visite de pointage au bureau de chômage ainsi qu'à la petite fête de charité où il devait ensuite rejoindre Diana. Celle-ci officiait en qualité de cohôtesse dans cette manifestation destinée à recueillir des fonds au bénéfice des Mâchoires de la vie. En finissant de se préparer, il ressentit une brève lassitude dont il eut quelque peine à s'extraire. Ah, mon bon monsieur, il ne faut pas croire que la vie dans le Grand Nord est uniquement faite de beuveries à la bière ; les vanités mondaines et le masque des apparences y ont également leur importance.

Il ne faut pas croire, non plus, que Sorcier fût un être primaire : l'aspect faussement négatif de sa personnalité traduisait seulement un désir profond de brouiller ses traces, au propre comme au figuré. On pourrait dire qu'il vivait par implosions, plutôt que par explosions. Lorsqu'il n'était pas occupé à débiter des remarques stupides qui lui valaient de recevoir des assiettes de soupe à la figure, Lundgren le Sorcier pouvait s'exprimer dans une langue et un esprit aussi châtiés que ceux de feu Adlaï Stevenson lui-même. Il fallait uniquement qu'il veuille s'en donner la peine. Diana le préférait réaliste, et c'est par jeu qu'il l'abreuvait de bêtises et de clichés qui frôlaient parfois le crétinisme.

Il était expert à ce jeu et un mois plus tôt, en mai, il s'en était donné la démonstration en répondant à l'offre d'emploi d'un concessionnaire automobile. Le bureau de chômage lui avait parlé d'un poste de direction, mais il s'avéra très vite qu'il ne s'agissait, en fait, que d'un job de vendeur, plus ou moins glorifié. Le patron de l'entreprise était un épais Irlandais élevé chez les pères, comme c'est fréquemment le cas chez les marchands de voitures du Midwest. Tout, dans son allure, trahissait quarante années d'alcoolisme et, peut-être aussi, l'absence d'un ou deux gènes fondamentaux. Il nota la tenue élégante de Lundgren le Sorcier, le costume sur mesures et la chemise monogrammée. Il se dit qu'il tenait peut-être enfin le vendeur plein de classe, le bourgeois protestant de bonne souche qui ne manquerait pas de séduire les professions libérales du coin. Le patron lui offrit donc une tassé de café soluble dans lequel Lundgren le Sorcier fit fondre deux pastilles de saccharine. Bien sûr, l'entrevue allait à l'échec, mais ce n'était pas vraiment la faute de l'un ou l'autre des interlocuteurs.

« Parlez-moi de vos objectifs, passés ou futurs.

— Objectifs ? demanda Lundgren. Vous ne trouvez pas que c'est un terme plutôt mécanique ?

— Je... je ne suis pas sûr de comprendre.

— Comprendre ? Comprendre ce qu'il y a à comprendre dans ce qui est à comprendre ? »

Lundgren le Sorcier s'enfonça dans son fauteuil. Il n'avait aucune envie de vendre des automobiles et il lui restait une heure à tuer avant de rejoindre Diana pour déjeuner, à la cafétéria de l'hôpital.

« Lorsque j'entends le mot " objectif ", je pense à un fusil pointé sur un faisan, ou je vois l'image d'un magnifique cerf dans le viseur télescopique Bushnell de ma carabine de calibre 35.

— Vous aimez la chasse ? »

Le patron espérait encore ramener son interlocuteur

sur un terrain plus ferme. Du moment qu'il était chasseur, il ne pouvait pas être complètement fou.

« Oui et non, répondit Sorcier. Le mot " objectif " me fait également penser au viseur des bombardiers B 29... ou aux travaux de von Neumann sur les balles traçantes qui ont contribué, autant que la fission nucléaire, à l'heureuse issue de la Seconde Guerre mondiale.

— Je voulais parler de vos ambitions.

— Faire bouillir la marmite, tout simplement. Mes ambitions relèvent de la vénalité la plus pure. Pourtant, il m'arrive aussi de penser au fatalisme de Keynes et de Samuelson selon lesquels, lorsque je serai en âge de me retirer — c'est-à-dire dans vingt-trois ans — il faudra compter près de cinquante mille dollars pour payer une seule année d'études universitaires. »

Il adorait inventer des statistiques ; il aimait prétendre, par exemple, que les morsures de serpents faisaient trois fois moins de victimes que la mayonnaise avariée. Il citait également le cas extraordinaire d'un habitant de l'Oklahoma qui tomba brutalement malade après avoir mangé une salade de pommes de terre en putréfaction et qui s'écroula dans un fourré où il fut mordu par un crotale de trois mètres.

« Nous vendons de bonnes voitures. Bien sûr, tout est possible. Mais si le prix des études devient aussi élevé, il y a gros à parier que votre commission sur la vente d'une voiture sera au moins de cinq mille dollars. Vous ne risquez pas de manquer d'argent pour envoyer vos enfants à l'université.

— Mais le plus jeune de mes enfants aura trente-huit ans en l'an 2000. J'imagine que ses études seront terminées depuis belle lurette. D'ailleurs, je ne vois pas pourquoi je m'acharne à vous expliquer tout cela puisque je n'ai pas d'enfant. »

A présent, le gros concessionnaire semblait perdu en plein brouillard. Il pleuvait dans son cœur. Il se souvenait de son voyage en Irlande, l'été précédent. Un matin, à l'aube, alors que sa femme dormait encore, il avait quitté l'hôtel et accompagné un vieux laitier dans sa tournée. Il se souvenait clairement du sentiment merveilleux qu'il avait éprouvé à charger et décharger ces grands bidons de lait frais. Puis il sortit de son rêve et concentra un regard féroce sur Lundgren le Sorcier.

« Foutez-moi le camp d'ici, bougre de cinglé de merde !

— D'accord, mais n'oubliez jamais que les Japonais, avec la Subaru, vous mettront sur la paille pendant des années et des années. »

•

Et maintenant qu'il se tenait près de sa Subaru, dans la cour de la ferme en location où il vivait, certains doutes commençaient à l'assaillir. Comment conserver la pureté de ses idées ? C'est déjà difficile pour un dévot qui consacre son existence à Dieu pour l'éternité, mais quand il s'agit de changer son propre avenir, cela relève presque de la science-fiction. Il leva les yeux vers le feuillage des grands érables et se plut à remarquer la rapidité avec laquelle les teintes pastel de mai se muaient en verts profonds de juin. En bordure du chemin d'accès, le champ d'alfa était un gigantesque conservatoire d'abeilles. Le regard fixé sur les épaisses frondaisons, il pensait aux films de guerre de son enfance où le cocotier le plus déplumé abritait toujours un tireur d'élite japonais. Recru de fatigue et de dégoût, le sergent Luke Fisk, de Lawrence dans le Kansas, passait à proximité de l'arbre et sa cervelle éclatait subitement sous la balle du Jap malgré la protection du lourd casque de guerre. Le père de Warlock lui racontait que les Japonais se cachaient de préférence dans les cocotiers parce qu'ils avaient des têtes qui ressemblaient à des noix de coco. C'était un fait reconnu et confirmé. En sortant du cinéma, le père et le fils allaient toujours déguster une glace au chocolat dans le drugstore du coin.

Il faut se concentrer, pensa Sorcier en se glissant au volant de la voiture. L'esprit humain ne se laisse pas manier facilement. Ainsi, tandis qu'il se tenait dans la cour de la ferme et qu'il s'efforçait de penser à son avenir, il s'était rapidement égaré dans les feuilles d'érable puis dans la guerre du Pacifique et enfin dans les cocotiers. De plus, il détestait la noix de coco sous toutes ses formes. Dans sa chambre secrète, au premier étage, Diana se livrait à des exercices de méditation orientale. C'est sa vieille amie Gretchen qui l'avait initiée à ces pratiques, ainsi qu'au culte désastreux des mets diététiques. La porte de cette chambre secrète était toujours fermée à clef. Sorcier n'avait reçu qu'une seule gifle en sept ans de mariage ; ce jour-là, il avait un ou deux verres dans le nez et il prétendait, en rigolant bien sûr, que si Diana gardait cette pièce fermée, c'était pour que son mari ne découvre pas qu'elle y cachait un énorme godemiché.

Sacré nom de Dieu ! Il frappa brutalement le tableau de bord. Concentre-toi sur l'avenir ! Mais sa brusque poussée de colère fendilla à nouveau son sens des réalités, et il se laissa envahir par les mystères de la nuit et du jour. Il posa son regard au-delà des insectes écrasés sur le pare-brise. Les Indiens, pensait-il ; parfois, lorsque l'existence commence à perdre son piment, ils font tout à l'envers afin de voir les choses sous un angle nouveau. Mais Sorcier ne pouvait tout de même pas parcourir les trente kilomètres qui le séparaient de Traverse City en marche arrière. Et en marche avant, il ne restait aucune route qu'il n'ait déjà empruntée. Il faut, avant tout, changer la nature de l'esprit. Le reste coule de source. Un mince éclair illumina le lointain.

D'un coup de poing, il mit la Subaru en première et traversa délibérément la pelouse où l'antenne de radio fouetta les cordes à linge. Puis il roula en bordure du champ d'alfa, deux roues dans le fossé et deux autres contre le talus, fonça dans le verger, traversa en cahotant un ruisseau, un fossé détrempé et arriva enfin sur la route qu'il aspergea de boue sur plus de cinquante mètres. Il éprouvait un curieux sentiment de victoire.

13

C'est alors que la vie se mit à changer, et cela, pour des raisons aussi mystérieuses que celles pour lesquelles elle refusait de changer auparavant. Le lendemain de la petite fête donnée en l'honneur des Mâchoires de la vie, Sorcier se leva très tôt, fourra Hudley dans la voiture et partit pour Kingsley, à soixante-dix kilomètres au sud. Il souffrait de remords pour sa conduite de la veille, mais il souffrait surtout d'une épaisse gueule de bois, résultat d'une cuite tellement énorme qu'il la classait parmi les cinq plus importantes de son existence pourtant riche en événements de ce genre. La seule note de consolation résidait dans les restes d'un rêve où il se voyait incapable de pousser une charrue parce que de petites plaques de verre s'étaient logées entre ses vertèbres. Dans le rêve, il parvenait à extraire ces parcelles gênantes et retrouvait la souplesse de sa colonne vertébrale avec un extraordinaire sentiment de puissance.

Au bout de quelques kilomètres, le chien se mit à aboyer en direction de chaque voiture qu'ils croisaient. Hudley avait un timbre grave mais tellement sonore que Sorcier se surprenait à serrer les dents jusqu'à en avoir mal aux mâchoires. Arrêté devant un feu rouge, à Traverse City, il se retourna, attrapa le chien par la peau du cou et le secoua avec violence. « Fous-moi la paix, Hudley. J'ai la gueule de bois. »

Le chien se tut, puis après un moment de réflexion, il

lécha largement la joue de Sorcier pour lui manifester sa sympathie. Une des cinq cuites les plus énormes de sa vie... Sorcier avait une passion pour les classifications et les courbes de progression. Lorsqu'il était encore un jeune garçon, il s'amusait à classer les équipes professionnelles de football, de hockey, de base-ball, etc. Sur une autre feuille, il fabriquait son propre hit-parade. Le jour de ses quatorze ans, il s'aperçut qu'il avait grandi de quatre centimètres depuis son dernier anniversaire. Il établit une courbe et calcula que, à ce taux de croissance, il mesurerait trois mètres vingt à sa majorité. Ce serait formidable. Il serait le joueur de basket le plus célèbre de la terre. Il deviendrait richissime et épouserait une de ces filles qu'on déplie dans *Playboy*. Ils habiteraient au sommet d'une tour de Chicago. Leur mariage serait harmonieux car la fille dépliante de *Playboy* aurait assez d'intelligence pour distinguer les trésors de sensibilité qui se cacheraient dans l'immense structure du bonhomme. Bien entendu, toutes les femmes seraient folles de lui mais il garderait sa flamme intacte et ne tromperait jamais son épouse... sauf durant les longues tournées en province lorsque sa prodigieuse carcasse ne parviendrait plus à contenir les sombres pulsions simiesques de sa formidable libido. Les majorettes se battraient devant sa chambre d'hôtel et hurleraient de désir comme autant de louves en chaleur.

Mais, ce matin-là, il se sentait tellement démoli qu'il rêvait d'aller se cacher dans le coin le plus sauvage de la forêt. Ce serait tellement sauvage qu'il aurait un peu peur. En fait de coin sauvage, il se dirigeait vers une large vallée forestière ravagée par des centaines de bûcherons et qui résonnait du hurlement strident des scieries. Il se promènerait dans un coin moins dévasté que les autres et irait ensuite demander le conseil de son vieil ami Clete, Cletis Griscombe, un homme sage qui se partageait également entre son métier de charpentier-maçon et ses occupations de chasseur-pêcheur.

Sorcier quitta la route au sommet du col et s'engagea dans un chemin de terre défoncé. A l'arrière, Hudley reniflait à grands coups l'air subitement vide d'odeurs humaines, usant de ses sens anormalement développés pour faire face à toute provocation.

« Du calme, la grosse bête. On ira nager tout à l'heure. »

Ils traversaient une clairière délicieuse lorsque soudain Hudley bondit hors de la voiture en poussant un véritable rugissement. Perdu dans ses pensées, Sorcier mit un moment à réaliser ce qui se passait et freina sur place. Le chien était déjà loin et cavalait à fond de train vers une butte d'herbe tendre au sommet de laquelle une petite créature des bois grignotait les plaisirs du matin frais. Sorcier sprinta comme un fou sur plus de cinquante mètres en hurlant : « Hudley ! » mais il était trop tard ; le chien secouait déjà le petit animal dans sa gueule. Il le jeta en l'air, le rattrapa et s'offrit un tour d'honneur plein d'orgueil autour de la butte. C'était une petite marmotte dont les minuscules mamelles roses pointaient sous la fourrure. Les yeux de l'animal étaient encore ouverts et Sorcier voulut le libérer des crocs de Hudley. Il tira dans un sens, Hudley tira dans l'autre et avec tant de force que Sorcier en eut une crampe dans le bras. Mais la bataille était vaine ; de toute évidence, la marmotte était aussi morte qu'il est possible de l'être. Le chien galopa vers la voiture avec sa proie dans la gueule.

« Hudley ! Sacré foutu connard de chien débile ! C'était une femelle, pauvre con ! »

Et Sorcier revint également, mais à pas très lents, empli de pensées amères sur le caractère sanguinaire de la nature profonde. Au collège, il affichait une admiration totale pour Albert Schweitzer et méprisait la violence sous toutes ses formes. Lorsqu'il ne fut plus qu'à quelques mètres, le chien alla se réfugier sous la Subaru tout en mâchouillant sa victime avec de féroces grognements. Sorcier alluma une cigarette et se dit que la veille, il avait lui-même perdu beaucoup de sa noblesse en allant se commettre dans une bagarre. Il s'était conduit de manière grotesque, comme le chien, et il ne pouvait s'empêcher de rougir en se souvenant du piaillement des femmes autour de lui.

L'événement regrettable s'était déroulé au début de la fête de charité. Il était en compagnie de deux bourgeoises assez flirt et observait le ballet des cuisiniers qui faisaient rôtir deux cents poulets au-dessus d'un gigantesque barbecue. Ils les enduisaient de pelletées de margarine au lieu de ce mélange subtil de beurre, d'ail, d'estragon, de vin blanc et de citron que Sorcier utilisait plus volontiers. Il y avait un grand bar devant lequel un assortiment de médecins, de chirurgiens, de notaires, d'avocats et d'hommes d'affaires se bourraient la gueule avec alacrité dans le but évident d'en boire pour leur argent. Derrière le bar, juchée sur une estrade, trônait l'imposante machine qui justifiait ces torrents d'alcool : les Mâchoires de la vie. Sorcier imaginait le travail des puissants crocs d'acier venant libérer des enfants innocents des débris d'une voiture écrasée contre un arbre. Il se retourna vers les bourgeoises avec un sourire charmeur. Il se sentait en forme et plein de séduction. Mais, soudain, une voix rugueuse hurla son nom. Le concessionnaire automobile que Sorcier s'était ingénié à torturer s'avançait vers lui, accompagné de deux lourdauds qui étaient probablement ses employés. Sorcier s'écarta des bourgeoises. Le soleil couchant l'aveuglait.

« C'est lui, les gars ! Voici monsieur le branleur de mes deux. On va le foutre à la porte d'ici. On va même le foutre à la porte de la ville. On va le renvoyer dans le Sud et on gardera sa femme en otage. »

Cette dernière proposition fut ponctuée d'un rire gras.

Sorcier bouillait de rage ; autour de lui, les spectateurs murmuraient leur désapprobation sur la conduite du concessionnaire irlandais. Mais l'homme avait plus de soixante ans et Sorcier se dit qu'il ne pouvait décemment pas le frapper en public. Près de lui, une pile de poulets dégelés attendaient de passer sur le gril. Sorcier en choisit un avec soin et, battant le rappel de ses souvenirs de rugbyman, il expédia les trois livres du volatile plumé dans la figure du concessionnaire. Le gros homme s'écroula comme une masse. Le premier lourdaud se précipita et reçut de plein fouet le coup de pied que Sorcier décochait dans son estomac. Le deuxième lourdaud freina sur place, puis il s'avança lentement, presque timidement, subitement convaincu que les choses allaient se gâter pour lui. Sorcier lui claqua violemment les oreilles avec ses paumes ; son père lui avait appris que c'était un excellent moyen de désarmer l'agresseur le plus menaçant.

Les deux bourgeoises entraînèrent Sorcier à l'écart tout en chantant sa gloire aux gens qui n'avaient pas assisté à la scène. Diana était furieuse mais sa colère ne dura pas ; même les femmes les plus évoluées ne peuvent s'empêcher d'avoir un faible pour les vainqueurs de rixe. On lui fit boire plusieurs whiskies afin de ralentir son flot d'adrénaline et Diana le présenta au Dr Rabun, le célèbre inventeur.

« Merci, dit le docteur. Grâce à vous, je suis vengé. Ce sale type m'a proprement escroqué la dernière fois que j'ai changé de voiture.

— Ce n'est rien, répondit Sorcier. J'étais cerné, il fallait que je gagne. »

Puis l'orchestre se mit à jouer et plusieurs femmes voulurent danser avec le héros. A travers la brume alcoolique qui lui obscurcissait de plus en plus la vue, Sorcier remarqua tout de même que Diana semblait ne pas porter de culotte sous sa robe légère. Il se sentit subitement très excité et se demanda s'il y avait moyen d'entraîner sa femme dans un buisson pour tirer un petit coup rapide. Aucune chance. Dans la voiture, après la fête, il se sentit frustré de n'avoir pu manger la moitié de poulet à laquelle le billet d'entrée lui donnait droit.

Il s'accroupit sur le chemin de terre et observa la truffe couverte de sang de Hudley. Le chien lui retourna un regard méchant et grogna de manière menaçante.

« Je te donne cinq minutes pour sortir de là. Après, je te botte le cul. »

Sorcier fit le tour de la voiture à quatre pattes, mais le chien ne le quittait pas de l'œil et se déplaçait lui-même afin de demeurer hors de portée de son maître. Sorcier se releva. La situation est cornélienne, se dit-il. Impossible de démarrer sans risquer d'écraser le chien. De plus, il avait faim et rêvait d'une bière bien fraîche. Son copain Clete lui avait dit, une fois, qu'il mangeait volontiers de la marmotte grillée. Mais la situation présente ne se prêtait guère à la cuisine en plein air ; Sorcier n'avait pas de poêle à frire, pas d'huile, pas de bière. De plus, la marmotte était déjà réduite à l'état de charpie. Sorcier ouvrit sa portière et appuya longuement sur l'avertisseur. D'habitude, ce bruit rendait le chien complètement fou. Pour une fois, ce ne fut pas le cas et Sorcier ne parvint qu'à aggraver sa propre migraine. Il se mit au volant, mit le moteur en marche et avança très lentement, le cœur battant et la bouche sèche. Il avança un peu plus vite lorsqu'il vit le chien dans le rétroviseur. Hudley restait sur place et continuait de dévorer sa marmotte. Lorsque la Subaru se fut éloignée d'une centaine de mètres, le chien se dressa et la poursuivit en courant. Alors, Sorcier écrasa l'accélérateur et roula à toute vitesse jusqu'à la rivière, deux kilomètres plus loin. Il rangea la voiture sous un bouleau et se déshabilla. Il en était au pantalon lorsque Hudley apparut au détour du chemin, cavalant comme un furieux et tenant toujours la marmotte dans sa gueule. Sorcier fit semblant de l'ignorer, entra dans l'eau et se laissa porter par le courant vers un tourbillon proche de la rive opposée. Confiant et joyeux, Hudley le suivit sans desserrer ses mâchoires de la carcasse informe. Lorsqu'il arriva près de Sorcier, celui-ci le saisit par le cou et lui plongea la tête sous l'eau jusqu'à ce que le cadavre de la marmotte revienne à la surface et s'éloigne dans le courant. Il libéra le chien aux trois quarts asphyxié et qui venait de lui écorcher l'avant-bras dans sa frénésie de survie. Hudley lui jeta un regard terriblement offensé, retourna vers la rive et sauta dans la voiture. Lorsque Sorcier vint le rejoindre, Hudley ronflait bruyamment sur le siège arrière. Sorcier démarra en se demandant où il pourrait bien trouver un restaurant assez correct pour lui offrir un déjeuner honorable ainsi qu'une bière bien fraîche.

14

Après son bain dans la rivière, il s'arrêta chez Clete pour le saluer. Sa gueule de bois le rendait faible, vulnérable et il se remettait mal de ses démonstrations de violence. Clete se tenait avec un arc et une flèche devant son bassin à truites. Pour se simplifier l'existence, il avait choisi de nourrir ses poissons avec des granulés vendus dans le commerce. Mais il devait s'apercevoir très vite que si cela lui simplifiait l'existence, la pêche, en revanche, devenait assez compliquée car les truites ne voulaient plus mordre aux mouches ou aux asticots. Elles n'aimaient que les granulés. Alors, Clete leur jetait des poignées entières de nourriture artificielle et, quand les poissons étaient bien gavés jusqu'à se mouvoir avec paresse, il les chassait à l'aide d'une flèche prolongée d'une longue ficelle. Il tendit l'arc à Sorcier.

« Tu veux essayer un coup ?

— Non, merci.

— Tu as l'air d'avoir bouilli dans une marmite de merde.

— Merci, c'est gentil. Il est vrai que je ne suis pas très en forme.

— Qu'est-ce qui ne va pas ?

— Je crois que je vais changer de vie.

— Bonne idée.

— Pourquoi ?

— De toute façon, tu ne fais rien. Ce n'est pas très difficile de mettre quelque chose dans son existence lorsqu'elle est aussi vide.

— Très juste ! J'ai quelques idées sur la question.

— Chaque fois que je passe devant le cimetière pour aller travailler, ça me rappelle que je ne vais pas vivre éternellement.

— C'est bien vrai, ça ! »

Ils déjeunèrent de truites grillées, de pain de campagne et de beurre salé, puis ils firent descendre le repas avec plusieurs verres de whisky. Sorcier se mit à expliquer les tours et détours de son existence, mais il s'arrêta en constatant que Clete s'était endormi. Lorsque venait l'été, Clete travaillait seize heures par jour à poser des briques : il avait donc une certaine tendance à s'endormir lorsque ses mains cessaient d'être occupées. Il se réveilla, bâilla largement et enchaîna sur une boutade :

« Tu sais bien que la vie est une vraie merde. Alors, puisque tu penses être assez malin pour rendre la tienne différente, fais ce que tu dois faire et cesse de faire chier le peuple. »

Sur le chemin du retour, Sorcier se dit qu'il n'avait aucune envie de faire chier le peuple. Seulement, il supportait mal qu'on lui donne des conseils ; la sagesse des autres lui paraissait toujours très éloignée des brutales réalités de l'existence. En classe, il avait eu beaucoup de mal à définir la différence qu'il pouvait y avoir entre la réalité et le réalisme.

Et puis, il y avait aussi le caractère sacré de certaines recommandations : les Dix Commandements, le Sermon sur la montagne, l'officier qui lui ordonnait de se tremper le zizi dans du peroxyde d'azote après une permission passée dans les bordels de Juarez, son père lui conseillant d'abandonner sa carrière artistique pour entrer dans les affaires, car « le métier d'artiste est un métier de crève-la-faim », ce qui avait amené dans l'esprit de Sorcier des images de peintres décharnés cherchant leur nourriture dans les poubelles. L'art, c'est le cochon le plus maigre de la portée, celui qui ne parvient jamais à se frayer une place devant l'auge commune et qui doit se contenter des maigres restes que lui abandonnent ses frères plus forts et donc mieux nourris. L'art est également cruel et Sorcier en avait fait l'expérience lorsqu'il vivait avec Marilyn, sa première femme. Ils habitaient un petit appartement très spartiate situé dans l'immeuble réservé aux étudiants mariés. Sorcier passait de longues heures au bureau de la bibliothèque pour augmenter son revenu assez misérable de maître assistant. On était au printemps, il faisait bon et l'air du soir amenait par la fenêtre les senteurs complexes du jardin botanique qui se trouvait en face. Bien dopé au Dexamyl, Sorcier venait de terminer une longue thèse consacrée aux irrationnalités du système fiscal appliqué aux petites entreprises. Pour la première fois depuis deux ans, il n'avait rien de spécial à faire. Il laissa ses pas le conduire vers le secteur consacré aux arts et lettres. Une bibliothécaire de type vaguement levantin lui recommanda de lire *Le Docteur Jivago* qui venait tout juste d'être publié aux États-Unis. Sorcier n'osa pas lui dire qu'il aurait préféré quelque chose de plus nerveux, ou même de carrément salace. Il se laissa faire et ne le regretta pas. Durant trois jours, il fut littéralement subjugué par le roman. Il en sortit complètement retapé, prêt à fonctionner au maximum de ses possibilités. Le monde des affaires lui paraissait subitement vide et méprisable. Il reprit la palette qu'il avait abandonnée depuis deux ans. Il se replongea complètement dans la pratique de son art au point qu'il refusa d'assister à la séance inaugurale du cycle où, pourtant, Richard Nixon lui-même devait prendre la parole. Plus tard, il se sentit relativement libéré de la mélancolie née de cette lecture. Il devint un jeune cadre plein d'avenir dans l'informatique — après tout, le grand Gauguin lui-même avait travaillé à la Bourse. Il subit une rechute lorsque le film sortit dans les salles. Il se disait qu'il lui serait probablement impossible de choisir entre Géraldine Chaplin et Julie Christie, être médecin, faire de l'art, et tout cela en pleine révolution. Fichtre !

Mais le conseil le plus poignant lui avait été donné l'année précédente, lors d'un voyage en compagnie d'un administrateur de l'université qu'il accompagnait à New York pour un séminaire. La perspective de ce voyage ne lui plaisait qu'à moitié. Il redoutait de se retrouver pendant deux jours en compagnie de ce bonhomme qui lui donnait l'impression d'être un curieux zozo. C'était un électronicien de haut vol qui travaillait depuis des années avec le ministère de la Défense et qui dirigeait une petite société de conseil en ingénierie. Or l'administrateur se révéla être un homme intéressant, à la fois précis et elliptique, et qui s'exprimait en termes allégoriques, comme ces philosophes zen que Diana appréciait tant. Bien qu'ils soient en première classe, Vergil, l'administrateur, sortit d'un sac à dos un panier repas et une bouteille de vin blanc. Le panier contenait un pâté de canard, du pain noir et un bocal de cornichons français. Il invita Sorcier à comparer son casse-croûte au repas dérisoire servi par les hôtesses. Vergil était mince et noueux ; il n'avait aucunement l'allure d'un gourmet : « Il faut manger deux fois par jour, tous les jours et toute la vie. Je refuse catégoriquement de manger autre chose que de la nourriture de qualité. Il ne faut manger que des produits frais ; c'est bon pour le moral, pour l'esprit et pour la libido. » Il se tapotait l'estomac en expliquant tout cela. Puis il interrogea Sorcier sur ses habitudes alimentaires et lui conseilla de toujours négliger la quantité au bénéfice de la qualité. Sur ces fortes paroles, le vieux singe passa une bonne demi-heure à essayer de draguer l'une des hôtesses. Mais, lorsqu'ils arrivèrent au-dessus de New York, Vergil redevint sérieux et entreprit à nouveau Sorcier sur un ton grave.

« Cela fait deux ans que je vous observe, mon garçon. Je vous ai d'abord pris pour un homme de flair, très différent de ces aboyeurs de foire complètement incultes qui se croient des hommes d'affaires. » Vergil embrassa d'un grand geste les autres passagers de l'avion et Sorcier eut réellement l'impression qu'ils s'exprimaient par aboiements. Vergil ferma les yeux et demeura silencieux.

— Et alors, insista Sorcier, vous trouvez que je ne suis pas un homme de flair ?

— Vous le deviendrez peut-être un jour, mais il vous faudra traverser une épreuve décisive, quelque chose de violent qui vous débarrassera de la merde que vous avez encore autour de la cervelle. Vous ne vivez pas dans le monde des réalités. Vous vivez dans un monde très inférieur où vous gaspillez vos énergies à tenter de conformer les êtres et les choses à votre propre vision de la vie. Vous perdez votre temps en désirs confus, en répétitions. Vous vous dépensez bêtement à vous fabriquer des opinions tièdes et sans fondement. Je sais que j'ai raison. J'ai été comme vous, autrefois.

— Et qu'avez-vous fait ?

— Vous le découvrirez un jour. Ça vient comme une révélation mais ça ne se passe jamais de la même manière. »

Vergil le faisait penser au Dr Rabun. Ils étaient, l'un et l'autre, du même métal. Rabun apparaissait comme un marginal, un excentrique. Il n'avait jamais pratiqué la médecine mais s'était bâti une réputation quasi mondiale en inventant des appareils médicaux : des soupapes et des filtres perfectionnés pour reins artificiels, un système informatique pour les analyses de sang, un équipement de conservation d'organes, une prothèse absurde mais très efficace destinée aux hommes rendus impuissants par le diabète ou toute autre cause biologique plutôt qu'imaginaire. Il était surtout célèbre pour ses travaux en matière de podologie. Il y avait d'ailleurs quelque chose d'ironique dans les problèmes de pieds plutôt sévères dont souffrait le Dr Rabun. Sorcier avait appris tout cela lors de la fête de charité. Rabun avait vraiment une étrange allure et les médecins en parlaient librement à Sorcier, ce qui est étonnant car la profession médicale est généralement peu communicative à l'égard des non-initiés. Mais Sorcier comprenait que toutes ces confidences devaient beaucoup aux liens qui l'unissaient à la personne la plus en vue de la soirée, c'est-à-dire Diana. Elle portait une robe de mousseline vert pâle assez révélatrice et dansait avec un entrain et une grâce qui faisaient saliver tous les hommes présents à la soirée. Ces toubibs d'âge mûr avaient vu défiler trop de cellulite sur leur table de gynécologie et ils se laissaient attirer vers Diana comme autant de gros clous par un implacable aimant. Les plus malins tentaient de l'approcher par la bande, c'est-à-dire par le mari. C'est ainsi que Sorcier en arriva à se documenter sur le compte du Dr Rabun. Tous les soupirants se firent battre au poteau par un séduisant chiropracteur qui avait la réputation de faire des ravages dans la volière locale. Les épouses endiamantées levèrent le nez avec dépit et firent une bouche en cul de poule. Sorcier en consola quelques-unes en les faisant danser. Certaines, malgré leur âge quasi ménopausique, demeuraient encore très attirantes. Sorcier avait une nette préférence pour les femmes de quarante ans ou plus, car il estimait à juste titre qu'elles étaient moins bêtes que leurs cadettes. De danse en danse, Sorcier apprit que le Dr Rabun n'était pas très apprécié de ses pairs. Dans les rares interviews qu'il accordait à la presse, il lui arrivait de prononcer des jugements outrageants pour la profession ; c'est ainsi qu'il avait récemment déclaré que beaucoup de médecins d'aujourd'hui n'étaient que des crétins sanguinaires qui seraient bien mieux à leur place dans des échoppes de barbiers, comme leurs confrères du Moyen Age. Ce qui se passa pour la dernière danse de la soirée fut une surprise pour tout le monde. Rabun se leva de la chaise dont il n'avait pas décollé de la soirée et d'où il débitait d'énormes vacheries tout en avalant des litres de champagne. Il écarta le sémillant chiropracteur et prit Diana dans ses bras en proclamant que la dernière valse serait pour lui. Le spectacle était assez touchant ; Rabun, dégingandé et saturnien, portait un smoking admirablement coupé mais avec des chaussures qui ressemblaient à de petits canots pneumatiques trop gonflés. Il enlaça Diana et la fit danser à contretemps avec une maladresse pleine d'arrogance, inconscient des regards sarcastiques qui se posaient sur lui.

15

Sorcier fut réveillé par les aboiements du chien. Il s'était endormi devant la télévision avec un grand bol de pop-corn posé sur l'estomac. Il constata que le bol était vide. Hudley l'avait probablement nettoyé durant son sommeil.

Il entendit des pas qui étaient certainement ceux de Diana car Hudley tortillait du derrière comme un fou. Les chiens savent reconnaître les gens à leur façon de marcher. Les hommes pourraient-ils en faire autant ? Sans doute, mais à condition qu'ils se donnent le mal d'affiner leurs sens atrophiés par la paresse et le progrès. Il afficha une attitude distante lorsque Diana entra dans la pièce. Elle l'embrassa tendrement, comme d'habitude.

« Désolée de rentrer si tard. J'ai téléphoné mais il n'y avait pas de réponse. J'espère que tu ne t'es pas inquiété.

— A quelle heure as-tu appelé ?

— Il y a une demi-heure, environ. Figure-toi que j'ai des nouvelles formi...

— Je promenais le chien », coupa Sorcier. La vérité, c'est que la sonnerie du téléphone ne parvenait jamais à le réveiller.

« J'ai de très bonnes nouvelles pour toi. Le Dr Rabun m'a téléphoné ce matin, à l'hôpital. Il voulait que je lui apporte ton curriculum vitae. Je suis revenue ici à l'heure du déjeuner pour en prendre un exemplaire et je l'ai déposé moi-même chez Rabun, après le travail.

— Il t'a fallu trois heures pour déposer un curriculum ?

— Je me suis attardée pour prendre un verre chez Rabun. Il y avait un couple qui arrivait de France et nous avons un peu discuté.

— Tu parles... trois heures.

— Rabun veut te voir demain matin à neuf heures pour te proposer un job.

— Demain c'est dimanche, dit Sorcier avec froideur. D'habitude, le dimanche, on fait la grasse matinée et on déconne.

— Johnny, je t'en prie, ne sois pas buté. C'est peut-être la chance que tu attendais. »

Il se leva et baissa le volume de la télévision qui diffusait un feuilleton d'épouvante. Puis il alla dans la cuisine. Il voulait continuer à jouer l'indifférence, mais les choses changeaient tellement vite qu'il devenait urgent de boire un verre.

« Il a besoin de moi pour faire quoi ? Il veut faire repeindre son bateau ou laver sa voiture ? »

Il affectait un ton désabusé, comme celui d'un policier de cinéma. Diana se dirigea vers la salle de bains :

« Il cherche un homme de confiance », dit-elle en claquant la porte.

Sorcier se laissa tomber sur une chaise. Il réprimait difficilement l'envie d'aller coller son œil au trou de la serrure pour la voir se déshabiller. C'était un petit vice auquel il s'adonnait parfois. Ça pouvait sembler absurde de faire le voyeur lorsqu'on pouvait disposer de la marchandise aussi librement. Il se préparait à analyser cette envie lorsqu'une pensée désagréable se faufila dans son esprit : une de ses anciennes secrétaires lui avait raconté qu'elle savait que son mari venait de la tromper lorsqu'il se dirigeait directement vers la douche en rentrant à la maison. Il se débarrassait des odeurs étrangères. L'odorat est peut-être un outil d'espionnage trop négligé. Les chiens de chasse font des prodiges dans ce domaine et même Hudley, ce con, même lui parvient à détecter une chienne en chaleur à plus d'un kilomètre. Les hommes pourraient-ils acquérir un tel odorat ? Évidemment, du côté des toilettes publiques, ce ne serait pas très agréable, mais on devrait parvenir à cultiver un odorat sélectif, un sens parfait qu'on pourrait ouvrir ou refermer à la demande. Revenons à Diana ; il serait improbable qu'elle le trompe avec un sexagénaire avancé. Ah, être la mari d'une jolie femme n'est pas une occupation de tout repos. Lorsqu'ils sortaient ensemble, il pouvait clairement percevoir le désir des autres hommes. Heureusement que les idées féministes de Diana l'amenaient à se vêtir de manière discrète. L'ennui, c'est qu'il lui arrivait souvent de ne pas mettre de slip et cela dérangeait Sorcier : « Et si nous avons un accident de voiture ? demandait-il.

— Je vois des tas de femmes qui arrivent à l'hôpital après un accident de voiture. Je te jure qu'elles pensent à bien autre chose qu'à leur petite culotte. »

La télévision diffusait maintenant une nouvelle version de Dracula. Dans la salle de bains, le bruit de la douche s'arrêta. Sorcier se sentait calmé par le whisky et des idées friponnes commençaient à se frayer un chemin dans sa tête. Pourquoi diable les gens ont-ils une telle passion pour Dracula ? Sorcier n'avait jamais eu la moindre envie de mordre quelqu'un dans le cou et aucun fantasme de viol ne lui troublait le jugement. Lorsque les amies féministes de Diana se mettaient à hurler contre le viol, Sorcier aimait leur rappeler que la police du comté de Leelanau n'avait pas enregistré de plainte depuis plus de dix ans. Une fois, Gretchen rétorqua que cinq ans plus tôt, il y avait eu une tentative de viol. Une tentative seulement, car l'agresseur n'avait pas réussi à bander. Sans réfléchir, Sorcier s'écria : « Pauvre vieux ! » et dut fuir immédiatement sous une tempête d'injures. D'ailleurs, disaient les amies de Diana, la plupart des femmes violées refusent de le faire savoir, et les plaintes enregistrées par la police ne représentent que l'infime partie visible de l'iceberg. Sorcier revint de la cuisine où il s'était réfugié et remarqua que, dans la région, il n'y avait même pas d'iceberg et que l'argumentation des femmes était purement tautologique. Lorsqu'elles lui demandèrent d'expliquer ce que voulait dire « tautologique », il s'aperçut qu'il avait oublié. Il sortit alors sa carte secrète et téléphona à son père, le célèbre policier de Minneapolis.

« Papa, parle-moi du viol.

— Johnny ! T'as violé quelqu'un ?

— Non, Papa, mais je suis en train de me faire mettre en pièces par les amies de Diana.

— Et moi, je suis en train de regarder un match de football. Tu m'emmerdes avec tes histoires.

— Excuse-moi, mais il me faut quelques éléments. Ces chiennes sont en train de me coincer.

— Oh, la vache ! Campbell vient de prendre un de ces coups de pied dans la gueule... Bon, écoute-moi. Les affaires de viol, j'en vois presque tous les jours et je crois qu'il n'y a rien de plus dégueulasse à part le meurtre et le rapt d'un enfant. Tu devrais voir ces pauvres femmes ; elles en sont malades de dégoût et d'horreur. Il y en a de tous les âges. Les plus veinardes se font seulement démolir le portrait. Mais, parfois, on en voit qui arrivent avec le vagin ou l'anus déchiré. Pourquoi est-ce que les mecs font ça ? La plupart ne sont même pas des obsédés sexuels. Ce sont des gars qui se vengent... ils se vengent de la misère, de la solitude... En attendant, il n'est pas rare que leurs victimes se retrouvent chez les dingues et de manière permanente... Oh ! là ! là ! Campbell est fou de rage. Je parie qu'il va se farcir l'arbitre.

— Merci, Papa.

— Ça te suffit, comme argument ? En tout cas, pour moi, c'est l'un des crimes les plus atroces qu'on puisse commettre. Quand je chope un coupable, je peux t'assurer qu'il se fabrique des souvenirs, avec moi. A chaque fois, je lui fais une grosse tête. La semaine dernière, on a eu une fille, une fillette... Il a fallu lui mettre quinze points de suture là où tu sais. En plus, elle y a laissé un œil. T'as trouvé du boulot ?

— Peut-être bien, oui.

— Bonne chance, fiston. Mets-toi devant la télé et regarde le match. Ne pense plus à ces histoires de viol.

— Je t'aime beaucoup, Papa.

— Moi aussi, fils ! Ne mollis pas. »

Et comme Sorcier était de nature honnête, il raccrocha le téléphone et revint vers les femmes pour leur avouer qu'il avait eu tort. Mais elles discutaient déjà d'autre chose et se fichaient complètement de ses remords.

Diana sortit de la salle de bains en chemise de nuit très courte, les cheveux enveloppés dans une serviette-éponge. Elle s'installa sur le canapé et entreprit de passer de la crème sur ses jambes. Il faisait chaud et Sorcier se disait que la chaleur est conductrice de luxure. Partant sur cette lancée, il en profita pour se remémorer une chaude soirée d'été, quelques années plus tôt. Ils avaient beaucoup bu et Diana portait une tenue extravagante achetée par correspondance dans une officine spécialisée. Elle s'était fait un maquillage de pute et ondulait devant lui en porte-jarretelles. Une sacrée soirée !

« Excuse-moi, mon lapin. » Affectueux, mais net, direct, sans fioritures.

« Tu es sincère ou est-ce que tu dis ça pour pouvoir me sauter ? Je voulais seulement t'aider.

— Je suis sincèrement désolé. Si j'ai des réactions un peu brutales, c'est parce que je supporte mal d'être à la traîne. » Il mima une profonde détresse en fourrant son visage entre ses mains. L'ennui, c'est que la détresse pouvait facilement devenir réelle. « Où dois-je le rencontrer ?

— Au coin de l'avenue Kolarik et de la 651. C'est un endroit bizarre pour un rendez-vous, mais Rabun désire que votre rencontre demeure secrète.

— J'y serai, d'une façon ou d'une autre.

— Bien sûr que tu y seras. C'est tout près d'ici. Quand tu reviendras, je t'attendrai avec les journaux et un succulent petit déjeuner.

— Pourquoi faut-il que ce soit si tôt ?

— Tôt ? Neuf heures ? Autrefois, tu te levais à sept heures tous les jours. Allez, viens près de moi. »

Il se laissa tomber à ses genoux en soupirant « Oh, Diana ! » et en repoussant Hudley d'un coup de pied. Ils s'embrassèrent et il fourra le nez entre ses seins. Homme de confiance. Oui, décidément, il y avait du changement dans l'air. Il se recula et regarda sa femme dans les yeux. Elle l'enferma entre ses cuisses qui embaumaient la Nivéa.

« C'est peut-être l'occasion que tu attendais. »

Il posa sa tête contre le ventre de Diana. Homme de confiance, ça sonne plutôt bien. Il respira profondément ; le parfum de la crème avait quelque chose d'un peu tropical et lui rappelait leur voyage en Floride et aux Bahamas. D'une certaine manière, il était en train d'exercer son odorat. Demain matin, au rendez-vous, il se montrerait spirituel mais réservé. Diana glissa ses jambes par-dessus les épaules de Sorcier.

16

Une main fraîche agrippa sa cheville et tira. L'esprit encore embrumé de sommeil, Sorcier résista à la tentation de répondre par un de ces violents coups de pied dans les tripes qui peuvent s'avérer mortels pour l'ennemi le plus solidement bâti. Un talon, bien dirigé et lancé par quatre-vingts kilos de muscles, est capable de faire éclater un estomac contre la colonne vertébrale. Les intestins explosent et répandent leur poison dans l'abdomen. Dans les accidents de voiture, c'est le genre de blessure que l'on désigne sous l'euphémisme de « lésion interne ». C'est par cette méthode que les marsouins se défendent contre les requins, à cette différence près que, n'ayant pas de talon, ils se servent de leur museau. Ils percutent comme des locomotives dans le ventre du squale qui se met à mourir de pourrissement accéléré des viscères. Ce n'est pas très joli à voir. Cette technique n'est connue que de quelques initiés et c'est une chance, car si sa pratique était plus répandue, personne n'oserait plus réveiller un dormeur en le tirant par la cheville.

« Réveille-toi. Il ne faut pas que tu sois en retard.

— Fous-moi la paix, grogna-t-il dans un demi-sommeil.

— Debout, Johnny ! Voici ton jus de fruits. »

Il glissa une main molle dans la chemise de nuit de Diana et ancra ses doigts dans son intimité comme une boule de bowling. Elle voulut se dégager mais elle craignait de renverser sur les draps le verre de jus d'airelles que Sorcier buvait en quantité pour prévenir, selon lui, la formation de calculs rénaux. Elle montra les dents, fronça les sourcils et gronda :

« Pas maintenant.

— Et pourquoi pas, ô le plus magnifique des culs ?

— Plus tard, cochon ! Je ne veux pas me laisser sauter à la sauvette. On verra quand tu reviendras de ton rendez-vous.

— D'accord, à condition que ce soit vicieux et pervers.

— Aussi vicieux et pervers que tu voudras, mais lève-toi. »

Dans la voiture, il se dit qu'il était impossible pour un homme d'être aussi pervers qu'une femme lorsqu'elle se mettait des idées en tête. Une fois, à New York, il s'était retrouvé dans le lit d'une danseuse classique qui fonctionnait à la cocaïne, une drogue que Sorcier rejetait complètement. En plein milieu de la nuit, elle lui demanda de mettre sa main « dedans », sa main tout entière. Bien entendu, il refusa, prétextant avec froideur que ce serait physiquement impossible, intellectuellement effrayant, potentiellement dangereux et déraisonnablement pervers. La ballerine avala trois pilules d'amphétamines et s'endormit aussitôt. Sorcier estimait que l'usage de la marijuana, chez les jeunes se faisait aux dépens de leur influx vital, une denrée qui n'est déjà pas tellement courante. Certes, il pouvait y avoir des exceptions : ainsi, au début du mois de mai, il avait emmené Diana pour un week-end de camping, dans le nord de la péninsule. Mais le temps fut tellement épouvantable qu'il les chassa hors de leur tente vers un petit chalet pour touristes dont l'accessoire le plus séduisant était un énorme poêle à bois. Diana avait emporté une petite réserve de marie-jeanne, cadeau d'un de ces médecins jeunes et fringants qui semblent toujours sortis d'un feuilleton télévisé et dont la seule existence avait le don d'exaspérer Sorcier. L'herbe était incroyablement forte et elle le plongea dans une frénésie de luxure que n'aurait pas désavouée le bouc le plus obsédé. Ils passèrent leur week-end à faire l'amour, à écouter la pluie, à ranimer le feu et à se gaver d'énormes sandwiches. Ils mélangèrent la bière et le whisky, fumèrent des joints gros comme des cigares, prirent des douches tièdes et se livrèrent à des jeux érotiques complètement infantiles. Quel merveilleux retour à la nature, se disait-il maintenant, quel superbe retour aux sources biologiques du printemps. Il sentit que la morosité allait le reprendre et s'efforça de la chasser en écrasant l'accélérateur.

Il se rangea sur le bas-côté d'une route gravillonnée et constata que l'endroit était désert. Pas une maison dans les environs. Il avait dix minutes d'avance. Un sentiment de trac lui serra l'estomac. Il sortit sa tête de la voiture et aperçut quelque chose de blanc au sommet d'un frêne. Était-ce une mouette du lac Michigan ou un rarissime corbeau albinos ? Un corbeau serait un mauvais présage, mais présage de quoi ? Sorcier était bon chrétien, sans le savoir. Il rejetait les histoires de fantômes, de magie noire et de sortilèges avec un dédain presque aristotélicien. Il sortit de la voiture. La tache blanche s'était envolée. Il avait plu la nuit précédente, et il prit soin de ne pas salir ses mocassins anglais soigneusement cirés. Il ne parvenait pas à se défaire d'un sombre pressentiment plein de mystère. Un oiseau noir passa au-dessus de sa tête ; l'extrémité des ailes était tachée de rouge. Contrairement à Diana, Sorcier était très ignorant en matière d'ornithologie. Il se dit qu'il venait d'être survolé par un corbeau à ailes rouges. Il s'approcha d'un buisson et fut effrayé par l'envol soudain et bruyant d'un faisan. Saloperie de bestiasse ! Son cœur battait encore avec violence lorsqu'une grosse BMW noire vint s'arrêter derrière lui.

L'entrevue démarra de manière un peu contrainte au son d'une cantate de Bach diffusée par le lecteur de cassettes. Sorcier nota avec déplaisir qu'ils étaient vêtus de la même manière : blazer et pantalon clair. La seule différence résidait dans les chaussures ; celles de Rabun ressemblaient à des petits ballons de rugby noirs. Le bon docteur tenait le curriculum de Sorcier d'une main et de l'autre, il remplissait deux verres de Bloody Mary contenu dans une bouteille thermos.

« J'ai téléphoné à Vergil Schmidt. C'est un vieil ami. Nous appartenons à la même loge maçonnique. Il m'a dit le plus grand bien de vous.

— Merci.

— Ne me remerciez pas. Je n'y suis pour rien. Le seul point noir que je note ici est votre divorce ; je suis catholique pratiquant et je hais le divorce.

— Vous venez de me dire que vous êtes franc-maçon. Les maçons sont généralement protestants dans ce pays. » Sorcier n'avait nullement l'intention de se laisser intimider aussi tôt dans la discussion.

« Très bien pensé ! Je voulais seulement vous tester et savoir si vous m'écoutiez attentivement. Outre Vergil, votre première épouse m'a également dit beaucoup de bien de vous. » Rabun but une longue gorgée de Bloody Mary.

— Merci.

— Pour l'amour du ciel, cessez de me remercier. Je ne vous ai fait aucun compliment. Je ne fais que répéter ce que les autres m'ont dit.

— Excusez-moi, je suis un peu secoué...

— Trop d'adrénaline ! J'ai vu le faisan partir sous vos pieds. Vous vous demandez sans doute pourquoi nous nous rencontrons dans un endroit aussi désert.

— Oui, j'avoue que c'est un peu inhabituel.

— Je n'aime pas que les gens en sachent trop sur mon compte. Je suis inventeur et les inventeurs sont des êtres secrets. C'est indispensable s'ils veulent éviter que des salopards viennent piller leurs inventions. La paternité exclusive de mes recherches m'importe plus que l'argent qu'elles me rapportent. Je suis un solitaire, par excellence.

— Je comprends, monsieur. Les inventeurs sont semblables aux artistes. Ils acceptent mal que d'autres viennent signer leurs œuvres.

— Excellent ! Diana me disait que vous êtes très réceptif.

— Merci. »

Rabun le regarda avec étonnement, puis tous deux se mirent à rire de cette nouvelle gaffe. Sorcier était de plus en plus intéressé par son interlocuteur. Un oiseau vint se poser sur le capot de la voiture et Rabun le chassa d'un coup d'avertisseur. Il eut un sourire cynique.

« Mieux vaut que ce petit connard à plumes se familiarise avec les fantaisies de la technologie... Mon problème est le suivant : je perçois des revenus très importants qui sont répartis sur des investissements divers contrôlés par des comptables, des banquiers, des conseillers et autres intermédiaires. Je suis d'une nature un peu excentrique et ces abrutis en déduisent que je suis un homme facile à berner. C'est d'autant plus stupide qu'ils semblent tous oublier qu'avant d'être assez bête pour me laisser rouler, il a fallu que je sois assez malin pour devenir riche. Ma femme vit en Floride, de manière plus ou moins permanente, et entretient une bande de pique-assiette. Mon fils vit également là-bas et j'ai de bonnes raisons de penser qu'il se livre à des pratiques homosexuelles, bien que je n'en aie pas la preuve. Tout semble indiquer que lui aussi se fait rouler dans la farine. »

Rabun plongea son visage entre ses mains et poussa un profond soupir.

« Je suis désolé d'apprendre tout cela, monsieur. » Sorcier éprouvait de la compassion pour le vieil homme et pensait aux tourments que Gauguin avait dû affronter à Tahiti.

« Merci, mais je crois que la situation peut être redressée. » Rabun le regarda fixement, puis il se retourna et saisit un gros attaché-case sur le siège arrière. « Ces documents sont de la plus haute importance et vous devez me jurer le secret le plus absolu. Lisez-les. Vous constaterez, par exemple, que je possède de grandes étendues de forêts, dans le nord de la péninsule. J'ai la certitude que les crétins qui gèrent ces terres me volent du bois. Cela ne représente pas des sommes considérables mais je déteste qu'on me vole. Nous nous rencontrerons mardi pour le déjeuner. Entre-temps, étudiez ces dossiers et soumettez-moi vos idées.

— Je ne vois pas très bien où se situe ma place, dans ces affaires. » En fait, Sorcier se voyait intégré dans un rayon d'activités plus important qu'il ne l'avait imaginé.

« Il me faut un homme de confiance, un chargé de mission, une sorte de détective privé hautement qualifié ayant vos capacités morales et intellectuelles. Votre rôle doit demeurer absolument secret. Je ne vous demande pas de me donner une réponse immédiate. » Rabun leva une main pour freiner le subit intérêt de Sorcier. « J'exige le plus grand secret. Nul ne doit être informé de vos activités, pas même votre épouse pour laquelle j'ai pourtant la plus grande estime. Jurez-le !

— Je le jure, monsieur ! »

17

« Et voilà ! Ma vie vient de changer ! » s'écria Sorcier à
haute voix sur le chemin du retour. La nature semblait
partager son exubérance ; les cumulus dans le ciel bleu,
les vertes collines et le lac profond, même les graviers
qui crépitaient sous la voiture. Il tenta de chanter une
chanson de Jerry Lee Lewis, s'emmêla dans les paroles
et termina en fredonnant seulement la musique. Mais,
en s'engageant sur la route nationale, il eut l'impression curieuse de déjà-vu. Il se mit à rouler au pas sans
s'en apercevoir et fut presque aussitôt assourdi par le
concert d'avertisseurs que des catholiques revenant de
la messe déclenchaient derrière lui. Qu'ils aillent se
faire voir ! Et brusquement, il se souvint. Il avait suivi
la même route un mois plus tôt, le lendemain de ce
rêve terrible qui l'avait amené à faire le vœu de changer
de vie. Il se sentit noyé d'émotion. Puis il éprouva une
formidable soif de vivre et d'aimer qui se traduisit par
un redémarrage brutal de la voiture. Il eut presque
envie de rugir.

Diana lui prépara une omelette au fromage et au
bacon, un peu trop cuite peut-être. Le journal du
dimanche était plié près de son assiette. Il était rentré
depuis dix minutes mais ils n'avaient échangé que quelques mots depuis son retour. Son allégresse s'était alté-
rée au moment où il sortait l'attaché-case de la voiture.
Dans une certaine mesure, la petite valise contenait

deux destinées. Mon Dieu ! pensa-t-il, il faut que je marche sur des œufs. Le pire était qu'il ne pouvait rien partager avec sa bien-aimée, pas plus le secret de la valise que celui de sa radicale transformation.

« Tu ne veux rien me dire ? Ça s'est mal passé ? » Elle lui massait la nuque et les épaules tandis qu'il mangeait distraitement.

« Tout s'est très bien passé. Le contact était bon. Je crois que j'ai trouvé un job.

— En quoi va consister ton travail ?

— Désolé, je ne peux pas te le dire.

— Tu plaisantes, ou quoi ? Tu peux bien me le dire. En général, celui de nous deux qui est incapable de garder un secret, c'est toi. Pas moi !

— Je ne peux en parler à personne. C'est confidentiel.

— Pourquoi est-ce que tu serres cette valise entre tes pieds ?

— Je t'en prie, Diana. Je ne peux pas en parler.

— Et qu'est-ce qui m'empêche de jeter un coup d'œil dedans lorsque tu seras aux cabinets ?

— Elle ne me quittera pas.

— Je suis jalouse. Mon mari a une idylle avec un attaché-case. » Elle éclata d'un rire moqueur. Une miette de gâteau restait collée à sa lèvre supérieure. Elle portait encore sa chemise de nuit et rien en dessous.

« Ce n'est pas drôle, Diana. C'est extrêmement sérieux, au contraire. J'ai juré...

— Oh, ça suffit ! Tout le monde se fout de ta petite valise et de ce qu'elle contient. J'espère seulement qu'on peut encore te taquiner.

— On peut.

— Je croyais qu'on allait se livrer à des tas de perversités lorsque tu serais de retour. » Elle prit un joint au fond du placard, l'alluma et tira une longue bouffée. Puis elle le passa à Sorcier.

« Rien à faire ! Il faut que j'analyse tous ces dossiers pour mardi prochain.

— C'est la première fois que tu me refuses. » Elle prit une mine blessée.

« Je ne te refuse pas, mais je ne veux pas fumer. J'ai besoin de garder les idées claires.

— J'espérais que tu ferais le nègre, comme la dernière fois. J'étais tout émoustillée à l'idée que tu ferais le nègre. »

Le fait est qu'à deux occasions, il s'était maquillé en Noir et qu'ils s'étaient amusés comme des fous. Malheureusement, à chaque fois, il avait négligé de mettre une crème de base sous son maquillage, ce qui l'avait obligé à se râper littéralement le visage pour faire partir le cirage.

« Je n'ai pas envie de faire le nègre, aujourd'hui. J'ai trop de choses en tête.

— Bon, ce n'est pas grave. Je suis heureuse que tu aies enfin trouvé du travail. Je me contenterai du smoking. »

Elle s'installa sur une chaise et remonta ses genoux sous le menton. En découvrant les cuisses de sa femme ainsi que la petite touffe discrète à l'endroit où elles se rejoignaient, Sorcier sentit que son outil commençait à s'émouvoir.

« D'accord pour le coup du smoking. » Il se leva et fourra l'attaché-case dans le réfrigérateur.

« Dans le frigo ? Tu deviens fou ?

— Lorsqu'une maison brûle, le contenu du réfrigérateur demeure toujours intact, sauf dans les cas extrêmes. »

Le scénario du smoking était solidement éprouvé mais peut-être un peu trop répété pour être aussi excitant que celui du nègre, d'origine plus récente. Sorcier jouait le rôle d'un gandin des beaux quartiers arrivant dans un bordel de grand luxe. Diana était une jeune et fraîche pécore tout juste sortie de sa campagne. Le gandin était son premier client. Pour l'occasion, Diana revêtait une combinaison de satin achetée chez un brocanteur, lors d'un voyage à New York. D'abord, ils dansaient sur un disque de Frank Sinatra. La pécore était craintive, un peu distante. Puis elle se réchauffait et se montrait plus tendre. Alors le gandin faisait semblant d'être saoul et pétrissait la jeune paysanne avec tant de vigueur qu'elle se mettait à pleurer. Pour la consoler, il l'emmenait vers un fauteuil où elle s'installait au-dessus de lui, les jambes écartées. A partir de là, la porte était ouverte aux improvisations les plus folles et le cinéma se prolongeait aussi longtemps que leurs énergies le permettaient. Mais ce dimanche-là, les énergies de Diana excédaient celles de Sorcier. Le tonus de ce dernier s'effondra même complètement lorsqu'il entendit frapper à la porte. Il se rajusta et se recoiffa tandis que Diana s'enfuyait vers la chambre.

Sorcier regarda par la fenêtre et vit Clete et sa femme, La Verne. Il se souvint qu'il les avait invités à déjeuner. Clete ouvrit la porte et entra.

« Tu vas au bal ? » demanda-t-il en regardant le smoking avec intérêt. Il portait un gros paquet sous le bras. La Verne entra également et regarda autour d'elle avec une curiosité amusée. Elle savait que les gens sont parfois bizarres mais cela ne la choquait pas.

« C'est presque ça. J'ai trouvé du travail. » Sorcier les suivit tandis qu'ils se dirigeaient vers la cuisine.

« Quel travail ? demanda Clete en essayant d'ouvrir le réfrigérateur.

— Stop ! » hurla Sorcier. Clete sauta en arrière comme si le réfrigérateur était piégé. Sorcier se reprit et ajouta : « Non, excuse-moi. » Il ouvrit lui-même la porte. La Verne jeta un coup d'œil inquisiteur :

« Tu mets tes valises au frigo ? dit-elle en riant.

— C'est confidentiel. C'est en rapport avec mon nouvel emploi.

— T'es complètement cinglé, dit Clete en saisissant une bière glacée. Si on te dérange, on peut s'en aller.

— Jamais de la vie », cria Diana en revenant dans la cuisine en robe de chambre. Elle prit Clete dans ses bras et lui décerna un baiser de vamp. « Johnny a trouvé un boulot d'espion, ou quelque chose comme ça. Qu'est-ce que tu nous a apporté ? Je meurs de faim.

— Des entrecôtes épaisses comme la main... et des morilles fraîches.

— Oh, quelle merveille ! » Elle l'embrassa carrément sur la bouche. La Verne détourna les yeux.

« Je ferais mieux d'aller me changer », ajouta Diana.

Sorcier était un peu confus et se demandait s'il devait retirer son smoking ou le garder.

« Tu ressembles à James Bond, lui dit La Verne.

— James Bond de mes fesses, grommela Clete en saisissant Sorcier par les revers de son veston. Si t'es vraiment un espion, qu'est-ce que tu attends pour aller déquiller cet ayatollah de merde ?

— C'est un homme âgé. Il ne se rend pas compte de ce qu'il fait. » Sorcier sortit une bouteille de whisky et but au goulot pour noyer des problèmes qui n'existaient pas.

18

Il s'éveilla en milieu de soirée. Les arpèges délicats d'une sonate de Boccherini lui parvenaient depuis le salon, mais ses oreilles résonnaient surtout des sifflements d'une nouvelle gueule de bois. L'oreille droite sifflait plus que la gauche et cela était moins dû à l'abus de whisky qu'aux coups de revolver qu'il avait tirés dans l'après-midi. Ce qui devait être un paisible déjeuner dominical s'était mis à dégénérer à mesure que le repas tournait au festin d'honneur destiné à célébrer le nouveau job de Sorcier. Il se disait maintenant que ces festivités étaient peut-être prématurées ; après tout, Rabun ne lui avait pas encore fait d'offre spécifique. Mais il se libéra de ses craintes en jugeant qu'elles étaient nées de la confusion d'un esprit alourdi par l'alcool. D'ailleurs, la musique de Boccherini pouvait tout apaiser, sauf la soif, peut-être. Or, Sorcier avait terriblement soif. Les accords lui rappelaient un Roméo et Juliette filmé à Vérone dans un décor et des costumes somptueux. Il se souvenait avoir écrasé une larme à la fin du film et, pour une fois, Diana ne s'était pas moquée de cet excès de sentimentalité.

Il prépara du café dans une sorte de brouillard et constata avec satisfaction qu'il n'avait pas ouvert son journal, sauf pour en extraire la page des sports. Il tira sur son oreille droite pour atténuer les sifflements. Après un nombre très considérable de verres, Clete avait estimé que dans le cadre de ses nouvelles fonctions, Sorcier devait obligatoirement s'entraîner au revolver. Ils posèrent un bidon d'huile sur un petit mur et, si Clete fit mouche à tous les coups, Sorcier ne descendit le bidon que trois fois sur dix. Il en était tout de même satisfait.

« Je trouve que ce n'est pas si mal. Un être humain représente une cible plus importante qu'un bidon d'huile.

— Pauvre con ! Tu viens de nous démontrer que tu as sept chances sur dix de te faire descendre. Un être humain est peut-être plus gros qu'un bidon d'huile, mais il bouge également beaucoup plus vite.

— Bon. Je vais m'entraîner un peu. A dire vrai, je suis plutôt détective qu'espion.

— Je sais bien que tu n'es pas un espion.

— Comment ça ?

— Un véritable espion n'avoue jamais qu'il en est un, pas même à sa femme ou à son meilleur ami. »

Lorsqu'ils eurent épuisé les munitions, Sorcier autorisa Hudley à courir vers le bidon et à le secouer avec violence afin de s'assurer qu'il était bien mort. Le chien se coupa la lèvre sur un éclat de fer et lécha son propre sang avec appétit. Sorcier se détourna de lui avec dégoût. Puis ils firent un sort aux énormes entrecôtes ainsi qu'aux morilles que Johnny fit sauter dans une friture d'échalotes.

A présent, il parcourait rapidement le journal lorsqu'il se souvint de l'attaché-case dans le réfrigérateur. Perdu entre ses galipettes en smoking, ses séances de tir et son sommeil d'ivrogne, il avait laissé la mallette à la portée du premier fouineur venu. Il avait beau se dire que personne n'aurait eu l'idée de venir chez lui afin de voler une petite valise très froide, il se sentait néanmoins assez coupable. Bon sang ! Réveille-toi ! Il s'aspergea le visage d'eau froide, se donna quelques gifles et alla installer une table de bridge devant le téléviseur afin de suivre le bulletin d'informations tout en travaillant. Diana dormait sur le canapé et sa robe remontait si haut sur ses jambes que Sorcier ne put

s'empêcher de pencher la tête pour jeter un coup d'œil
— oui, tout est là — avant de ramener l'ourlet à un
niveau plus décent. Le cœur battant, il ouvrit la mallette comme s'il s'attendait à y trouver une bombe, un
crotale ou une pendule à coucou.

Les dossiers étaient glacés et moins nombreux qu'il
ne le pensait. Il y avait également trois livres : *Les Tech-
niques modernes d'investigation*, de Schlinkert, un
manuel de droit fiscal et l'édition en livre de poche
d'une étude sur la délinquance financière et commerciale. Je ne pourrai jamais lire tout ça avant mardi,
pensa-t-il, un peu comme un étudiant faussement sur-
mené. La couverture du livre de poche représentait une
fille en bikini assise sur les genoux d'un gros P.-D.G.
L'homme d'affaires fumait un énorme cigare et souriait
bêtement. De son œil d'artiste, Sorcier remarqua que
l'une des cuisses de la fille était disproportionnée. Le
premier dossier contenait le détail d'un portefeuille
semblable à ceux qu'il gérait lorsqu'il était à la direction du fonds d'investissement. La majeure partie de
l'actif consistait en obligations à terme souscrites
auprès d'une banque de New York. New York ? Pourquoi pas Detroit, se demanda Sorcier. Plusieurs millions de dollars étaient répartis en valeurs de père de
famille, des actions solides et sans surprise. Il y avait
également un portefeuille supplémentaire chez un
agent de change de Wall Street et trois cent mille dollars déposés dans un fonds d'investissement public.

Le second dossier portait en titre la mention *Placements personnels* et réservait pas mal de surprises.
C'était en fait un véritable cauchemar d'expert-compta-
ble, une salade confuse de participations dans des
domaines aussi différents que les forêts du nord de la
péninsule, une usine de matériel de manutention industrielle, un tiers des actions de la société de recherche de
Vergil, trois motels, la moitié d'une marina sur Singer
Island, une demi-concession Ford dans le Kansas où un
autre Rabun semblait être associé, et d'autres choses
tout aussi hétéroclites. Les participations s'amenui-
saient jusqu'à devenir presque symboliques à mesure

qu'on approchait de la fin du dossier. Une petite note de la main du bon docteur était épinglée sur la dernière page du dossier : « Ne vous laissez pas décourager par ce fatras. Nous déjeunerons chez moi mardi prochain, à midi. Veuillez préparer un résumé dactylographié de vos réflexions, sur un seul feuillet, double interligne. »

Diana bâilla et s'étira. Puis elle se leva et vint se pencher par-dessus l'épaule de Sorcier. Il s'écroula sur la table et couvrit les documents de ses bras afin de les soustraire à la curiosité de sa femme.

« Je suis désolé, dit-il.

— Ce doit être bigrement important. Je vais me coucher.

— Dors bien, ma chérie.

— Comment comptes-tu me faire ma bise du soir si tu restes répandu sur ta table ?

— D'abord, recule de sept pas. Après, je viendrai te border. »

Elle recula en comptant les pas à haute voix tandis que Sorcier rassemblait les documents en pile. Il l'embrassa et l'accompagna dans la chambre, mais, en chemin, Diana glissa une main insidieuse par l'ouverture du peignoir et se mit à masser tendrement l'instrument de son mari.

« Tu ne veux pas me confier un petit secret ? Un seul ? Je ne le répéterai à personne.

— Je serai incorruptible, malgré tes manœuvres. »

Elle grimpa sur le lit sans oublier de tortiller des fesses avant de se glisser dans les draps. Sorcier envisageait d'inventer un faux secret afin de négocier une faveur rapide. Une ombre passa dans le regard de Diana :

« Johnny, tu ne dois accepter cette proposition que si tu en as réellement envie. On peut très bien vivre avec ce que je gagne.

— Tu dis des bêtises ; ce boulot m'intéresse beaucoup. Il est parfaitement adapté à mes talents et j'ai très envie de m'y plonger bien que je ne sache même pas ce qu'il va me rapporter.

— Je me fais du souci à ton sujet. Tu bois beaucoup

plus qu'avant. Tu es toujours planté devant la télévision. Autrefois, nous lisions ensemble.

— Je sais, mais bientôt, tout rentrera dans l'ordre. » Il s'assit près d'elle et lui caressa la nuque.

« Depuis que tu as rapporté cet attaché-case à la maison, je ne peux pas m'empêcher d'être inquiète à ton sujet. Et puis, l'autre soir, tu as joué à pile ou face pendant si longtemps que j'ai cru devenir folle.

— Je jouais au calcul des probabilités. »

Et c'était vrai. Sur cent coups, le côté pile était sorti quarante-sept fois. Dans un ordre d'idées tout aussi inutile, il s'amusait également à noter l'heure précise que donnait sa pendule digitale lorsqu'il allait se coucher, l'heure exacte à la seconde près : 12 heures, 11 minutes et 37 secondes ; il est temps de faire dodo !

« Je t'aime, Johnny, et je veux que tu sois heureux. Bonsoir, mon chéri. » Elle l'embrassa chaudement.

« Je crois que j'ai la situation bien en main, dit-il en s'arrêtant sur le seuil de la chambre. Beaucoup de choses sont en train de changer. Bonsoir. »

Il ouvrit le réfrigérateur et en sortit une large tranche de viande qu'il dévora en l'accompagnant d'une bière glacée. Il se sentait aussi calme et déterminé qu'un trappeur partant pour le Grand Nord et allant se perdre pour des mois dans les immensités désertes.

19

Le mardi matin, il fut éveillé par le fracas d'un oura-
gan comme il s'en produit parfois en été, dans le Midwest. Les vitres tremblaient et les murs de la chambre
s'illuminaient de bleu sous les éclairs. Tapi dans un
coin, Hudley hurlait à la mort. En général, Diana parvenait à le calmer en lui tenant une patte et en caressant
sa grosse tête poilue. Mais ce matin-là, Diana était
absente. Sorcier se souvenait que dans son enfance sa
mère avait le don de le réconforter durant les gros
orages ; son père, lui, ne cherchait nullement à le rassurer : « C'est le Bon Dieu qui t'engueule parce qu'il
trouve que tu es un vilain merdeux. »

Il alla se réfugier dans la cuisine pour échapper aux
hurlements du chien. La foudre et les ouragans
n'entraient pas dans le large registre de ses propres
sujets de frayeur qui comprenait, entre autres, le feu,
l'obscurité, les borgnes, les goitreux, les grands Noirs,
les homosexuels, les généraux, les surveillants de collège, les prêtres, les pasteurs luthériens, les avions, les
chauffards, les femelles sexuellement agressives, les
gros Japonais, les psychiatres, le cancer, les femmes
infidèles, les rixes, la mort... Son père étant policier, il
avait été élevé dans la croyance qu'il n'y a rien à craindre de la loi aussi longtemps qu'on ne l'enfreint pas.
Par voie de conséquence, il ne craignait pas la loi. En
revanche, il avait une peur profonde de ces malfaiteurs

au regard fuyant dont la seule existence lui semblait une menace pour la sécurité de son père.

Il repoussa le journal avec mépris. Il sortit de la mallette la feuille dactylographiée rédigée la nuit précédente pour Rabun. Le texte lui paraissait froid et clinique. Il était maintenant trop tard pour y changer quelque chose. Si Rabun voulait un rapport concis, il serait servi. Sorcier consulta sa montre et constata qu'il lui restait à peine le temps de se doucher et de s'habiller pour arriver à l'heure. Toutefois, le dernier paragraphe de son mémorandum continuait de lui trotter dans la tête. Le texte s'ouvrait sur un petit coup de brosse à reluire par lequel Sorcier félicitait le bon docteur pour la sagesse de ses placements boursiers. Puis il enchaînait sur une suite de métaphores destinées à démontrer que les *Placements personnels* n'étaient que des couches de graisse inutiles encombrant un corps très sain. Lui, Sorcier, était l'homme qu'il fallait pour faire fondre cette graisse et rendre son agilité à l'ensemble. Il terminait en proposant que son salaire soit constitué par une commission de vingt pour cent sur les sommes récupérées ou sauvées. Il y avait de quoi faire : Rabun ne pouvait juger de la situation que sur des éléments comptables. Impossible de déterminer avec précision le nombre de clients qui traversaient ses motels, les bateaux amarrés dans sa marina, les cubages de bois, etc. Au bas des deux exemplaires du rapport, Sorcier avait ménagé un espace pour les signatures. Le mémo ferait office de contrat. C'est drôlement culotté, se disait-il. Une telle audace ne pouvait provenir que des trois whiskies qu'il avait avalés en rédigeant le rapport. Une fois, la veille de son départ pour l'université, son père l'avait emmené dans le garage de la maison avec douze boîtes de bière. Le garage était infesté de mouches et Sorcier reçut l'ordre d'en attraper cinq, d'une main, puis de boire une boîte d'une seule traite. Il s'exécuta sans peine. Les cinq mouches suivantes furent plus difficiles à capturer mais la seconde bière descendit facilement. Une heure et six bières plus tard, il avait la nausée et n'était même pas fichu de voir les mouches qui volaient devant son nez. Son père lui décerna un regard lourd et sortit du garage sans faire de commentaire, laissant mariner son fils dans les conclusions vaseuses de cette leçon de maintien bizarrement orientale. Sorcier se retenait de toutes ses forces pour ne pas vomir et se disait qu'il faut être complètement idiot pour vouloir attraper les mouches à la main. Sinon, à quoi servent les bombes insecticides ? Plutôt que de continuer à se torturer sur des questions sans objet, il allait rendre visite à sa copine Marcia et lui proposer la botte, nom de Dieu ! Le père de Marcia, un laitier revêche, le jeta à la porte de chez lui et téléphona à ses parents. Par lassitude autant que par vengeance, Sorcier dégueula tripes et boyaux sur le gazon du laitier.

Afin de le laisser travailler en paix, Diana était allée au cinéma en compagnie de Gretchen. Par une attention aimable, elle avait mis un petit mot dans le réfrigérateur : *Finis ton travail avant de manger. Quand tu manges, tu t'endors. Je t'aime. Bonne chance !* Sacrée bonne femme ! Peut-être que cette nouvelle prospérité leur permettrait de reprendre les voyages à l'étranger. Ils pourraient aller à Venise, au printemps prochain. Certes, Diana préférerait remonter l'Amazone, mais Sorcier avait une frousse panique des serpents.

Il rédigea un premier jet de son rapport et téléphona à son père pour lui annoncer la bonne nouvelle : « Papa ! J'ai retrouvé un job. » La conversation se passa très bien jusqu'au moment où il laissa filtrer que son travail consistait à devenir une « sorte de détective ».

« Sacré nom de Dieu ! Je t'interdis de prendre ce boulot.

— Mais je ne peux plus refuser. Et puis, il faut bien que je travaille. Et d'ailleurs, pourquoi veux-tu que je refuse ?

— Je suis là, devant ma télévision, et j'essaie de suivre un match de base-ball. Or, je ne connais rien de plus emmerdant à regarder que ce jeu de con. Moi, il n'y a que le football qui m'intéresse et toi, tu n'es pas fait pour être détective. Tu es trop poire et tu n'as aucun sens de l'observation. Tu louperais une locomotive, même si on te la foutait sous le nez. Tu te feras couper en rondelles. Trouve-toi plutôt un bon travail peinard dans un bureau. Tu as des tas de diplômes, sacré bon sang ! Tu crois que je passerais ma vie à jouer de la matraque si j'avais autant de diplômes que toi ?

— J'en sais rien, Papa. Je pensais seulement que tu serais content pour Diana et pour moi.

— Comprends-moi bien, Johnny ; l'autre soir, il y a un loubard qui a flingué un épicier en pleine gueule avec un fusil de chasse. Quand je suis arrivé sur place, j'ai marché sur quelque chose. Tu sais ce que c'était ? »

— Non, qu'est-ce que c'était ?

— Trois dents qui tenaient ensemble grâce à un morceau de chewing-gum et un petit bout de mâchoire. J'ai cru que j'allais tourner de l'œil. En plus, je venais tout juste de manger le fameux goulasch de Myrna.

— Mais, Papa, il ne s'agit pas du même genre de travail. Moi, je m'occupe uniquement de délinquance commerciale. Ce docteur est milliardaire et tout le monde essaie de l'escroquer.

— Je n'ai jamais connu un docteur qui ne soit pas lui-même un escroc. Il y a même des drogués parmi eux.

— Pas ce docteur-là. C'est un type brillant, un inventeur connu dans le monde entier.

— D'accord, d'accord, tu as quarante et un ans. Tu dois savoir ce que tu fais.

— Quarante-deux.

— D'accord, quarante-deux. Mais souviens-toi tout de même de quelques règles. Ça fait quarante ans que je suis dans la police et j'y ai appris deux ou trois choses. Écoute bien. Premièrement, tous les gens sont des criminels potentiels. Ce n'est pas de leur faute, c'est parce que le monde est un crime en lui-même. Ça a peut-être un rapport avec la religion, le paradis perdu ou une foutaise de ce genre, mais c'est un fait. Nous sommes tous des criminels.

— Grand Dieux, Papa ! Diana n'est pas une crimi-

116

nelle et moi non plus. Et Maman n'était certainement pas une criminelle. Elle avait un cœur d'or.

— Pense avec ta raison, pas avec tes sentiments. Quand je l'ai épousée, ta mère se conduisait comme une véritable furie si les choses ne se passaient pas comme elle le voulait. Et à mon avis, Diana est trop belle pour être honnête.

— Quoi ? Je crois que tu déconnes complètement, Papa. Moi, je voulais seulement t'annoncer une bonne nouvelle et...

— Je ne dis pas que ta mère et Diana soient des criminelles criminelles. Mais réfléchis un peu, relis les Commandements, le Sermon sur la montagne et tout le bazar. Moi, je te parle de ce que je connais. En théorie, chacun de nous est un criminel en puissance. Même moi ! En pensée, j'ai toujours eu des idées d'adultère, sans parler des gens que je déteste et que j'aimerais assassiner.

— Je vois. Autrement dit, l'homme est perdu s'il ne prend pas la peine d'améliorer sa propre nature.

— Je parle de sociologie et tu me réponds par des âneries politiques. Vous avez tous la tête dans les nuages. Sors dans la rue, regarde ce qui se passe autour de toi. Mais avant, demande à Clete de te donner des leçons de tir.

— On a commencé hier...

— Voilà une bonne nouvelle ! Tu n'es peut-être pas aussi bête que ça. Achète-toi un punching-ball et exerce-toi tous les jours. Ne bois jamais pendant le boulot et souviens-toi que tout le monde, absolument tout le monde passe sa vie à essayer de couillonner son prochain, d'une manière ou d'une autre. Les enfants, les épiciers, les épouses, les patrons... même les chiens. T'as compris ?

— J'ai compris. Il faut je sois toujours sur mes gardes.

— Exact ! Et n'hésite pas à me téléphoner si tu as le moindre problème. J'ai pas mal de relations dans le Michigan. Je vais t'envoyer une petite carte secrète que tu porteras toujours sur toi. Entre flics, on se tient les coudes et cette petite carte pourra te servir. Et puis, tu sais quoi ?

— Quoi ?

— Le type qui a inventé le base-ball devait avoir du foie de veau à la place de la cervelle.

— Je suis d'accord avec toi.

— Je t'aime bien, fiston. »

Il lui fallut quelques instants pour se remettre de cette conversation, mais quand ce fut fait, il recommença la rédaction de son rapport avec une vision plus froide des choses. Lorsque Diana revint à la maison, il se sentait d'humeur cynique mais il avait le sentiment de tenir solidement les rênes de la situation. Tandis qu'elle lui racontait le film, il l'écoutait avec une cigarette fichée au coin du bec, à la Humphrey Bogart. Il prit une voix tranchante pour ordonner à Diana de se déshabiller devant lui.

« Je crois que ça se passera bien, poupée.

— Qu'est-ce qui se passera bien ?

— Tout ! »

20

Constatant qu'il était en avance, Sorcier arrêta sa voiture sur le bas-côté de la route, à deux kilomètres de la maison de Rabun. Bien qu'elle n'y soit venue qu'une seule fois — et de nuit —, Diana lui avait tracé un itinéraire très précis. Il ferma les yeux et s'efforça de respirer lentement afin de se donner une contenance. Mais cela ne servait à rien. Il demeurait nerveux et inquiet. Diana le taquinait souvent sur cette manie de composer ses attitudes à l'avance. Selon elle, il passait tant de temps à répéter les actes de son existence qu'il ne lui restait presque plus le loisir de les vivre. En revanche, elle ignorait que Sorcier poussait son désir de perfection jusqu'à corriger ses scénarios après coup, les polissant et les modifiant jusqu'à ce qu'ils consentent à prendre une tournure qui lui soit agréable. Et là, installé dans sa voiture, il se laissait à nouveau dériver vers le rêve ; chacun sait pourtant que les rêves et les cauchemars ne reposent sur rien de concret. Il saisit le rétroviseur pour se regarder, mais ses mains tremblaient tellement qu'il lui fallut un bon moment avant de parvenir à ajuster le miroir. Son père avait raison : il n'était pas fait pour être détective. Les romans policiers ne l'intéressaient même pas.

Il consulta sa montre et repartit. Quelques minutes plus tard, il arriva chez Rabun. La maison était impressionnante par ses dimensions et son cadre mais elle était d'un style Bauhaus qui ne répondait guère au goût de Sorcier. Elle était située en pleine forêt, à l'extrémité d'une longue allée. Il n'y avait pas de pelouse et un grand arbre se dressait à proximité dangereuse du toit. Deux énormes chiens rottweilers gambadaient devant la maison mais, lorsque Sorcier vint se ranger dans le parking, ils manifestèrent férocement l'intention de l'empêcher de sortir de sa voiture. Effrayé, il remonta sa vitre à toute vitesse. Les chiens des autres figuraient également en bonne place sur sa liste des sujets de frayeur, surtout lorsqu'ils étaient de grande taille. Rabun sortit de la maison et souffla dans un sifflet à ultrasons. Les chiens vinrent aussitôt se ranger à ses côtés. Sorcier sortit de la voiture avec méfiance et s'approcha à petits pas. Rabun prononça quelque chose en allemand et lui tendit deux biscuits. Dans sa confusion, Sorcier faillit les manger.

« Dites-leur *mein liebchen*, *mein edelweiss*, et donnez-leur les biscuits. »

Sorcier s'exécuta et les chiens changèrent complètement d'attitude, se mettant subitement à lui lécher les mains et les pans de sa veste. L'un d'eux alla même chercher une carcasse d'écureuil assez pourrie qu'il offrit à Sorcier, pour jouer.

« Ce sont de véritables *Schutz* originaires de la région de Cologne, dit Rabun avec fierté.

— Je pensais que c'étaient des rottweilers.

— *Schutz* ! Ils sont spécialement dressés et savent obéir à plusieurs centaines d'ordres. Je veux qu'ils apprennent à vous connaître. Vous n'avez rien à craindre d'eux jusqu'à onze heures du soir. A onze heures, un signal sonore se fait entendre et plus personne ne peut approcher de la maison sans risquer sa vie. Le lendemain, à sept heures, un autre signal résonne et il... comment dirais-je ?... il " désactive " les chiens.

— Est-ce que c'est également valable pour vous ?

— Bien sûr que non. Je suis leur dieu. Je pourrais les étrangler et ils se laisseraient faire sans réagir.

— Ça fait réfléchir, murmura Sorcier en écartant quelques sombres réflexions mystiques de son esprit.

— Non, absolument pas. Les chiens ne sont pas une source de réflexion, pour moi. Sauf dans les rapports qu'ils peuvent avoir avec leurs semblables. »

A table, Sorcier se dit qu'il était probablement en train de déguster l'un des repas les plus exquis de son existence. Diana avait informé Rabun de la passion de son mari pour la cuisine anglaise du Yorkshire et celui-ci voyait défiler dans son assiette des tourtes de viande à la sauce aux huîtres, des rognons braisés à l'ancienne, des côtelettes de porc mariné, des filets de coq, accompagnés de tomates farcies et d'épinards frais. Le tout était arrosé d'un Beychevelle 67 qui semblait sorti des caves du paradis. Sorcier plaignait le docteur qui, lui, devait se contenter d'un bol de céréales bouillies et d'eau glacée.

« Les imbéciles qui me servent de médecins prétendent que je suis affligé du cas de goutte le plus sévère qu'ils aient jamais rencontré. On me soigne à l'allopurinol mais on ne m'autorise que deux repas corrects par semaine. Si je triche, les douleurs sont terribles. C'est une existence irritante et il faut croire qu'elle me rend assez insupportable pour que ma femme ait choisi d'aller vivre en Floride.

— Cela me gêne de savourer ces merveilles sous vos yeux.

— Ne soyez pas bête. J'ai commandé ce repas pour vous. Il y a dix ans, je pesais presque cent quarante kilos. A présent, je me maintiens aux environs de soixante-quinze et malgré mes soixante ans passés, j'ai retrouvé toute ma vigueur sexuelle. Les gros mangeurs sont notoirement de mauvais amants ; Balzac et Raspoutine sont des exceptions à cette règle.

— C'est vrai, approuva Sorcier. La bouffe et la baise ne font pas bon ménage.

— Ça peut se dire en termes plus élégants, mais ça reste vrai. »

C'est alors que Rabun jeta brusquement sa cuiller à la tête de Sorcier.

« Nom de D..., s'écria celui-ci en attrapant le couvert au vol.

— Je voulais seulement vérifier la rapidité de vos réflexes. C'est très bien. »

Puis, tandis que Sorcier se régalait d'une tarte aux myrtilles suivie d'un café et d'une fine respectable, Rabun étudia minutieusement le rapport qui lui était soumis, son stylo pointant au-dessus du papier comme un oiseau de proie. Il ratura quelques mots, ajouta des modifications, signa les deux exemplaires et les poussa vers Sorcier.

« Excellent ! J'ai ramené votre pourcentage à dix-sept et demi pour cent afin de vous démontrer que je suis meilleur homme d'affaires qu'il n'y paraît. Pour commencer, votre minimum garanti sera de quarante-cinq mille dollars par an. Cela correspond au salaire — un peu exagéré — que vous touchiez dans votre précédent emploi.

— Si vous le trouvez exagéré, vous pouvez le réduire, déclara Sorcier avec hauteur en prenant une gorgée de cognac.

— Hors de question ! Jamais je n'engagerais les services d'un homme disposé à gagner moins qu'avant. Il faut toujours progresser. Nous commencerons par un contrat d'un an. Votre salaire vous sera versé en argent liquide ; il est de la plus haute importance que nos rapports restent secrets.

— Oui monsieur.

— Ne m'appelez pas monsieur. Docteur Rabun suffira.

— D'accord, docteur Rabun. »

Un peu plus tard, ils visitèrent le laboratoire et Sorcier fut un peu déçu : pour lui, tout ce qui touchait à la recherche scientifique devait forcément avoir un cadre semblable à ceux qu'on trouve dans les films d'horreur ou de science-fiction. En revanche, le système d'ouverture de la porte était fascinant : le mécanisme obéissait au son produit par le choc d'une bague que Rabun portait à l'annulaire, contre une plaque rivée dans le mur. Mais à l'intérieur, le local laqué de blanc et dépourvu de fenêtre était pratiquement vide. Le matériel devait être enfermé dans les grandes armoires métalliques fixées aux parois. Une longue table occupait le milieu de la pièce ; une autre, pour examen gynécologique, se trouvait dans un coin, flanquée d'un haut tabouret.

« Diana vous a sans doute informé de l'objet de mes recherches. Je suis principalement connu pour mes équipements chirurgicaux, différentes prothèses, des systèmes de dialyse, etc. Lorsque j'ai besoin de matériel plus sophistiqué, j'ai recours aux facilités que m'offre le laboratoire de Vergil, à East Lansing.

— Oui monsieur.

— Docteur Rabun ! Ou plutôt non, appelez-moi Rabun, tout simplement.

— Rabun. »

C'est alors que le docteur plongea Sorcier dans une certaine confusion, malgré les efforts que celui-ci déployait pour paraître maître de lui. Rabun fit résonner sa bague contre un tiroir qui s'ouvrit en révélant une collection d'objets ressemblant de manière troublante à des godemichés. Il y en avait une demi-douzaine, d'un rose un peu livide, rangés par ordre de taille.

« Amusons-nous un peu. Prenez un de ces objets.

— C'est embarrassant... », grogna Sorcier en choisissant diplomatiquement vers le milieu du tiroir. Dès qu'il l'eut pris en main, l'objet se mit à vibrer et à se réchauffer de manière tellement réaliste que Sorcier, effrayé, le laissa tomber sur le sol.

« Faites attention, espèce de maladroit. Ça coûte une fortune. »

Rabun hoquetait de rire. Sorcier ramassa le godemiché et le tint avec timidité. Rabun, toujours hilare, sortit de sa poche une petite boîte qui ressemblait à une calculatrice.

« J'ai réussi à reproduire les pulsations et les frémissements de la peau d'un dauphin se déplaçant dans l'eau. Les impuissants physiologiques introduisent leur pénis dans l'appareil où il est aussitôt saisi par un système pneumatique. Ils peuvent ensuite programmer l'effet désiré grâce à cette boîte de contrôle.

— C'est fantastique, murmura Sorcier en replaçant le godemiché dans son tiroir avec un certain dégoût.

— Ils seront commercialisés cet automne et se vendront aux environs de cinq mille dollars pièce. Je mériterais de recevoir le prix Nobel pour cette invention, mais c'est une distinction qu'on n'accorde jamais aux génies pragmatiques. »

21

En fin d'après-midi, ils étaient dans les meilleurs termes possibles ; c'est du moins ce que pensait Sorcier en s'efforçant d'oublier les recommandations de son père sur la nécessité de se méfier de tout et de tous. D'ailleurs, à la réflexion, les philosophies paternelles et le langage dans lequel elles s'exprimaient lui paraissaient trop crus. Sorcier était tenté de les ranger dans la même catégorie que les perles de sagesse un peu grasses débitées par Kojak à la télévision. C'était du bon sens de chauffeur de taxi ou de barman désabusé. La confiance, ça existe, et Sorcier savait qu'il pouvait compter sur des gens tels que son père, Diana ou Rabun. Il caressa la poche de sa veste où dormait une enveloppe pleine de billets de banque, quatre mille dollars représentant une avance sur salaire ainsi qu'une provision pour les frais. Toutefois, son plaisir était un peu terni par la promesse faite à Rabun de ne pas déclarer ses revenus au fisc ; les relations devaient demeurer secrètes, même pour le percepteur. Or, Sorcier n'avait jamais fraudé le Trésor et s'enorgueillissait de son civisme. Rabun s'était montré extrêmement cynique à ce propos.

« C'est stupide. L'État n'a aucun moyen de savoir que je vous verse cet argent.

— Pour moi, c'est une affaire de conscience. Je

trouve normal que chacun participe aux dépenses de la nation.

— C'est très noble de votre part. Peut-être devriez-vous tailler votre prochain costume dans le drapeau national ou extraire de la naphtaline votre uniforme de scout.

— J'ai été scout. » Et l'esprit de Sorcier remonta brièvement à la cérémonie d'intronisation qui lui avait valu son totem.

« Ça ne m'étonne pas. Mais si ça peut vous rassurer, sachez que mes propres impôts couvrent le salaire d'une bonne dizaine de sénateurs et que je trouve cela très excessif.

— J'avoue qu'il ne me serait pas désagréable de conserver mes trente pour cent d'impôts afin de constituer une petite réserve. Pour être franc, je ne possède pas un centime d'économie.

— Et vous privez le gouvernement d'une somme dérisoire dont il ne se servirait que pour commettre de nouvelles bêtises.

— J'imagine que vous êtes de droite. Pour ma part, je trouve que Reagan affiche des idées inquiétantes et peut-être même dangereuses, surtout dans le cadre de sa politique extérieure.

— Je ne me range dans aucune catégorie précise, sinon celle des pragmatistes raisonnés. Je dirais même que dans certains domaines, je suis tellement à gauche que cela me situe presque à l'extrême droite. Je crois à la pureté de la recherche ainsi qu'au droit de vivre ma vie comme je l'entends. La plupart des gens de votre génération estiment que la droite n'est constituée que de capitalistes réactionnaires et ignorants de l'Histoire. En revanche, moi je sais que la gauche gaspille des milliards en faisant du sentiment et de la démagogie. Relisez Tolstoï. »

Lorsqu'il revint chez lui, Diana dormait au soleil dans une chaise longue. Elle arborait un minuscule maillot de bain de couleur chair qui pouvait paraître osé, mais Sorcier avait renoncé depuis longtemps à porter des jugements sur la garde-robe de sa femme. Elle se réveilla aux aboiements de Hudley qui saluait le retour de son maître.

« Il est tard, dit-elle. J'ai failli téléphoner. Je craignais que tu aies oublié que nous avons Ed et Sheila pour dîner.

— Je n'ai pas oublié, mentit-il. Qu'avons-nous au menu ?

— Il faisait trop bon au soleil. J'ai eu la flemme d'aller faire des courses, alors j'ai préparé une sauce italienne pour accompagner des spaghetti.

— Tu n'as pas oublié le basilic, j'espère.

— Il est impossible d'oublier le basilic lorsqu'on est mariée avec toi. »

Pour une fille de la campagne, Diana pratiquait l'art de la cuisine avec une certaine nonchalance. L'usage des herbes et des épices lui demeurait étranger.

« Ce dîner m'ennuie, déclara Sorcier en se laissant tomber sur l'herbe. Je suis fatigué. »

Il lui gratta le derrière à travers la toile de la chaise longue. Diana embaumait l'huile de cacao dont elle s'était enduite pour mieux bronzer.

— Comment ça s'est passé ? » demanda-t-elle.

— Admirablement ! Ça me plaît de travailler pour un génie. Je dois aller dans le Nord, demain. Je serai absent pour quelques jours.

— Que vas-tu faire dans le Nord ?

— Tu sais bien que je ne peux rien trahir. Disons qu'il s'agit d'affaires forestières. »

Diana s'écarta de lui avec irritation.

« Ça devient complètement absurde, ce côté ultra-confidentiel.

— Ça fait partie de mon boulot, mon trésor. Je suis désolé. » Il sortit l'enveloppe de sa poche, l'ouvrit et répandit quarante billets de cent dollars sur le ventre humide de sa femme. « Il faut que j'aille gagner cet argent. »

Il prit une douche, goûta la sauce italienne préparée par Diana, la trouva médiocre, y ajouta deux gousses d'ail, puis entreprit d'étudier le dossier et les extraits de cadastre concernant les bois que Rabun possédait dans le Nord. L'exploitation couvrait un peu moins de mille hectares situés à proximité du cap Sable, dans un coin presque inhabité du comté de Luce. Sorcier tenta de prendre des repères sur une carte d'état-major mais il ne parvenait pas à faire concorder les limites. Il craignait de s'être un peu trop engagé en assurant Rabun qu'il allait explorer l'ensemble de la propriété pour s'assurer qu'on ne lui volait pas de bois. Avant d'explorer quelque chose, il est important de savoir exactement où ça se trouve.

« Clete ? Johnny à l'appareil. Je dois visiter mille hectares de forêts dans le Nord, mais je n'arrive pas à m'y retrouver sur la carte. Comment est-ce qu'on détermine les limites d'un terrain ?

— Par le bornage.

— Le bornage ?

— Oui, connard, le bornage. J'espère au moins que tu as les extraits de cadastre.

— Tu parles ! J'en ai plusieurs pages.

— De toute manière, il te sera impossible d'explorer mille hectares de forêt en une seule journée. T'es vraiment le roi des cons.

— Merci, c'est gentil.

— Il n'y a pas de quoi, c'est gratuit. »

Il fut presque sur le point de demander à Clete de l'accompagner afin de lui servir de guide, mais il rejeta cette idée. Il fallait qu'il se débrouille tout seul, sinon il ne s'en sortirait jamais.

Diana s'approcha de lui, par-derrière :

« Puisque tu es un grand détective, essaie de deviner où j'ai caché l'argent.

— Facile, fillette ! » Il fit semblant d'examiner les oreilles, les aisselles, puis, d'un geste précis, il descendit le slip de sa femme et les billets de cent dollars se répandirent sur le sol. « Euréka !

— T'es vraiment le plus fort », dit-elle d'une voix faussement émue.

La soirée en compagnie d'Ed et Sheila fut un échec.

128

Sorcier était fatigué et n'avait aucune envie de soutenir une conversation. Ils jouèrent paresseusement au bridge, dînèrent lentement et Sorcier passa une bonne partie de son temps à penser qu'il devrait être interdit de s'ennuyer à ce point. De plus, Ed et Sheila revenaient d'un stage de thérapie de groupe à Chicago. Ils avaient le regard lumineux de gens qui ont enfin trouvé la vérité et Sorcier trouvait cela exaspérant.

Entre deux bouchées de spaghetti, Sheila déclara sur un ton plein de sagesse que désormais, elle n'essaierait plus de dominer Ed dans leurs ébats sexuels.

« Avant, j'étais pleine de préjugés et d'exigences. Je refusais même de lui faire des pipes quand il avait trop bu. Maintenant, c'est différent. Nous baisons en toute sérénité. »

Et Ed hochait la tête d'un air béat. Sorcier supportait mal les excès de langage chez une femme. Cela lui paraissait être le domaine exclusif des hommes.

« Tu parles comme une roulure, dit-il à Sheila.

— Je parle comme je le sens. Je suis libérée de mes tabous.

— Foutaises !

— Tu es un type négatif, prononça Ed. C'est sans doute pour ça que tu n'arrives pas à trouver de travail.

— J'ai du travail et je gagne trois fois plus que toi, pauvre cloche. De plus, je vais changer de nom et je vais me faire appeler Woody Christ. Woody Allen me fait rigoler et Jésus incarne la vérité. Avec un nom pareil, je ne peux pas me tromper.

— Tu es un hypocrite », cracha Sheila. Puis, à la stupéfaction générale, elle ajouta : « D'ailleurs, l'autre jour, j'ai bien senti que tu frottais ton machin contre ma cuisse.

— C'est parce que je pensais à Nancy Reagan. »

DEUXIÈME PARTIE

Il existe, sous la terre, un monde d'imagination où abondent des formes animales qui s'ébattent et font de la musique.

James Hillman

22

En route pour le Nord ! En route pour les immensités
désertes et pour l'inconnu. Lorsque Sorcier atteignit le
détroit de Mackinac et le grand pont qui sépare la
péninsule du reste de l'État de Michigan, il était dans
une jubilation qui frôlait l'extase. Il lui semblait que sa
vie entière n'avait été qu'un prologue, une longue préparation destinée à l'amener à cet état de grâce qui lui
permettrait d'affronter victorieusement les hasards
fascinants de sa nouvelle vie. Il se sentait en pleine
rédemption, semblable à quelque preux chevalier quê-
tant le Graal, partant pour Jérusalem à travers les
forêts humides d'Europe, s'enfonçant vers les confins
étranges de la Turquie pour parvenir enfin aux sables
brûlants de l'Orient où il changeait son encombrant
destrier pour un dromadaire. D'ordinaire, la traversée
du gigantesque pont de Mackinac lui infligeait un vertige qu'il combattait en se carrant au fond du siège et
en conduisant les yeux fixés au ras du capot. Mais ce
jour-là, le pont était une arche chatoyante qui l'emmenait au-dessus d'un Rubicon sacré. Il ignorait que ce
pont de rêve menait aux plus sombres profondeurs et
qu'en se risquant sur ce terrain nouveau, il froissait le
plumage effrayant de dieux férocement bizarres.

Au poste de péage, Hudley se rua en avant et tenta de
mordre la main de l'employé qui rendait la monnaie.
Sorcier se retourna et calma le chien d'un puissant

coup de poing sur la tête, mais dans la brutalité du mouvement, son 38 spécial jaillit hors de l'étui qu'il portait sous sa veste et lui tomba sur les genoux. Par chance, l'employé ne remarqua rien. Sorcier n'avait pas de permis et il savait que les autorités du Michigan ne plaisantent pas avec ce genre de délit. Le matin même, il avait éprouvé une sensation agréable en enfilant le holster par-dessus sa fine chemise de laine. Il s'était planté devant le miroir de la chambre avec les jambes légèrement écartées et les épaules rentrées, comme un cow-boy prêt au combat. Un pantalon de toile, des bottes et une veste de chasse d'Abercrombie & Fitch complétaient son costume. Il se sentait un peu ridicule en traversant le comté de Leelanau, ainsi armé. La région se flattait d'une absence de criminalité presque totale, un meurtre tous les dix ans, et encore !

Il s'arrêta un peu plus loin pour cacher le revolver et retirer sa veste. Il faisait chaud. Hudley réclamait en gémissant l'autorisation d'aller pisser. Sorcier eut un sursaut de colère envers ce foutu chien. Il avait oublié de réserver une place au chenil local et, à la veille de la fête nationale, l'endroit était complet, bourré d'animaux que leurs maîtres plaçaient là afin d'aller s'amuser en paix. De son côté, Diana projetait de passer quelque temps à Traverse City pour travailler avec ses amies à la mise au point d'une lettre d'information féministe. C'est ainsi que Sorcier s'était retrouvé chargé de l'animal. Il s'en consolait en se racontant une histoire où il serait perdu dans la forêt et où le chien pourvoirait à ses besoins alimentaires en lui ramenant un jeune cerf qu'il aurait tué dans une clairière. Sorcier ferait cuire la viande sur un grand feu. Il n'y aurait pas de sel ni de poivre, mais ce ne serait pas trop grave car le sel est mauvais pour la tension. Puis, la nuit, le chien se coucherait contre lui pour le réchauffer et le lendemain, à l'aube, il guiderait le retour de son maître vers la civilisation.

Au lieu de cela, Hudley, qui venait de finir son pipi, détalait à fond de train à la poursuite d'un gros camion.

« Biscuit biscuit biscuit biscuit » hurla Sorcier.

Le chien stoppa net et revint en trottant. Il agita la queue avec frénésie et sauta dans la voiture.

« Pauvre mec ! Je t'ai bien possédé. Il n'y a pas de biscuit. »

Puis il reprit la route avec une dernière pensée pour ce quartier de cerf rôtissant sur son feu imaginaire. Diana lui avait préparé un grand sac de fruits secs et de noix en souhaitant à haute voix que le voyage de son mari soit une occasion pour lui de perdre quelques kilos. De toute manière, plus on allait vers le nord et plus le Michigan s'affirmait comme un véritable désert culinaire. Une fois, durant une expédition de pêche en compagnie de Clete, il avait dû se contenter de rosbif gris arrosé d'une sauce jaune d'origine inconnue et de goût trop exotique pour être honnête. Cela lui remettait en mémoire les paroles désabusées d'un professeur de littérature pour qui le déclin d'une nation se jugeait au vocabulaire perverti de ses dirigeants ainsi qu'à la dégradation de sa cuisine.

Il plongea une main dans le sac et en sortit une poignée de noisettes agrémentées d'abricots, de raisins secs et de graines de tournesol. Cela se mâchait difficilement mais Sorcier eut le sentiment aussi bref que puissant de perdre instantanément du poids. Quelques instants plus tard, il se rangea devant un restaurant de routiers qui se nommait le Rathskeller. Il n'y avait aucun camion dans le parking, ce qui était bon signe.

Après le déjeuner, il reprit la voiture et roula pendant trois heures vers Grand-Marais, un petit village situé sur les rives du lac Supérieur. Il digérait péniblement un repas de *sauerbraten*, de *spätzle* et de chou rouge. La nourriture n'était pas mauvaise, mais elle s'adaptait mal aux longs trajets et encore plus mal aux missions secrètes. Sorcier tombait de sommeil, ses paupières se fermaient malgré lui et sa jubilation était noyée dans la graisse. Il lui apparaissait que tous les problèmes que le monde avait connus à cause de l'Allemagne depuis le début du siècle découlaient directement de cette lourde cuisine fasciste. Ça fatiguait l'esprit, ça faisait péter et ça rendait méchant. De là, il s'engagea dans le chemin tortueux d'un fantasme où il se livrait à une sorte de demi-viol sur la personne d'une jeune cheftaine de guides perdue dans la forêt et à qui il faisait subir de délicieux outrages après l'avoir obligée à se baigner dans la rivière au préalable (toujours cette obsession de l'hygiène intime). Il sortit brutalement de son rêve lorsqu'il manqua s'écraser contre un camion qui venait dans l'autre sens et roulait au milieu de la route. C'était la première fois qu'il fantasmait sur une histoire de viol et il ne doutait pas que cela soit dû à la perfide infiltration d'essence de *sauerbraten* dans ses veines. Il rectifia le tir et reconstruisit son fantasme sur une autre base. La cheftaine était perdue dans les bois, certes, mais elle se révélait pleine de bonne volonté et se pliait avec bonheur aux exigences de Sorcier. Pas de viol, pas de désordre, un après-midi charmant et hautement parfumé de luxure champêtre (sans oublier le bain préalable dans la rivière). Bien entendu, la jeune cheftaine tombait follement amoureuse de lui et jurait que personne ne la ferait jamais jouir de la sorte.

Il loua une chambre dans un motel discret situé en dehors du village. Son repas enfin digéré, il se sentait à nouveau en pleine forme physique et intellectuelle. Hudley s'installa au milieu du lit et entreprit de ronger un gros os graisseux que Sorcier avait soustrait aux cuisines du Rathskeller. Sorcier pensa qu'il devrait faire quelque chose pour sauver le couvre-lit, mais la perspective de devoir arracher l'os au chien promettait une telle bagarre qu'il eut peu de scrupules à y renoncer. Et puis, après tout, les chiens ont également le droit de s'éclater, de temps en temps. En déballant son sac, il se souvint que Diana lui avait annoncé l'arrivée du solstice d'été. Il allait donc vivre la nuit la plus courte de l'année. Il savait que le solstice impliquait d'autres choses mais ses souvenirs de classe étaient déjà bien loin. Diana s'intéressait à tant de choses curieuses ; c'est ainsi qu'elle avait informé Sorcier, lors de son dernier anniversaire, qu'en termes d'astrologie chinoise il entrait dans son septième sept. Dans l'incapacité de comprendre ce que cela pouvait signifier, il s'était un peu moqué de sa femme devant Clete et La Verne. Vexée, elle était sortie de la maison pour aller se promener dans le blizzard qui soufflait ce soir-là. Diana adorait l'hiver, contrairement à Sorcier qui lui faisait seulement semblant de l'adorer.

Il vérifia le contenu de la trousse de survie que son père lui avait offerte pour Noël, quelques années plus tôt. Sorcier l'avait emportée sur les instances de Clete qui lui avait rappelé à quel point il est facile de s'égarer dans ces régions désertes. La trousse contenait une lampe de poche hors d'usage, une boussole paraffinée, un canif suisse, une couverture de plastique dans son étui, une tasse en fer-blanc, des hameçons et des lignes, une fusée ainsi qu'une boîte contenant une nourriture lyophilisée de nature imprécise. Il prit la boîte et la jeta dans la corbeille à papier. Assez bouffé pour aujourd'hui ! Il avait également emporté le guide d'ornithologie ainsi que les jumelles de Diana. Cela lui servirait d'alibi au cas où il se ferait surprendre sur les terres de Rabun. Il s'était déjà représenté la vision d'une telle éventualité : un groupe de solides bûcherons clandestins le découvraient dans un buisson, mais sans se démonter, Sorcier leur annonçait qu'il répertoriait les différentes espèces d'oiseaux de la région pour le compte d'une association de protection de la nature. Les bûcherons voleurs le laisseraient partir sans se douter qu'ils venaient de frôler la mort que pouvait cracher Sorcier à travers le 38 spécial niché sous son aisselle.

Ses affaires rangées, il repartit et n'eut aucune peine à trouver le premier angle délimitant la propriété de Rabun, vingt kilomètres à l'ouest de Grand-Marais. Il lui avait suffi de compter les lignes de zone sur la carte d'état-major. De là, il poursuivit son chemin sur une piste forestière en direction du nord, comme pour revenir vers les rives du lac Supérieur. Au bout d'un kilomètre, la piste devenait impraticable pour la voiture et il continua à pied, cherchant à distinguer le bornage enfoui sous les fougères. Hudley le suivait sans se défaire de son os graisseux.

Une demi-heure plus tard, Sorcier était perdu, complètement égaré et incapable de comprendre pourquoi. Durant une heure, il tourna en rond et dut finalement se résoudre à admettre que la situation devenait désespérée. Voyant qu'il allait bientôt faire nuit, il rassembla un gros tas de bois au sommet d'un talus surplombant une crique. Hudley le regarda en gémissant puis, soudain, il partit en cavalant à toute vitesse et disparut dans la forêt obscure.

23

Sorcier contempla sa pile de bois avec satisfaction et alluma un petit feu près d'un lit de fougères sur lequel il étala sa couverture en plastique. Puis, il tenta de faire bouillir de l'eau dans la tasse en fer-blanc. Il mourait de soif mais n'osait pas boire l'eau du ruisseau, de crainte qu'un animal mort et coincé entre deux rochers soit en train de pourrir en amont. Mon royaume pour une lampe de poche ; j'y vois rien, nom de Dieu ! Le revolver et le couteau sont des armes un peu inutiles dans une telle obscurité. Il faudrait attendre que l'ennemi s'approche suffisamment pour entrer dans la zone de lumière que diffuse le feu. Pourvu que cet abruti de Hudley n'essaie pas de me faire une surprise. Il pourrait se faire flinguer. Sorcier s'était déjà perdu en forêt, une fois, en compagnie de son père, lors d'une expédition de pêche. « Ne t'en fais pas, fiston. Les pionniers d'autrefois couraient de plus graves dangers que nous. » Cela se passait avant que son père n'adopte ce vocabulaire machiste et crétinoïde des détectives de la grande ville. En attendant, les exploits des pionniers ne le consolaient pas. Eux, au moins, ils savaient ce qu'ils faisaient. Il se souvenait aussi qu'au cours d'une classe d'histoire, une collégienne un peu trop délurée avait demandé au professeur ce que les femmes des pionniers utilisaient en guise de serviettes hygiéniques. Du fond de la classe, un gros rustaud avait gueulé : « Des épis de maïs ! » et tous les élèves s'étaient écroulés de rire. Évidemment, ce n'est pas à Oxford qu'on risquerait d'entendre ce genre d'échange, mais il faut bien reconnaître que les collèges et même les universités du Midwest n'abritent pas la crème du genre humain. Où est donc passé ce con de Hudley ? Peut-être qu'il essayait de me ramener à la voiture. Non, à la vitesse où il courait, c'est improbable. Je me demande ce qu'il y avait dans cette boîte de nourriture abandonnée dans la corbeille à papier de la chambre, au motel. Autrefois, la trousse contenait également un petit flacon de whisky, mais Sorcier l'avait vidé un jour de pénurie. Quelle connerie ! Perdu en pleine forêt avec les poches bourrées d'argent et même pas un sachet de thé pour me remonter le moral. La jeune cheftaine imaginaire sortit de l'ombre et vint s'allonger sur la couverture en plastique. Donne-moi à manger. Non. Sois mon amie. Non. Tiens-moi chaud. Non. Partons ensemble n'importe où. Il fait nuit noire et je n'ai pas de lampe de poche. Une chouette lui passa au-dessus de la tête et il se courba peureusement. Puis il s'enduisit le visage, le cou et les mains d'une lotion anti-moustiques, ajouta quelques branches au feu et s'allongea sur la couverture bruissante. C'est à ce moment que les coyotes entamèrent leur concert de hurlements. Les coyotes n'attaquent pas l'homme, Dieu merci. Ils ne font que chanter. Tout de même, ils pourraient aller chanter ailleurs. Heureusement qu'il fait bon et que c'est la nuit la plus courte de l'année. Sorcier pensait que quelques heures passées à la dure ne pourraient pas lui faire de mal. Au contraire, ce serait un moyen de se fortifier l'âme. Plus tard, il raconterait cela en prenant un air blasé : « Une nuit en pleine forêt ? Oh ! ce n'est rien, ça fait partie du boulot. » Il se laissa aller à une douce somnolence dont il sortit brutalement lorsqu'il imagina Diana en train de faire l'amour avec un Noir. Allons, allons, se dit-il, le Noir ne peut être que moi-même avec du cirage sur la figure. Reprends-toi. Le grand Gauguin a certainement passé plus d'une nuit sur la plage, à l'époque où il n'avait pas d'argent ou quand il était trop soûl pour

trouver le chemin de sa maison. Oui, mais le grand
Gauguin dormait sans doute en compagnie d'une sou-
ple vahiné. Tandis que moi... Est-ce qu'il y a des moustiques à Tahiti ? Et des ours ? Une nouvelle frayeur lui
gela l'épine dorsale. Les ours ! Les gros ours. Non, rien
à craindre ; ils s'aventurent rarement à proximité des
feux de camp sauf lorsqu'ils peuvent voler de la nourriture, or il n'y a rien à voler dans ce coin... sauf l'os
graisseux de Hudley. Ce con de Hudley ! Où est-il ? Probablement dans la voiture en train de ronger l'os en question. Les cris des coyotes se rapprochaient et Sorcier
posa une main fébrile sur son 38. Mais l'instant suivant, il entendit la meute s'éloigner en direction du ver-
sant opposé de la crique. Bon débarras ! Le seul coyote
qu'il ait jamais vu de près était déjà mort mais il n'en
était pas moins effrayant pour cela. Cela se passait au
cours d'une partie de chasse, avec des copains de
l'armée, quelque part dans le Texas. L'un d'eux était
d'origine indienne et prétendait qu'ils pourraient peut-
être sauter quelques filles du coin à condition de les
saouler au préalable. Il faisait terriblement chaud et
Baxter marchait loin devant. C'est lui qui abattit le premier sanglier. Sorcier et l'Indien vidèrent l'animal
avant de le faire rôtir et donnèrent les testicules à Baxter. « Qu'est-ce que vous voulez que j'en foute ? » Ils
éclatèrent de rire et quelqu'un suggéra que Baxter se
les fasse greffer.

Sorcier s'endormit. Il rêva de Diana et de sa musique
favorite. Il ronfla. Le rêve devint un cauchemar confus :
sa mère lui apparaissait comme un poisson à face
humaine se tortillant sur le rivage du ruisseau, son
père l'enfermait dans des caves humides et sombres,
puis il se retrouvait en train de flotter entre deux
nuages avec la tête en bas, Diana suivie d'une troupe
d'hommes nus lui tailladait la jambe à coups de couteau tandis que le sanglier venait s'asseoir près du feu
et lui parlait en espagnol avec une voix de baryton ;
puis Diana lui mordait la queue en riant. Sa main était
brûlante et il se réveilla en hurlant. Trop près du feu,
nom d'un chien. Il se redressa et hurla à nouveau : « Je

déteste cette forêt de merde !» Il se pencha, prit la tasse en fer-blanc et but l'eau tiède pleine de cendres. Il était à peine deux heures du matin et il restait au moins trois heures d'obscurité à traverser. Il improvisa une danse du scalp autour du brasier et y ajouta du bois avant de se recoucher. Et si Diana le trompait ? Son père avait peut-être raison d'affirmer qu'elle était trop belle pour être honnête. Non, certainement pas. Il y avait bien cet épisode crapuleux vécu avec le photographe, mais Diana n'y était pour rien. Un coyote pleura dans le lointain. Durant cette partie de chasse, au Texas, ils avaient trouvé un coyote mort près d'un massif de peupliers. Qui l'avait tué ? Personne, répondit l'Indien. Il est mort de vieillesse. Les poils du museau sont tout gris. Baxter sortit son couteau pour couper les oreilles mais l'Indien déclara que ça portait malheur, alors Baxter rengaina sa lame.

Sorcier avait maintenant l'impression qu'il pourrait retrouver le chemin qui menait à la voiture. Il s'avança dans la nuit et découvrit le ciel le plus étoilé qu'il ait jamais vu de sa vie. Dieu! que c'est beau! C'est très beau, mais ce n'est pas une raison pour aller se risquer dans l'inconnu. Soudain, un long cri déchirant s'éleva dans la forêt. Les cheveux de Sorcier se dressèrent sur sa nuque et sa respiration se bloqua. Le cri se répéta et Sorcier retourna en courant près du feu, le revolver à la main. Il plissa les yeux pour essayer de distinguer quelque chose dans la nuit mais il n'y avait rien, pas même l'ombre d'une religion. Il s'assit en tailleur et renonça à savoir d'où venaient les cris. Ses yeux demeuraient ouverts mais son regard était aveugle. Il venait d'avoir une des plus belles peurs de son existence. Quelques instants plus tard, il rampa vers la couverture. Un oiseau plus matinal que les autres se mit à chanter. Le feu brûlait doucement et ne dégageait plus de fumée. Sorcier regardait fixement les étoiles et se disait qu'il serait intéressant d'aller les voir de plus près. Ce ne devait pas être trop difficile pour un Sorcier. La première créature qui osera s'approcher se fera fusiller la gueule. Encore des chants d'oiseaux. L'humidité. La rosée. Un croassement de corbeau. Diana serait très belle en costume de feuilles et de fougères. Subitement, tous les oiseaux de la terre se mirent à chanter. Où donc avaient-ils passé la nuit ? Un rayon de lumière pointa à l'est et une brise légère s'éleva sur le lac.

24

Le jour était encore blafard et, de l'autre côté du feu moribond, il y avait des pieds. Au-dessus des pieds, il y avait des jambes vertes et plus haut, un homme jeune était posé sur les jambes vertes.

« Bonjour, dit le jeune homme.

— Bonjour, répondit Sorcier en s'extrayant de la couverture pour se lever.

— Je suppose que vous avez un permis pour faire du feu dans la forêt. » Un insigne de garde forestier était épinglé sur sa chemise.

« Va te faire foutre, mouflet ! » Sorcier descendit le talus à grands pas pour aller se laver dans le ruisseau. Le garde trottait derrière lui.

« Je suis désolé, mais il va falloir que je dresse un procès-verbal... » La phrase du garde demeura en suspens lorsque Sorcier retira sa veste de chasse. La crosse du 38 luisait dans la lumière du matin.

« Rédige ton procès-verbal. Quand Washington apprendra ça, tu te retrouveras en train de planter des arbres à l'autre bout de la terre. Qu'est-ce qui gueule comme ça, dans la nuit ?

— Excusez-moi, monsieur. Je n'ai rien entendu.

— La nuit dernière. J'ai entendu des cris affreux.

— Probablement un chat sauvage ou une chouette qui venait d'attraper un lapin. Les lapins crient quand on les tue. Ça ressemble à des cris de fille.

— Tu peux le dire, mon garçon. » Sorcier se sentait rafraîchi par l'eau du ruisseau. Il alluma une cigarette, sortit son portefeuille et y prit deux billets de cent dollars qu'il tendit au jeune homme. « J'aimerais que tu fasses un petit boulot pour moi. Quelques heures au plus.

— Je ne peux pas accepter d'argent, protesta le garde en laissant tomber les billets sur le sol.

— Comme tu voudras. En attendant, j'aimerais savoir deux choses : est-ce que l'eau est potable, et où est ma putain de bagnole ?

— L'eau vient d'une source située dans la colline. Elle est très bonne. Quant à votre voiture, elle est à cinq cents mètres d'ici, vers le sud. Il y a un gros chien méchant qui est en train de ronger quelque chose sur le siège arrière. »

Sorcier s'agenouilla et but l'eau glacée jusqu'à ce que les dents lui fassent mal. Lorsqu'il se releva, il remarqua que les billets n'étaient plus dans l'herbe. C'est maigre, un salaire de fonctionnaire.

Il lui fallut presque la journée entière pour couvrir les mille hectares de Rabun dans la jeep du service des forêts. Le jeune homme qui se nommait Bob était très fort pour le déchiffrage des cartes et cela libéra Sorcier de la nécessité de prendre des notes. Le pillage des bois était prudemment organisé et relativement difficile à déceler. Vers la fin de leur tournée, ils additionnèrent quatre-vingt-dix hectares de coupes illégales.

« Je ne pourrai pas témoigner devant le tribunal, dit Bob avec nervosité.

— Ce ne sera pas nécessaire. Sois tranquille.

— Vous comprenez, je vis dans le coin. Et puis j'ai une femme et des enfants.

— Tous les mêmes. Vous semez des gosses comme les poules sèment leurs crottes.

— Dites donc, je ne vous permets pas... »

Sorcier leva subitement la main et la jeep s'arrêta. Un bruit de tronçonneuse s'élevait sur la droite, au fond d'une longue allée. Sorcier sortit de la voiture avec ses jumelles à la main.

« Ils vont vous faire une grosse tête », chuchota Bob.

Sorcier s'enfonça silencieusement dans le bois, en direction du bruit de la tronçonneuse. Une camionnette bleue était dissimulée sous des branches basses. Il s'approcha et vit une carabine accrochée au-dessus du siège. Il la prit et la jeta dans les fougères. Puis il dégonfla l'un des pneus arrière.

Deux bûcherons étaient occupés à élaguer les branches d'un grand sapin qu'ils venaient d'abattre. Sorcier sortit à découvert et pointa ses jumelles vers le sommet d'un arbre qui se trouvait près des deux pillards. Puis il abaissa ses lunettes jusqu'à la hauteur des deux hommes. Ils posèrent leur tronçonneuse et le regardèrent avec étonnement. Puis ils se dirigèrent vers lui. Lorsqu'ils furent assez près pour distinguer le revolver de Sorcier, ils s'arrêtèrent.

« Qu'est-ce que vous foutez là ? Vous êtes sur une propriété privée. » La voix était coupante et nerveuse.

« Sans blague, Sherlock ? J'ai la permission d'être ici. Je travaille pour la société Audubon d'ornithologie et je viens répertorier des oiseaux.

— Quels oiseaux ? demanda l'autre homme, visiblement le plus obtus des deux.

— Des faucons de Cooper et des fauvettes du Connecticut. » Sorcier connaissait sa leçon.

« Vous n'êtes pas dans le Connecticut, alors foutez le camp.

— J'ai dû me tromper de chemin. »

Les bûcherons avaient l'accent du Kentucky et Sorcier se dit qu'ils avaient sans doute été importés pour les besoins de la cause.

« Je vous ai dit de foutre le camp, dit le plus gros des deux en prenant un ton menaçant.

— Répète ça encore une fois et je t'éparpille les tripes dans toute la clairière. Ça fera de la nourriture pour les renards. Occupe-toi d'élaguer tes branches.

— Va te faire enculer ! » répondit l'homme en retournant à son travail.

Bob le ramena à la Subaru et Sorcier lui donna cent dollars de plus avant de le quitter. Hudley avait presque terminé de ronger l'os dont il ne restait plus qu'un petit bout. Le chien se conduisait comme si rien ne s'était passé depuis vingt-quatre heures. Il était couvert de mouches qu'il tentait d'attraper en claquant férocement des mâchoires pour protéger ce qui restait de son os.

De retour au motel, Sorcier appela plusieurs sociétés forestières pour obtenir une estimation du cubage de sapin, de chêne et d'érable qui avait été volé. Il aligna les chiffres et prit une douche. Il attendrait le lendemain pour téléphoner à Rabun ; il ne voulait pas que son patron sache à quel point son enquête avait été facile et rapide. Il s'allongea sur le lit dont il chassa Hudley d'un coup de talon. Mais il n'avait pas sommeil. Le plus étrange est qu'il n'avait pas faim non plus. Il faut manger, se dit-il, sinon je vais finir par fondre complètement. C'est aussi simple que cela. Il jugea que l'excitation des dernières heures annulait temporairement son besoin de sommeil ou de nourriture. Ah ! le plein air et l'exercice physique. Ses pensées se mirent à dériver, mais il les chassa de son esprit lorsqu'il se surprit à imaginer des scènes de viols, de bagarres, de meurtres et même de guerre. Il ne faut pas se laisser emporter trop loin. Hudley prit le sac de fruits secs dans sa gueule et le déchira. Mais Sorcier n'eut pas le courage de réagir. Une piqûre de moustique le réveilla à la nuit tombante. Son estomac grommelait de manière insupportable. Il s'habilla rapidement, imaginant les délices d'un repas qu'il ne pourrait sans doute pas obtenir dans un coin aussi perdu. Par précaution, il cacha le dossier de Rabun derrière le poste de télévision. Il prit avec lui le guide ornithologique de Diana ; faute de mieux, cela lui donnerait de la lecture pendant le dîner. Par manque d'habitude, il faillit oublier son 38 et enfila l'étui pour ranimer l'étrangeté un peu déclinante de sa situation. Ah ! les visages changeants de la réalité, pensait-il en roulant vers le seul restaurant correct du village. Malheureusement, la cuisine était fermée depuis une demi-heure et Sorcier ne put retenir un grognement de dépit. Un vieux monsieur en bermuda et chaussettes jaunes lui dit qu'il pourrait se faire servir des steaks au bar qui se trouvait à l'autre bout du village. Hudley sauta de la voiture par la vitre arrière, gronda en direction du vieil homme et posa une énorme crotte sur le trottoir.

« Hudley, espèce de salopard ! Excusez-moi, monsieur.

— C'est pas grave. Avec un peu de chance, ma femme glissera dessus et se cassera le cou. Comme ça, je pourrai aller tout seul en Floride. Il faut toujours espérer, n'est-ce pas ? »

Et le vieil homme regarda le soleil couchant avec une expression rêveuse.

Au bar, Sorcier dévora une épaisse entrecôte en détaillant les photos du livre. Puis il enchaîna sur un rumsteak garni de frites avant de se sentir rassasié. Comment peut-on s'y retrouver au milieu de tous ces oiseaux ? Le Bon Dieu devait être d'humeur indécise lorsqu'il créa autant d'espèces. Sans parler des cas de double emploi ; pourquoi, par exemple, fallait-il qu'il y ait des corbeaux et des corneilles ?

« Tiens, voilà l'ornithologue de mes deux. »

Les gros bûcherons venaient d'entrer en compagnie d'un homme plus âgé vêtu d'une élégante chemise de laine. Probablement le chef de la bande. Il s'approcha de Sorcier.

« Mes gars prétendent que vous avez volé leur carabine et dégonflé un de leurs pneus, dit-il en souriant.

— Si moi j'ai l'air d'un voleur de fusil, il vaut mieux pas que je vous dise de quoi vous avez l'air, vous. Vos bûcherons ont abattu un sapin qui abritait plusieurs familles de piverts cendrés.

— Je vois, répondit le chef de la bande en essayant d'estimer la gravité de la situation.

— Si ça vous intéresse, je peux aussi vous montrer ma liste de relevés. » Sorcier posa le livre de Diana sur la table. « J'ai déjà répertorié trois cent vingt-trois espèces. L'hiver prochain, je dois aller à Hawaii pour en trouver encore une trentaine. Dites à vos gugusses de ne pas m'emmerder. J'ai vingt ans de karaté derrière moi et j'adore transformer les gros connards en viande hachée. »

25

Sorcier quitta le village comme si le diable lui-même hurlait à ses trousses. Il est facile de parler haut et cru dans la journée, mais le soir les choses sont différentes. Il fonçait sur la 77 en direction de Seney, « foncer » étant un terme un peu exagéré pour qualifier les performances de la Subaru sur une autoroute. Sorcier se disait qu'il était temps d'acquérir un engin plus musclé. Une Porsche serait probablement trop voyante pour le métier qu'il faisait. Il choisirait plutôt une Trans Am noire. Il tenait de source sûre qu'une Trans Am pouvait filer plus vite que n'importe quelle autre voiture.

Il se remettait lentement de la frousse intense qui avait provoqué un départ aussi précipité. Tandis qu'il rassemblait ses affaires à toute vitesse, Hudley courait comme un fou dans la chambre en aboyant et cela n'arrangeait pas les choses. De plus, Sorcier venait de découvrir que son pistolet n'était pas chargé. Grand Dieu ! Les gens qui ont vu *Délivrance* ne savent certainement pas que le Grand Nord abrite des monstres à visage humain encore plus dangereux que leurs homologues sudistes. La moindre bourgade possède son colosse complètement débile qu'on surnomme généralement « Minet ». Ce sont des types capables d'engloutir quinze hamburgers, cinq poulets rôtis, une caisse de bière et qui n'hésitent jamais à fendre le crâne d'un étranger de passage. Heureusement, l'apparition encore récente de la marijuana dans ces contrées reculées contribuait à calmer la férocité de ces voyous. Il était amusant d'imaginer que, dans dix ans, ils pousseraient le jeu jusqu'à porter des cheveux longs et à embrasser les causes écologiques. Mais, pour le moment, on n'en était pas encore là et il importait de prendre le large.

En arrivant à Newberry, Sorcier se sentit suffisamment en sûreté pour s'arrêter dans un drugstore et acheter une bouteille de schnaps afin de combattre la révolution que les steaks organisaient dans son estomac. La peur est mauvaise pour la digestion. Le régime d'un froussard devrait se limiter au riz et au poisson bouilli. Du bouillon de légumes et des biscottes. Rien de trop lourd. L'alcool ne tarda pas à faire son effet et Sorcier décida de passer la nuit à Sault-Sainte-Marie. Rabun enverrait certainement son avocat le jour même et les papiers pourraient être déposés à l'aéroport. Il éteignit la radio avec irritation, coupant ainsi une controverse idiote sur la *country music* où des gens se disputaient pour savoir quel chanteur était ou n'était pas un « vrai » cow-boy. Les vrais cow-boys que Sorcier avait rencontrés dans le Texas ou le Wyoming lui étaient apparus comme de pauvres bougres qui menaient une vie rude et peu enviable. Lorsqu'il n'était encore qu'un écolier, il avait assiégé son père pour obtenir des bottes de cow-boy et celui-ci s'en était sorti en disant à son fils que les cow-boys sont des gens qui font l'amour avec les moutons. Du coup, Sorcier avait renoncé aux bottes. A présent, en roulant sur la route qui menait à Sault-Sainte-Marie, il se disait qu'il s'était fait avoir. Il éprouva une pointe de colère qu'il noya dans une longue gorgée d'alcool. Qu'est-ce que les parents ne raconteraient pas à leurs enfants pour économiser quelques dollars ! Si on ne faisait pas attention, on courait le risque de grandir et d'atteindre l'âge adulte avec la tête bourrée d'idées fausses. Mais la vision d'une réalité débarrassée de ses mensonges et de ses illusions était un peu gênante. Ce ne serait peut-être pas une réalité tellement plaisante. Au collège, son ami

Dick prétendait toujours que sa mère ne l'aimait pas. Sorcier décida d'éclaircir cette situation et un jour, il se présenta chez la mère en question.

« Exact, dit la dame, je ne l'aime pas. C'est un vilain petit merdeux qui passe le meilleur de son temps à se fouiller les trous de nez. Il était tellement gros en venant au monde qu'il m'a complètement démolie. Et moi, je voulais devenir actrice. Je le déteste. »

Finalement, la mère de Dick se fit enlever par un représentant Chrysler qui fut jeté en prison pour avoir volé une De Soto dans le garage de son patron.

Sorcier tomba immédiatement sous le charme de Sault-Sainte-Marie. L'endroit était balayé par les vents purs du Canada qui soufflaient au-dessus de la rivière Sainte-Marie. La vieille dame qui se tenait à la réception du motel était en train de lire le dernier numéro de *Siècle chrétien.* Elle jeta un regard vers Hudley qui aboyait comme un malade.

« Je suis désolée. Nous n'acceptons pas les chiens.

— Veuillez remettre cette obole à l'église de votre choix, dit Sorcier en ajoutant un billet de cent dollars au prix de la chambre. Je suis vraiment très fatigué. »

La vieille dame regarda le billet et décida d'assouplir le règlement.

« Je vous remercie beaucoup. Après tout, les chiens sont également des créatures du Bon Dieu.

— C'est absolument vrai, chère madame. Bien sûr, Jésus avait une préférence pour les brebis, mais on ne peut pas toujours se promener avec une brebis, n'est-ce pas ?

— Non, bien sûr. »

En entrant dans le bar le plus proche, Sorcier constata qu'il était tombé dans un repaire d'étudiants. Or il détestait les étudiants. Il était sur le point de ressortir lorsque son regard accrocha celui d'une jeune femme brune. Allons-y pour un verre, se dit-il. La musique était aussi bruyante qu'exécrable et se mêlait au fracas d'une demi-douzaine de billards électriques. Son whisky était tellement allongé par la glace qu'il demanda au barman de le doubler. Puis il se retourna, chercha les yeux de la jeune femme brune et lui décocha un long regard plein d'espoir et de sincérité. Elle était tout à fait mignonne. Le regard fit son effet et elle quitta son groupe d'étudiants bourgeonnants d'acné pour rejoindre Sorcier devant le comptoir.

« Pourquoi me regardez-vous comme ça ?

— Pourquoi les chattes ont-elles des queues ? Je vous regarde comme ça parce que vous êtes adorable. »

Certes, la réponse manquait de style et Sorcier la regretta aussitôt qu'il l'eut prononcée. Mais la fille parut amusée. Elle l'examina de la tête aux pieds en souriant de toutes ses ravissantes dents.

« Je m'appelle Aurora. Je suis une Indienne Chippewa.

— Je m'appelle Johnny. Je suis un Visage pâle tout ce qu'il y a de plus ordinaire.

— Ne vous moquez pas de moi. » Elle s'assit près de lui en prenant une pose étudiée.

« Je ne me moque pas de vous. Croyez-moi, je suis au courant de la vie difficile des Indiens, mieux que bien des gens. »

La fille était superbe et Sorcier ne voulait pas gâcher ses chances. Il se torturait la cervelle pour trouver quelque chose d'intelligent à dire sur les Indiens. Ses connaissances étaient loin d'être aussi étendues qu'il le prétendait.

« Ne parlons pas de mon peuple. Parlons plutôt de vous. » D'un doigt, elle lui caressa le dos de la main.

« D'accord ! Après tout, Custer est mort depuis longtemps. Inutile de ranimer le passé. »

Il était ravi d'échapper aussi aisément au piège indien. La fille releva un genou contre le comptoir. Sa jupe légère glissa, révélant une cuisse admirable. Sorcier eut subitement la gorge sèche.

« Vous n'êtes pas comme ceux-là, dit-elle en désignant les étudiants de la tête. Ils ne connaissent rien à rien.

— J'ai pas mal bourlingué.

— Il y a trop de bruit ici. On ne s'entend plus. Est-ce que vous êtes riche, Visage pâle ? Personne n'est riche dans la réserve indienne. Et il fait froid en hiver. »

Compris, se dit Sorcier. Il ne s'attendait pas à une approche aussi commerciale, mais que diable ! il faut bien vivre. La fille avait probablement quelques loyers de retard et Rabun pouvait bien contribuer à son bien-être.

« Disons que je suis à l'aise », répondit Sorcier.

Sur le chemin de la sortie, il crut l'entendre murmurer quelque chose d'inattendu. « Que Dieu vous fasse la bite aussi grosse que le cœur. » Non, impossible ! Elle ne pouvait pas avoir dit ça. Sorcier jugea que son imagination lui jouait des tours. En chemin vers le motel, la fille manifesta une forte envie de pizza. Or Sorcier en avait horreur. Mais il se plia à cette exigence en espérant qu'un goût culinaire aussi contraire au sien ne serait pas un mauvais présage. Il fit emballer deux pizzas à emporter ainsi que six boîtes de bière.

Au motel, la présentation à Hudley fut un peu délicate. Le chien n'avait jamais connu d'Indienne. Aurora fit sa conquête en lui donnant des morceaux de fromage fondu. Elle mangeait avec voracité mais avait eu la courtoisie de quitter sa robe avant de passer à table. Sorcier se contenta d'un grand verre de whisky. Il était stupéfait de voir qu'une fille aussi mince pouvait avaler deux énormes pizzas et trois boîtes de bière sans que son petit ventre bronzé trahisse la moindre rondeur. Ses frères de race devaient la faire travailler comme un cheval, dans la réserve. Il l'imagina, lavant ses vêtements de peau dans la rivière sous le seul regard des ragondins et des cerfs. Une goutte de sauce tomate s'était fixée sur sa gorge comme un rubis. Il voulut la prendre dans ses bras.

« Pas si vite ! J'avais besoin de me remplir l'estomac, mais maintenant, il me faut une douche.

— Je vais la prendre avec toi. Nous ferons comme si nous étions en pleine nature, sous une cascade.

— Pourquoi ? » demanda-t-elle avec un soupçon

d'inquiétude tandis qu'il se déshabillait à toute vitesse, enchanté d'être tombé sur une fille qui semblait partager ses soucis d'hygiène.

« Je me souviens d'un tableau qui représentait une jeune Indienne en train de se laver sous une cascade. Ça n'avait rien de cochon. Il n'y avait que des ragondins et des cerfs pour se rincer l'œil.

— C'est drôle. Je me suis souvent baignée sous une cascade. »

Elle débordait d'énergie. Trop d'énergie, même. Durant l'heure qui suivit, Sorcier se demanda s'il ne s'était pas engagé dans une entreprise trop exigeante pour ses forces. Aurora était dotée d'une nature nerveuse et ne jouissait pas facilement. La mâchoire de Sorcier commençait à lui faire tellement mal qu'il se voyait déjà condamné au porridge de Rabun pour plusieurs jours. En tout cas, pensait-il, on ne pourra pas m'accuser d'égoïsme sexuel. De plus, cette Indienne pratiquait des positions tellement insensées que Sorcier en venait à les ranger dans le cadre de quelque héritage tribal.

Il se réveilla plus tôt qu'il ne l'avait souhaité et la trouva près du lit, habillée et en larmes. Elle lui agitait sous le nez le billet de cent dollars qu'il avait glissé dans son sac. Elle disait qu'elle n'était pas une putain. Elle disait qu'elle n'était pas même indienne. Elle venait de Detroit, sa famille était d'origine arménienne, elle enseignait dans un cours primaire et passait ses vacances au collège d'État du lac Supérieur pour y suivre un séminaire d'été. Elle garda tout de même l'argent.

« Retrouve-moi au bar pour déjeuner. »

Il avait examiné le portefeuille de la fille lorsqu'il s'était levé en pleine nuit pour pisser. Il connaissait toute l'histoire. Mais la porte claqua avec trop de violence pour signifier autre chose qu'un refus de le revoir.

26

En milieu de matinée, Sorcier se mit à souffrir d'une sévère crise d'angoisse. Il se sentait retranché de lui-même, absent de sa propre peau et se posait la douloureuse question habituelle : « Pourquoi suis-je ici ? » Le détonateur de cette crise était un quatrain de Robert Service qu'il venait de lire au bas d'une page de publicité consacrée à une marque de whisky. Cela s'intitulait : *Les Hommes à part.*

> *Il existe en ce monde une race d'hommes à part*
> *Ils ignorent le repos et s'acharnent au voyage.*
> *Ce voyage insensé qu'ils poursuivent au hasard,*
> *Libres de tous remords, accrochés aux mirages.*

Sorcier se souvenait que Robert Service était un des poètes préférés de son père. L'illustration de la publicité montrait un homme vêtu de grosse fourrure, debout près d'un feu de bois et contemplant l'immensité d'un lac gelé au milieu d'un paysage de neige. C'était impressionnant. On sentait qu'à proximité de l'homme, hors du cadre de la photo, une douzaine de chiens malamutes encore attelés au traîneau se disputaient une carcasse de renne. Sorcier s'identifiait intensément à ce trappeur du Grand Nord, fuyant comme Caïn devant ses fantômes et sa propre damnation.

Sorcier était occupé à mettre au point les termes spirituels dont il userait pour informer Rabun de la situation. Mais les mots ne venaient pas. Il s'énervait. Il feuilleta un magazine pour chercher une idée, et c'est ainsi qu'il découvrit l'illustration et le poème. Une grosse boule se forma dans sa gorge et il éprouva une sorte de vertige, comme si la terre venait subitement d'accélérer sa rotation. Une peur aussi atroce qu'inexplicable lui noua les tripes. Les quatre murs de la chambre l'étouffaient. Il se sentait loin de chez lui, trop loin. Beaucoup trop loin. Tout lui manquait : Diana, son journal du matin, ses pensées bizarres, les courses au supermarché et ses absurdes inventions gastronomiques, le bulletin télévisé du soir, la musique baroque, l'amour, son propre lit et l'oreiller spécial qu'il traînait depuis son enfance. Il laissa filtrer une larme, puis une autre. Il redevenait un enfant, rien qu'un enfant avec de grosses mains, de gros pieds et une grosse tête. L'angoisse le ravageait et s'apparentait au choc que l'on pourrait avoir un beau matin en découvrant que l'on a désormais vingt-deux doigts à chaque main. Il faut vivre avec ce qu'on a ; on n'a pas le choix.

Sorcier comprenait qu'il était le fruit pathétique d'un système social encore plus impitoyablement structuré que celui dont Marx rêvait pour les classes laborieuses. Et tout cela se résumait à bien peu de chose : quatre-vingts kilos de chair et d'os écroulés en larmes sur un lit de passage près d'un énorme chien très perplexe. L'amour de Diana était-il réellement sincère ? Il sentait à présent qu'une femme peut se laisser attendrir par la faiblesse ou la fragilité d'un homme, mais qu'il arrive toujours un moment où elle se lasse et s'en va ailleurs, à la recherche d'un mâle plus solide. Et celui qui se faisait confortablement materner n'a plus qu'à crever. Du temps de son mariage avec Sorcier, Marilyn refusait d'avoir des enfants ; maintenant, elle en avait deux, à Pasadena, en Californie. Diana non plus ne voulait pas d'enfant, du moins « pour le moment », et expliquait cela en disant qu'elle reprendrait peut-être ses études de médecine, un jour.... Pouvait-on imaginer que, du fond de leur intuition féminine, Marilyn et Diana jugeaient que Sorcier ne représentait pas une base suffisamment solide pour assumer une véritable famille? Sans aucun doute! Devait-on penser que cette manie de se référer à Gauguin et à son désordre intime correspondait à un désir fondamental de l'imiter? Sans aucun doute! Fallait-il croire que les amertumes nées d'une vie à peu près ratée s'étaient mises à croître et à se multiplier jusqu'à créer de toutes pièces ce rêve de changement et d'avenir? Sans aucun doute! Sorcier le sentait. Il le savait jusque dans ses fibres les plus intimes. Car, finalement, Sorcier n'était pas idiot. Pas toujours. Il se débattait mal au milieu de ses fantômes. Dès lors, fallait-il reconnaître que cette épreuve d'intronisation subie à douze ans et faisant de lui un Sorcier prenait une place excessive dans l'organisation de son existence profonde? Sans aucun doute! Était-ce une soumission aux superstitions, une allégeance aux esprits noirs qui nous traversent? Oui et non! La civilisation ne répond pas à toutes les questions.

Se référant à ses souvenirs de mythologie antique, Sorcier savait qu'il se trouvait maintenant à la croisée des chemins, à ce carrefour terrifiant où le héros doit choisir de poursuivre sa quête ou décider de rebrousser chemin. Comme dit la Bible, il y aura beaucoup d'appelés et peu d'élus. Du fond de la nuit la plus noire et la plus angoissante, le héros regarde à travers la fenêtre du monde et y voit une bourgeoisie heureuse attablée devant les bienfaits de la terre. Il se détourne de ce spectacle, ses joues fanées pâlissant sous l'effort d'une telle contrainte... On frappa à la porte. C'était l'employée très chrétienne de la réception du motel.

« Monsieur Lundgren?

— Oui, répondit-il d'une voix caverneuse en serrant ses mains puissantes sur le cou de Hudley afin d'étrangler les aboiements.

— Je voulais savoir si vous allez rester une nuit de plus. Sinon, il faudrait libérer la chambre.

— Je vais rester une nuit de plus, madame.

— Les dames qui s'occupent des œuvres sociales de la paroisse m'ont demandé de vous remercier de votre donation. Nous nous efforçons d'aider les Indiens qui vivent dans la réserve.

— C'est une belle œuvre. » Hudley se débattait et Sorcier avait de plus en plus de mal à le contenir : une lutte sans importance, mais il était résolu à ne pas la perdre. Il saisit un reste de pizza froide qui traînait sur la table de nuit et l'enfourna brutalement dans la gueule du chien.

« Il y a une jeune Indienne qui est venue téléphoner dans le bureau, ce matin. Elle pleurait, la pauvre. J'espère qu'il ne se passe rien de grave.

— Non... ou plutôt si... enfin... sa mère vient de mourir. Voilà. C'est pour ça qu'elle est triste.

— Oh, mon Dieu, quelle horreur ! Je me souviens que... »

Subitement exaspéré, Sorcier lâcha Hudley. Cette vieille conne venait le troubler dans ses pensées et il en était furieux. Le chien alla percuter dans la porte en poussant un rugissement affreux. De l'autre côté, il y eut un hurlement. Cet intermède coûterait certainement cent dollars de plus à Rabun. Rabun ! Il était temps d'affronter le téléphone.

« Rabun ? C'est Sorcier.

— Quoi ?

— Sorcier ! C'est un nom de code. C'est Johnny.

— Ah bon ! Vous êtes dans le G.N. ?

— Pardon ?

— Dans le Grand Nord ?

— Oui, oui... J'ai démantelé la bande des voleurs de bois. Envoyez un avocat demain matin à Sault-Sainte-Marie. Je laisserai le dossier et les papiers dans une enveloppe au comptoir de l'aéroport. Il pourra déposer la plainte immédiatement.

— C'est vendredi, demain, et c'est aussi la veille de la fête nationale.

— Vous avez de l'influence, servez-vous-en. Il ne faut pas perdre de temps. J'ai fait estimer vos pertes par une entreprise forestière ; ça se monte à plus de cent cinquante mille dollars. Je les ai pris en flagrant délit. Ça a été un peu... agité.

— Grand Dieu ! Vous n'êtes pas blessé, au moins ? Je n'aurais pas pensé que vous puissiez être aussi efficace que cela.

— Rassurez-vous, je vais bien et il se trouve que je suis aussi efficace que cela. Et ce n'est qu'un début. »

Sorcier laissa un message à l'hôpital disant à Diana qu'il serait de retour samedi soir. Il avait besoin de repos et sa vision d'un bon repos comprenait une autre nuit de folle luxure avec une Indienne arménienne du nom d'Aurora. Il eut quelques difficultés à obtenir son numéro auprès du secrétariat central de l'université. Elle dormait et était très en colère.

« C'est Johnny...

— Je ne veux pas te parler, coupa-t-elle. Adieu !

— Écoute ! Écoute-moi un instant. Je me disais qu'on pourrait prendre la voiture et aller nager quelque part. Ensuite, je t'offrirai un somptueux repas gastronomique arrosé de champagne.

— Je suis végétarienne et il faut que je travaille.

— Il y avait des saucisses sur ta pizza, hier soir. Tu les as mangées.

— Non, je ne les ai pas mangées. Je les ai données à ton chien fasciste.

— On dirait pourtant que tu as mangé du cheval.

— Ce n'est pas drôle. Maintenant, il faut que...

— Je sais bien que tu es végétarienne. » Il sentait qu'elle lui échappait. C'était le moment de faire preuve d'imagination.

« Comment le sais-tu ?

— Je le sais parce que tu es si bonne à lécher. Les femmes qui mangent de la viande sont beaucoup moins succulentes.

— Trouve autre chose ! Celle-là, on me l'a déjà servie.

— Je viens de résoudre une grosse affaire et je voudrais célébrer ça. Rassure-toi, je ne suis pas un flic. Plutôt quelque chose à mi-chemin entre le détective privé et l'espion. »

Il sentait que la proie se laissait ferrer, par curiosité ou par égoïsme, peu importe.

« Je ne sais pas, hésita-t-elle. Vers quelle heure ?

— Dans dix minutes, peut-être même moins. Je bande comme un cerf et j'aimerais que ça serve à quelque chose très rapidement.

— Johnny ! T'es complètement cinglé ! »

Elle avait un rire vraiment délicieux. Pour tromper son attente et entretenir son stupre, il se plongea dans la lecture du courrier des lecteurs de *Playboy*. La réalité est vraiment incroyable : quelques minutes auparavant, il était en pleine dépression nerveuse et, maintenant, il jaillissait avec force de cette mélasse, fermement accroché aux basques de l'avenir. Il se demanda si cette nuit de solstice vécue dans la forêt ne lui avait pas apporté de nouveaux pouvoirs. Ce serait bien possible. Ce passage à vide et son issue victorieuse étaient une sorte de confirmation. Il survola rapidement les lettres de quelques maniaques du lavement. Sorcier ne comprenait absolument pas que l'on puisse trouver quelque chose d'érotique dans le pipi ou le caca.

Une demi-heure plus tard, Aurora frappa à la porte de la chambre. Il l'accueillit avec son outil pointé entre les pans de son peignoir. Elle éclata de rire et se précipita dessus.

Le chien gronda et reçut aussitôt le gros livre d'ornithologie en pleine gueule. Sorcier retira la culotte d'Aurora et plongea sous sa jupe. Il y en a qui sont roses, et d'autres qui sont brunes. Pourquoi ?

27

Un jour passa. Puis une nuit. Puis un autre jour et une autre nuit et l'aurore du samedi se leva au-dessus des amants endormis. Samedi, issu de Saturne, cette grosse boule de crème glacée qui roule dans les cieux. Le jour naissant promettait le repos aux salariés mais pas à Sorcier qui était complètement anéanti. Il gisait à l'extrême bord du matelas, essayant dans son sommeil même de s'éloigner de cette redoutable compagne de lit : cette fausse Indienne, cette chienne hyperthyroïdienne, cette institutrice complètement braque de Melvindale, dans les faubourgs de Detroit.

Ce n'avait pas été une promenade de santé. Pour commencer, Rabun avait presque trahi l'incognito de Sorcier en communiquant son numéro de téléphone à l'avocat qui venait de Detroit.

« Feingold, à l'appareil. Je suis l'avocat de Rabun. Je viens d'arriver par jet privé et je suis au siège de la police d'État. Vous avez fait du bon travail. Rejoignez-moi ici. Le procureur sera là dans quelques instants.

— Non ! » A ce moment précis, Sorcier était occupé à essayer sur Aurora un vibrateur très perfectionné acheté la veille dans un sex-shop.

« Comment, non ?

— Non ! Tout simplement. J'ai des ordres très stricts et je ne dois en aucun cas révéler mon identité. Vous avez tous les papiers qu'il vous faut.

— Ne soyez pas absurde. Qu'est-ce que c'est que ce bourdonnement ?

— Je suis dans un salon de coiffure. Vous entendez ? » Il sortit le vibrateur de l'intimité d'Aurora et le colla contre le téléphone. « Vous entendez ?

— Vous êtes fou ou quoi ?

— Ne me faites pas chier, pépère ! J'ai fait mon boulot. Maintenant, faites le vôtre. Moi, j'ai encore du pain sur la planche, vous comprenez ?

— Je comprends, mais vous devrez quand même vous présenter au tribunal pour témoigner.

— Aucun problème. Je me déguiserai en Donald Duck. » Et il raccrocha le téléphone avec violence.

« On dirait que t'es une huile, murmura Aurora, les yeux encore noyés par les extases électriques du vibrateur.

— Plus ou moins. Personne ne sait qui je suis.

— Même pas ta femme ?

— Ma femme ?

— J'ai fouillé dans ton portefeuille.

— Elle ne sait rien. C'est un métier dangereux et solitaire. Parfois on survit, parfois on meurt.

— Oh, mon Dieu !

— Rassure-toi. Je suis toujours vivant. »

L'affaire se terminait sur une note aigre-douce. D'abord il avait fallu répondre aux multiples coups de téléphone des policiers, de l'avocat et du procureur. Tous étaient irrités des mystères que faisait planer Sorcier autour de sa personne, mais ils finissaient généralement par s'en amuser. Quant à lui, il était excédé de devoir répondre douze fois aux mêmes questions. Il finit par abandonner et partit en voiture avec Aurora vers un petit bois en bordure du lac où les étudiants venaient fumer de l'herbe en toute quiétude. Bien entendu, Hudley sema immédiatement le désordre en se jetant à l'eau et en nageant vigoureusement vers deux pêcheurs isolés dans une barque. Le chien manifestait l'intention évidente de bouffer les pêcheurs, avec les lignes, les bottes et peut-être même la barque.

« Eh, qu'est-ce qu'on fait ? crièrent-ils.

— Tapez-lui dessus avec vos rames. »

Ils se mirent à battre l'eau avec l'énergie de la terreur. Hudley tourna autour d'eux puis regagna le rivage. Il s'assit sur la plage et regarda fixement les pêcheurs. Il faudrait bien qu'ils se décident à revenir sur la terre ferme. Hudley attendait sa vengeance.

« Pourquoi est-ce que l'Arménie n'apparaît pas sur les cartes de géographie ?

— La Grèce et la Turquie ont effacé le pays de mes ancêtres.

— C'est pas marrant, dit Sorcier en gloussant bêtement.

— Sale con ! Tu ne sais rien de notre tragédie, alors je t'interdis d'en rire.

— Eh ! Oh ! Du calme ! Je n'y suis pour rien, moi. »

Plus tard, durant le dîner à l'auberge du Cerf, ce fut encore pire : Sorcier attaquait un énorme steak tandis qu'elle se nourrissait maigrement de salade et de radis.

« Beurk ! dit-elle. Je ne comprends pas comment tu peux mettre cette viande morte dans ta bouche.

— Je commence par la couper en petits morceaux avec mon couteau et ma fourchette. C'est très facile, je vais te montrer. »

La viande était bonne, mais un peu trop fraîche.

« Rien qu'à te regarder, ça me donne envie de vomir.

— Encore quelques remarques comme celle-là et je vais t'en faire manger également. » Il avait horreur de ces gens qui critiquent la nourriture des autres.

« Essaie seulement... », cracha-t-elle, folle de rage. Sa colère est probablement une conséquence de son régime végétarien, pensait Sorcier ; à ne manger que des salades, on doit devenir enragé. Avec toutes les pommes chips qu'elle avale à longueur de journée, c'est tout juste si je ne l'entends pas crépiter lorsque je m'allonge sur elle.

« Ne me tente pas... » Il s'interrompit pour regarder le plafond avec une expression horrifiée. Intriguée, elle leva également les yeux en ouvrant la bouche et Sorcier y fourra un morceau de viande particulièrement juteux.

« Enculé ! » hurla-t-elle en recrachant la viande à travers le restaurant. Puis elle s'enfuit vers les toilettes en pleurant.

Tous les regards se tournèrent vers leur table. Ce n'était pas une conduite à tenir dans le meilleur restaurant de la ville, un vendredi soir, au milieu des citoyens les plus respectables de la région. Sorcier décida de leur expliquer la situation. Il se coupa un large morceau de steak et, tout en le mâchant, il entama son discours :

« Mesdames et messieurs, je vous dois des excuses. Vous êtes venus ici pour faire un bon dîner et passer une soirée agréable entre amis. Vous avez travaillé toute la semaine et vous méritez de jouir en paix de votre soirée. Et subitement, vous vous trouvez plongés dans un bain de boue. L'injure que vient de proférer cette jeune femme ne doit pas être prise dans son sens littéral. Tout cela est purement idiomatique et je n'ai jamais offert mon fondement aux ardeurs d'un autre homme. Mais je m'écarte des causes profondes de cet incident. En bref, j'arrive directement d'Akron, dans l'Ohio, qui se trouve, comme vous le savez, à plus de huit cents kilomètres d'ici. Je suis venu d'une seule traite pour voler au secours de ma petite sœur qui est malheureusement droguée jusqu'à la moelle. Je suis médecin et je peux vous assurer à titre professionnel qu'il faudra des années d'hospitalisation pour guérir ma petite sœur de cette malédiction... » Le gérant du restaurant s'approcha, marchant en crabe, incertain de la conduite à adopter envers ce bonhomme bizarre. « Ainsi donc, je vous prie de m'excuser et, afin de marquer l'étendue de mes regrets, je serais heureux d'offrir à chacun d'entre vous la boisson de son choix. » Le gérant se mit aussitôt à applaudir, timidement suivi par les clients. Sorcier était trempé de sueur. Plusieurs personnes vinrent lui serrer la main et l'assurer de leur sympathie ; parmi elles, un vieux couple lui promit de prier pour sa petite sœur. Puis, une des serveuses s'approcha et chuchota à Sorcier qu'Aurora l'attendait dans sa voiture. Il laissa tomber deux autres billets de cent dollars sur la table (la liasse fondait à vue d'œil), serra la main du gérant et quitta le restaurant la tête haute.

Aurora ne consentit à lui pardonner qu'à condition qu'il lui donne de quoi acheter un gramme de cocaïne. Tandis qu'elle faisait son achat dans les toilettes d'un bistrot d'étudiants, Sorcier l'attendait dans la Subaru en grattant rêveusement la tête de Hudley. Le chien pensait encore aux pêcheurs qui voulaient l'assommer à coups de rame. Sorcier s'inquiétait. Et s'ils se faisaient prendre avec la drogue ? Que ferait la police de ce chien pas spécialement bien-aimé qui ne songeait qu'à bouffer de paisibles citoyens ?

De retour dans la chambre du motel, Aurora se livra à la cérémonie habituelle consistant à hacher la drogue avec une lame de rasoir et à la répartir en lignes parallèles. Il avait déjà assisté à ce genre de rituel et le trouvait complètement imbécile. Garth, cet ami de Sorcier qui faisait dans l'art d'avant-garde, avait une méthode plus simple : il versait la drogue dans une minuscule cuiller et l'aspirait d'un seul coup.

« Comment peux-tu te fourrer une cochonnerie pareille dans le nez ? Rien que de la voir, ça me donne envie de dégueuler. »

Elle regarda le plafond avec horreur. Il leva également les yeux et reçut une grosse pincée de cocaïne dans la bouche. Il se consola en la mâchant comme un morceau de viande. Puis il fit semblant de se métamorphoser comme Mr. Hyde. A l'aube, vers cinq heures du matin, il ne restait plus de poudre, plus de whisky, plus de schnaps, plus de pommes chips et ils étaient en train de fumer le dernier joint qu'Aurora venait de pêcher au fond de son sac. Sorcier se sentait triste et dépravé.

« Johnny, je n'aime pas les adieux. Dis-moi simplement que nous nous reverrons un jour.

— Nous nous reverrons un jour.

— Dis-le mieux que ça.

166

« — Un jour, quelque part, d'une manière ou d'une autre, nous nous reverrons. »

Il avait bêtement envie de chanter quelque chose de très triste et de très mélancolique, mais rien ne lui venait à l'esprit. Lorsqu'il eut enfin une idée, Aurora ronflait déjà, mais avec délicatesse.

28

Le voyage du retour se passa dans la morosité. La route paraissait interminable. Le manque de sommeil lui embrouillait l'esprit. Pour la neuvième fois, il s'arrêta devant une cabine téléphonique et, pour la neuvième fois en cinq jours, il tenta de joindre Diana. Pour la neuvième fois, il n'y eut pas de réponse. Sorcier avait un besoin pressant de venir pleurer dans le giron de sa femme. Où est-elle, bon sang ? Est-elle en train de se faire saccager par un étranger ? Non, impossible ! La voiture se traînait et Sorcier écrasait l'accélérateur sans grand effet. L'étui de son revolver lui râpait désagréablement l'aisselle et, en retraversant le pont de Mackinac, il fut tenté de le jeter dans le lac. Finalement, Sorcier n'avait pas le goût des armes à feu. En rentrant à la maison, il se promettait de nettoyer le revolver et de le ranger définitivement dans un placard, comme un tueur à la retraite. « A force d'entraînement, mon corps lui-même deviendra une arme mortelle », dit-il à haute voix. Tout au plus prendrait-il la précaution de s'acheter un gilet pare-balles et un coup-de-poing américain. Il devait accomplir un travail silencieux ; or les revolvers font du bruit, beaucoup de bruit... mais moins de bruit, tout de même, que la sirène de police qui hurlait derrière lui. Hudley se dressa avec fureur et se mit à engueuler la voiture de patrouille qui les suivait. C'est alors que Sorcier réalisa qu'emporté par sa rêverie, il avait largement dépassé la limite de vitesse. Il s'arrêta sur le bas-côté et remonta presque entièrement sa vitre afin de prévenir l'inévitable attaque du chien. Puis, tandis que le policier se dirigeait vers lui, Sorcier pensa au revolver, sous sa veste. Il ouvrit sa portière avec précaution et sortit lentement. Son père lui disait toujours que les mouvements brusques ont le don de rendre les flics très dangereux.

« Excusez-moi, je pensais à autre chose et je ne me suis pas rendu compte de la vitesse. » Il tendit ses papiers à l'agent.

« Sur le pont, la vitesse est limitée à quatre-vingts. Vous rouliez à cent vingt. » Ils s'observèrent. L'un et l'autre portaient ces lunettes à verres miroirs qui dissimulent complètement le regard : nous ressemblons à deux chevaliers de l'ère surréaliste. L'agent retourna vers sa voiture et, par radio, il demanda une vérification au fichier central. Agacé par les aboiements de Hudley, Sorcier s'éloigna de la Subaru et alla s'accouder au garde-fou. L'immense forêt s'avançait jusqu'aux rives extrêmes du lac, une forêt pour la sauvegarde de laquelle Diana avait férocement milité, l'année précédente. Cette femme s'intéresse vraiment à beaucoup de choses, jugea Sorcier avec fierté. Il se demanda ce qu'elle aurait préparé pour le dîner. Il se prit à espérer qu'elle l'accueillerait dans sa robe de satin vert, avec les porte-jarretelles et sans culotte afin de célébrer dignement son retour. La voix du policier le fit sursauter. Il était perdu dans les fanfreluches de sa femme.

« Désolé de vous avoir dérangé, Lundgren. Il paraît que vous êtes un sacré bonhomme.

— Je ne comprends pas. » Au lieu d'une contravention, on lui servait des excuses. Étrange !

« L'avocat de votre client nous a donné le numéro de téléphone de votre motel et on a fait une petite enquête. C'est notre boulot, vous comprenez. En tout cas, je vous félicite. Vous avez débarrassé la région d'une bande de pillards. Bravo !

— Merci. La prochaine fois, je tâcherai de mieux préserver mon incognito.

— Il y a autre chose... Ça ne me regarde pas, mais je crois qu'il vaut mieux vous prévenir. La fille que vous avez draguée est fichée dans nos services. C'est une droguée notoire.

— Vous plaisantez ? » murmura Sorcier en feignant une intense stupéfaction. « Vraiment, on ne sait plus à qui se fier. Elle m'a raconté qu'elle était institutrice.

— Je vous dis ça pour que vous soyez au courant. Rien de plus. Ne vous inquiétez pas. Et, quant à votre couverture, ne vous faites pas de souci : nous serons discrets. Salut !

— Salut ! »

La voiture de patrouille repartit en trombe, laissant derrière elle une odeur de caoutchouc brûlé et une certaine confusion dans l'esprit de Sorcier. Il se trouvait stupide. Stupide et imprudent. Un peu plus et il se retrouvait en taule pour usage de stupéfiants. Il doit y avoir un dieu pour les imbéciles. Diana et son père ne le lui auraient jamais pardonné une telle honte. Sans parler de Hudley qui aurait dû rentrer à pied. Une sinistre pécheresse avait failli le faire basculer dans le désastre. Désormais, plus de drogue et plus d'adultère. Et il se servirait uniquement des cabines téléphoniques.

En arrivant à Traverse City, il retrouva son calme en se remémorant un incident vécu avec Diana, l'hiver précédent. Alors qu'il traversait une phase particulièrement sombre et qu'il passait son temps assis à la table de la cuisine, ressassant ses problèmes et ses fantasmes pour la millième fois, Diana était arrivée subrepticement dans son dos et lui avait soudain hurlé dans les oreilles :

« Fous-toi la paix ! »

Sous l'émotion, il était tombé de sa chaise. « Si tu recommences, je te fous une trempe », avait-il gueulé en se comprimant la poitrine pour calmer les martèlements de son cœur.

« Je voulais seulement te venir en aide, Johnny. Tu es en train de t'ossifier complètement.

— T'as failli me flanquer une crise cardiaque, bordel de merde !

— Tu n'en es pas mort. Et, de toute manière, ça valait le coup. Je deviens folle à force de te voir ruminer ta pitié pour toi-même, ton égocentrisme, ta foutue vanité. Toutes tes phrases, absolument toutes tes phrases commencent par " je " ou " moi ". Moi ! Moi moi moi moi moi moi moi ! » Elle se mit à danser autour de lui en martelant les « moi » sur un rythme de bamba mexicaine. Puis elle monta dans sa chambre secrète et claqua la porte.

Il resta prostré sur le sol, essayant d'inventer quelque chose pour venger cette humiliation. Petit à petit, il en vint à se dire qu'elle avait raison. Mais son orgueil masculin demeurait le plus fort ; il fallait réagir et montrer qu'il était le mâle dans cette baraque. Il se dressa et alla beugler dans l'escalier :

« C'est encore une de tes conneries de philosophie orientale ? Moi moi moi moi moi... C'est un mantra ou quoi ? Va te faire sauter par les chinetoques si tu les aimes tant que ça. »

Ça ne servait à rien. Diana mit un enregistrement de *Petrouchka* sur son électrophone et monta la musique à plein volume. Sorcier fonça dans le salon et répliqua par un tonitruant disque de rock. Il eut presque aussitôt une formidable migraine. Il quitta la maison et alla se consoler au bistrot du village.

Neuf mois plus tard, il trouvait la leçon salutaire. Bien entendu, il ne l'admettrait jamais devant Diana. C'est de la merde en bouteille, ces philosophies orientales. Tout de même, en atteignant les faubourgs de Traverse City, il cria très fort : « Fous-toi la paix ! » et se sentit aussitôt beaucoup mieux. Il s'arrêta dans un drugstore renommé pour ses hamburgers et ses animaux empaillés. Il se dit que Diana aurait peut-être oublié de préparer le dîner et se goinfra de hamburgers sous l'œil fixe d'une chouette très poussiéreuse. En tout cas, il fallait bien admettre que Diana était plutôt futée.

Il gloussa en se souvenant qu'au lendemain de cette crise, il avait dressé une échelle contre le mur de la maison pour jeter un regard d'espion dans la chambre secrète de Diana. Le spectacle était décevant : un matelas posé sur le sol dans une housse noire, des coussins, une bouilloire électrique, un électrophone et une petite statuette ventripotente qui tournait le dos à la fenêtre. Il se demanda si sa femme se livrait à des cultes étranges. Sait-on jamais ? L'épouse d'un de ses amis avait tout abandonné pour se consacrer à la gloire de Jésus après avoir entendu un disque de Bob Dylan.

Sorcier atteignit la maison au crépuscule, sous une lumière blonde qui dorait les collines et les vastes cerisaies. En fait, la vue des cerises lui donnait la nausée, mais cela était dû au souvenir pénible d'un bocal entier de cerises à l'eau-de-vie avalées un jour pour gagner un pari. Il n'avait que dix ans, à l'époque. Il en avait été malade pendant deux jours et, comble d'injustice, le copain refusa d'honorer le pari.

En rentrant, peu après minuit, Diana le trouva endormi sur le canapé du salon. Le mot qu'elle lui avait laissé était chiffonné dans sa main et la crosse du revolver pointait sous le revers de la veste. Dans le mot, elle lui disait qu'elle serait retenue à l'hôpital par une urgence, un accident de voiture. Il en avait été profondément déprimé. Ce genre de chose plongeait Diana dans des humeurs très sombres et cela signifiait que la robe de satin vert et les porte-jarretelles demeureraient dans le placard. Il s'en était voulu de penser à la bagatelle tandis que sa femme luttait pour sauver les victimes d'un accident de la route. Plutôt que de continuer à cultiver ses remords, il s'était endormi. Elle le réveilla d'un baiser.

« C'était dur ? murmura-t-il.

— Horrible. Un groupe d'ouvriers agricoles dans une camionnette. Il y avait des enfants à l'arrière. Affreux. » Elle était très pâle et semblait épuisée. Il se leva et alla lui préparer un Margarita. Lorsqu'elle sortait de ce genre d'épreuve, elle en buvait deux qu'elle accompagnait d'un cachet de Valium.

172

« Je suis désolé », cria-t-il depuis la cuisine. Elle vint le rejoindre.

« Johnny, je t'en prie, enlève ce revolver. Ça me fait peur. Le Dr Rabun m'a dit que les choses ont failli mal tourner mais que tu as gagné beaucoup d'argent.

— Tout va bien, poupée ! Te fais pas de mouron.

— Et arrête de parler comme un gangster de cinéma. J'ai vu des blessures par balles. Je sais à quoi ça ressemble et ce n'est pas joli.

— D'accord, bébé ! » Il retira le holster et le jeta dans une corbeille à papier. Puis il tendit un verre à Diana et trinqua avec elle. « Tu es tendue comme une corde de violon. Tu veux faire une partie de strip-poker ?

— Pourquoi pas ? dit-elle en riant. Après tout, c'est plus marrant que de faire des réussites. »

29

Juillet se mua en août, août devint septembre, septembre s'habilla des couleurs dorées d'octobre et octobre se fondit dans la grisaille de novembre : le cycle majestueux des saisons poursuivait sa ronde sans se soucier des crétins qui se plaignent du mauvais temps mais demeurent trop fauchés pour aller passer l'hiver au soleil. Sorcier trouvait dans les livres de Sigurd Olson un moyen efficace d'accepter les injustices climatiques de la terre. A quoi bon se plaindre de la pluie et du gel puisqu'ils existent ? Et Sorcier perfectionnait son corps et son esprit de tant de manières que ses multiples activités lui donnaient parfois le tournis. Il s'était fabriqué sa propre chambre secrète, dans la cave, en élevant une cloison de brique. D'ordinaire, il avait peur des caves, mais cette caverne lui paraissait merveilleusement adaptée à son travail. La porte était défendue par un énorme cadenas à secret (33-33-33-1) et, si Sorcier éprouvait une pointe d'irritation devant l'absence de curiosité que manifestait Diana pour sa retraite, il s'efforçait de ne pas le laisser paraître. D'ailleurs, elle était également prise dans un tourbillon d'activités diverses : à l'approche des élections, son groupe féministe préparait l'assaut politique avec une sorte de fanatisme.

La nouvelle prospérité de Sorcier était une aubaine dans la mesure où elle lui permettait de s'offrir de nouvelles pièces d'équipement : la chambre secrète renfermait à présent des skis de fond qui attendaient les premières neiges, une raquette de tennis en graphite qui attendait une envie de jouer, un punching-ball et des gants de boxe, une machine à pédaler, un engin à ressorts pour la musculation, un manuel de hata-yoga, deux haltères et quelques autres bricoles de même nature. Mais, dans cette débauche d'exercice physique, Sorcier ne négligeait pas les activités de l'esprit et entassait joyeusement des piles de livres qui traitaient d'ornithologie, de botanique, d'arboriculture, d'océanographie, de météorologie ainsi que quelques ouvrages soigneusement sélectionnés relatifs au sujet qui le passionnait plus que tout autre : le sexe. Son corps n'était pas encore aussi finement musclé qu'il pouvait le souhaiter, mais l'usage intensif de ses jouets combiné aux rigueurs d'un régime exigeant lui avait permis de perdre sept kilos. Le plus difficile était de maintenir cet acquis : un jour, au supermarché, il passa devant un tonneau de harengs salés et fut subitement saisi d'une fringale qui lui brûla les intérieurs comme un feu de broussailles. De retour chez lui, il fit dessaler les merveilleux harengs et prépara une marinade d'oignons, de vinaigre, d'épices et de cornichons. Il en remplit une grosse terrine qu'il alla cacher dans sa chambre secrète et attendit avec impatience que cette gourmandise clandestine arrive à maturation. Malheureusement, il avait chargé Diana de surveiller son régime et elle appliquait à cette tâche une rigueur sans défaut :

« Ton haleine sent le cornichon et le vinaigre. Tu sais bien que les cornichons sont riches en sodium. Rigoureusement tabou. Allez, avoue !

— Il n'y a rien à avouer. Je n'ai pas mangé de cornichons depuis des mois. » Il se serait giflé pour avoir oublié de se laver les dents après son orgie de harengs de l'après-midi.

« Johnny ! As-tu caché des cornichons dans ta chambre ?

— Parole d'honneur ! Je n'ai rien caché. Ce doit être le foie. L'haleine des êtres sous-alimentés est effroyable. Je le sais. Je l'ai lu quelque part. Il paraît qu'en Inde l'atmosphère est irrespirable.

— Tu as fait tant de progrès. Je serais désolée que tu retombes dans tes mauvaises habitudes. »

Puis Diana se lança dans une suite de réflexions sur l'amélioration spectaculaire des capacités sexuelles de Sorcier depuis qu'il s'était débarrassé de son trop-plein de graisse.

« Je peux jurer sur la Bible que je n'ai pas mangé de cornichons. Va chercher une Bible.

— Nous n'avons pas de Bible et tu le sais très bien.

— Il devrait y avoir une Bible dans chaque maison.

— Bien sûr, mon chéri. J'irai en voler une dans une chambre de l'hôpital. »

Mais rien ne pouvait convaincre Diana de l'innocence de son mari. Elle imaginait volontiers les murs de la chambre secrète couverts d'étagères chargées comme autant de rayons de charcuterie fine. Heureusement qu'il ne négligeait pas ses exercices physiques. Cela, elle pouvait l'entendre. Il soufflait comme un phoque dans sa cave semi-obscure.

Le lendemain, dès que Diana partit pour l'hôpital, Sorcier alla jeter les pièces à conviction, mais, à la dernière minute, il ne put résister au plaisir coupable d'avaler un dernier hareng. Bizarre qu'elle n'ait décelé que l'odeur des cornichons.

Peu de temps après l'épisode du Grand Nord, Rabun avait donné un dîner destiné à marquer deux victoires : celle de Sorcier, bien sûr, mais également celle de Diana qui venait de gagner le droit de concourir pour une bourse d'études de médecine destinée à couvrir ses frais jusqu'à l'obtention du diplôme. Cette soirée faillit provoquer chez Sorcier une nouvelle crise d'angoisse aussi sévère que la précédente. Pourtant, il venait de recevoir sept mille dollars en paiement de son pourcentage sur les sommes que les bûcherons voleurs avaient remboursées pour éviter d'aller croupir au pénitencier. Pourquoi ces festivités ? se demandait Sorcier. Il fallait attendre encore trois mois pour savoir si Diana serait effectivement reçue au concours, et cette attente était exaspérante pour un homme qui ne supportait pas d'entrer dans un cinéma sans savoir comment se terminait le film qu'il se proposait d'aller voir. Et, d'un autre côté, qu'est-ce qu'il pourrait bien faire de cet argent en billets de banque qui s'entassaient dans des vieilles boîtes de conserve au fond de sa chambre secrète ? C'est bien joli de frauder le fisc, mais c'est une arme à double tranchant. Et puis, un autre facteur s'ajoutait aux deux premiers : ayant appris que Sorcier suivait un régime amaigrissant, Rabun avait fait préparer un dîner de cuisine-minceur : poisson cru mariné dans le citron, mousse d'asperges, demi-pigeon braisé sur canapé de cresson, le tout couronné d'un sorbet aux airelles. La préparation était impeccable, mais il n'y avait pratiquement rien dans les assiettes et cette absence de volume nutritif était d'une grande cruauté. De plus, il fallut se contenter d'une seule bouteille de montrachet dont Rabun avait égoïstement bu la moitié à lui tout seul. A présent, la conversation entre Diana et le bon docteur se perdait dans les méandres compliqués du matériel chirurgical, tandis que Sorcier se tournait les pouces au-dessus d'un estomac hurlant de famine. La colère se mit à gronder au fond de son ventre creux.

« Si on ne me donne pas tout de suite un grand cognac, je crois que je vais tomber dans les pommes. » Et, devant leur surprise, il se fendit d'un sourire vaguement menaçant.

« Mais bien sûr ! » s'écria Rabun en se dirigeant vers la desserte et en revenant poser devant Sorcier une bouteille brune et un grand verre ballon. « Excusez-moi. Je pensais que votre régime vous interdisait l'alcool. »

La conduite de Sorcier ne tarda pas à se dégrader et, plus tard, en revenant vers la maison, il ne savait plus quoi inventer pour s'en excuser auprès de Diana. Il invoquait aussi bien la détérioration inattendue de ses biorythmes qu'une soudaine crise d'hypoglycémie. Ce qui est certain, c'est que le maigre dîner n'était pas de nature à éponger la vaste quantité de cognac sous laquelle il fut bientôt noyé. En cours de soirée, Sorcier alla se promener en compagnie des chiens de Rabun afin de s'éclaircir les idées et s'empêcher de proférer trop de bêtises. Les deux molosses couraient gaiement près de lui lorsqu'un vague souvenir lui revint en mémoire. Il craqua une allumette pour regarder sa montre : onze heures moins cinq. Au secours ! Dans cinq minutes, ces charmants compagnons allaient se transformer en fauves assassins. Sa nouvelle forme physique aidant, il sprinta comme un dératé sur plus de cinq cents mètres et vint s'écrouler, pantelant, sous les yeux stupéfaits de Rabun et Diana.

« Chiens. Onze heures. Signal.

— Mais, pour l'amour du ciel... Je débranche le système lorsque j'ai des invités.

— Et si vous aviez oublié ? » L'embarras venait remplacer la frousse.

« Je n'oublie jamais. Ce serait trop grave.

— Moi, j'aimerais mieux que ma vie ne soit pas à la merci d'un trou de mémoire. Vous avez peut-être des problèmes artériels et vos cellules mémorielles ne sont peut-être pas aussi bien irriguées qu'il le faudrait. Et puis...

— Johnny ! Tais-toi. Tu es ivre et tu te conduis comme un idiot. » Diana s'approcha et l'aida à se relever.

« Ce n'est pas si idiot que ça, avança Rabun avec générosité. Dans son métier, il ne faut avoir confiance en personne.

— C'est un métier détestable, siffla Diana. Il devrait faire autre chose.

— Eh là ! Un instant. » Sorcier leva les mains comme pour administrer une vigoureuse bénédiction papale. « Avec l'entraînement que je suis en ce moment, j'aurais pu facilement tuer l'un des chiens à mains nues. Et dans un mois, si je m'applique, je pourrai me farcir les deux sans problème. » Il ponctua cette déclaration en hachant l'air d'une série de manchettes japonaises apprises la veille dans un manuel d'aïkido. « Il n'y a aucune raison pour que quatre-vingts kilos de viande humaine se laissent dominer par quarante kilos de viande animale. En outre, la viande humaine est plus intelligente.

— C'est vrai, estima Rabun, mais à une exception près. J'ai fait des recherches sur les chimpanzés et je peux vous assurer que n'importe quel spécimen de quarante kilos, mâle ou femelle, est capable de réduire un pilier de rugby à l'état de hamburger saignant.

— Sans blague ? » Sorcier était fasciné par cette étonnante nouvelle. Il imagina tout de suite les péripéties d'un match où l'équipe des singes arracherait la tête des demis de mêlée et démembrerait les trois-quarts aile en hurlant comme Tarzan. Puis son instinct discutailleur reprit le dessus et il contra Rabun en disant : « Je n'ai jamais entendu dire qu'on pouvait remplacer les chiens de garde par des chimpanzés.

— J'y ai songé, répondit Rabun, mais le climat est trop rude pour eux. Ils souffriraient très vite de troubles pulmonaires. De plus, les chimpanzés ne sont pas plus capables que les Noirs ou les Indiens de s'adapter à un nouvel environnement. En revanche, ils prennent rapidement goût à tout ce qui leur est néfaste : la drogue, l'alcool ou le tabac... comme les Noirs et les Indiens.

— Assez ! » Diana était outrée. « Vous êtes affreux, l'un et l'autre. D'abord vous tuez les chiens, ensuite vous transformez les singes en tueurs et maintenant vous insultez les Noirs et les Indiens. J'en ai assez. Je rentre à la maison. »

30

Cependant les affaires avançaient avec lenteur. Sorcier avait une fringale d'action et les péripéties de son expédition dans le Nord lui manquaient... ainsi que les émotions de sa nuit solitaire dans la forêt hostile, sans parler des idiosyncrasies de la fulgurante Aurora. La table de la cuisine croulait sous les livres comptables et Sorcier vivait dans la hantise des coups de téléphone de Feingold. Rabun était en pleine ébullition créatrice et ne voulait voir personne. Lorsqu'il se manifestait, c'était pour se plaindre des dépenses insensées de sa femme et de son fils. Il y eut la perspective d'une descente sur la concession Chrysler, dans le Kansas, dont Rabun partageait la propriété avec un cousin. Tout était prêt : les places étaient retenues, les valises bouclées, il ne restait qu'à partir. Sorcier avait toujours entendu dire que la Suède est le Kansas de l'Europe, ce qu'il traduisait en disant que le Kansas est la Suède des États-Unis. Feingold téléphona à la dernière minute pour dire que, toute réflexion faite, il serait plus profitable de déposer le bilan. Sorcier était furieux que Rabun ait communiqué son numéro de téléphone personnel à Feingold ; cela donnait à l'avocat un avantage irritant.

« Feingold ! Ne me téléphonez jamais pendant les repas !

— Je vous téléphonerai à n'importe quelle heure,

pourvu que les circonstances l'exigent. De toute manière, en ville, nous dînons à des heures plus civilisées que dans vos campagnes.

— Peut-être, mais vous bouffez de la merde. Detroit est un désert gastronomique. Tout ce qu'on y mange a un goût de vieille chaussette.

— Mon Dieu, quelle remarque écœurante ! Que pensez-vous du London Chop House ?

— C'est l'exception qui confirme la règle. Tout ce que je vous demande, c'est de cesser de m'appeler pendant les repas. Sinon, je ferai en sorte que vous vous retrouviez au chômage.

— Je doute que vous ayez assez d'influence pour convaincre mes associés. J'appartiens à une grosse boîte, vous savez ?

— Il n'y a pas plus vicieux que moi pour remuer la boue dans la vie des gens. Ainsi, rien qu'à entendre votre voix, je peux dire que vous êtes un pervers sexuel, que vous ne tenez jamais vos promesses et que vous vous droguez tous les soirs à la cocaïne. Il paraît que la cocaïne est très prisée chez les avocats.

— Espèce de paysan, coupa Feingold, vous ne me faites pas peur. Je suis inattaquable.

— Je n'ai jamais prétendu le contraire. Je disais seulement que je peux monter un piège et vous faire tomber dedans. Je peux glisser de la blanche dans le sac de votre femme pendant qu'elle fait ses courses et téléphoner ensuite à la police. Vous vous rendez compte du scandale ?

— Je ne suis pas marié, cria Feingold d'une voix triomphante.

— Qu'à cela ne tienne, je peux trouver un petit garçon qui ira jurer aux flics que vous l'avez sodomisé avec tant de brutalité qu'il n'a pas pu jouer au basket pendant quinze jours. Vous voyez le topo ?

— Vous êtes cinglé. Pourquoi feriez-vous une chose pareille ?

— Pour vous empêcher de téléphoner pendant que je dîne. Est-ce que je me fais bien comprendre ?

— Oui, oui, parfaitement. Vous faites la cuisine vous-même ?

— Absolument.

— Et... c'est de la haute cuisine ?

— Quelque chose comme ça, oui. »

Sorcier emmena Clete dans un raid de vingt-quatre heures sur une menuiserie industrielle, près d'Alpena. Il ne voulait pas emporter son revolver, mais il n'ignorait pas qu'Alpena était réputée pour le nombre et la méchanceté de ses gros bras. Tout en se disant que son corps était maintenant assez entraîné pour se transformer éventuellement en arme mortelle, il estimait qu'un accident est toujours possible et que la compagnie d'un vieux baroudeur comme Clete pouvait s'avérer précieuse. L'affaire était simple : un examen comptable révélait que les achats de matière première se faisaient à un prix nettement supérieur au cours normal. Il y avait du pot-de-vin dans l'air. L'acheteur de la société était un petit homme rondouillard et jovial. En arrivant à Alpena, ils l'invitèrent à déjeuner. Clete se faisait passer pour le contremaître d'une société forestière et Sorcier avait pris l'identité d'un propriétaire de scierie. Après un nombre respectable de cocktails, le petit homme fit une offre : il était prêt à signer une grosse commande de bois, à condition qu'on lui ristourne un pourcentage important sur la facture. Sorcier se leva de table et alla téléphoner au directeur de l'usine qui arriva quelques instants plus tard en compagnie de la police. Tandis que les flics lui passaient les menottes, le petit homme pleurait et parlait de ses enfants. Ce fut un moment très déplaisant et Clete alla s'accouder au bar où il se mit à boire comme un trou. Sorcier le rejoignit quelques minutes plus tard. Les sanglots du petit homme lui restaient également sur l'estomac.

« Merci, dit-il à Clete. C'était une affaire mineure et la commission ne sera pas énorme, mais j'aimerais la partager avec toi.

— Ta commission, tu peux te la foutre au cul.

— Calme-toi, murmura Sorcier, un peu dérouté.

— Qu'est-ce qui te dit que le directeur de l'usine n'était pas dans le coup ? Hein ? Et les comptables ? Ce pauvre connard va passer l'été en taule pendant que les autres iront se goberger au soleil. Et ce sont peut-être eux les vrais coupables. T'es vraiment taré quand tu t'y mets.

— Une minute ! Même en supposant que je sois allé un peu trop vite, tu es bien obligé d'admettre que le type était coupable. Rien ne prouve que les autres soient également dans le coup.

— Tu m'emmerdes ! Foutons le camp d'ici. »

Les deux amis refirent la paix au cours d'une expédition de chasse au cerf en compagnie d'une nouvelle connaissance. Sorcier l'avait rencontré en faisant du jogging dans les bois, à l'abri des regards. Pour lui, ce sport était devenu un peu ridicule à force d'être trop à la mode, et il préférait courir à l'écart des autres joggers. Et puis, à force de se dépenser sur un terrain accidenté, il arrivait à se faire des cuisses d'acier. Il courait donc en solitaire par un bel après-midi d'octobre lorsqu'il entendit une détonation venant d'un sous-bois dans lequel Hudley venait de s'engouffrer. Sorcier se plaqua au sol, mais il se redressa aussitôt en se souvenant que la chasse à la grouse était ouverte depuis le matin. Il s'avança et trouva un homme assis sur une souche en train d'examiner l'oiseau qu'il venait d'abattre, tandis que Hudley sodomisait frénétiquement son chien.

« Excusez-moi », dit Sorcier en essayant sans succès d'écarter Hudley. Il connaissait l'homme de vue, un grand rouquin qui possédait une petite entreprise et avait la réputation d'être un solide buveur. Il se nommait Hank... Ils se serrèrent la main :

« Je suis désolé, poursuivit Sorcier.

— Oh, moi, je m'en fous ! Votre chien ne risque pas de faire des gosses au mien ; c'est également un mâle.

— Un mâle ? C'est incroyable ; en général, Hud ne s'intéresse qu'aux femelles.

— Faut croire que votre clébard est bisexuel, dit Hank en sortant des boîtes de bière un peu tiède de sa gibecière. Ou peut-être qu'il vient seulement de découvrir qu'il est de la pédale.

— Je ne comprends pas », dit Sorcier en secouant la tête. Il sentait bien l'insulte à peine déguisée qui pointait sous la remarque, mais Hank était armé alors que lui ne l'était pas.

« Il n'y a rien à comprendre. Votre chien est un pédé. Il n'y a pas de quoi en faire un drame. Les skieurs sont des pédés. Les champions de tennis sont des pédés. La plupart des politiciens sont des pédés, de même que la majorité des joggers.

— Dites donc, vous...

— La ferme ! Vous êtes sur ma propriété et votre chien est en train de violer le mien. Si j'étais de mauvais poil, je pourrais le faire foutre en taule.

— Je ne me souviens pas avoir jamais entendu parler d'un chien qui passait en jugement pour homosexualité. Ça pourrait faire jurisprudence. » Sorcier commençait seulement à comprendre que Hank était un rigolo, pas menaçant pour un sou.

« En réalité, cette propriété ne m'appartient pas et, si mon chien a envie de se faire embrocher la rondelle, ça le regarde. En revanche, moi, j'ai très envie d'une bière glacée. »

Ils traversèrent la forêt jusqu'à la maison de Hank où ils firent rôtir deux grouses assaisonnées de citron et de thym. Et, quelques jours plus tard, ils partirent chasser le cerf en compagnie de Clete. Ils abattirent une biche, bien que ce soit rigoureusement interdit, et s'en régalèrent. Diana aimait le gibier et Sorcier l'enchanta en lui ramenant un cuissot. Elle était ravie de cette nouvelle passion de son mari pour les activités de plein air. Au moins, pendant ce temps, il ne restait pas dans la cuisine à remuer des pensées bizarres.

La veille de Thanksgiving, il contracta une forme de grippe particulièrement pernicieuse qui l'expédiait dix fois par jour aux toilettes. Assis sur le trône, il en aurait pleuré de dépit. Les valises étaient prêtes et Sorcier s'était fait une fête de cette expédition annuelle vers la ferme du père de Diana, près d'Eaton Rapids. Depuis dix ans, il n'avait jamais manqué l'occasion, et, cette année-là, le séjour promettait d'être d'autant plus réjouissant que Diana avait autorisé Sorcier à oublier son régime pendant quelque temps. Durant les jours qui précédèrent le départ, il s'était imaginé les tables croulantes de victuailles au milieu de la chaude atmosphère familiale. Il s'était même acheté un nouveau costume et se réjouissait d'informer discrètement son beau-père et ses beaux-frères de sa prospérité retrouvée.

« Je ferais peut-être mieux de rester pour te soigner, proposa Diana au moment de partir.

— Rien à faire. Un chien malade recherche toujours la solitude. » La porte se referma et Sorcier eut terriblement pitié de lui-même. Sa détresse touchait au vertige lorsqu'il imaginait ces dindes croustillantes et ces énormes jambons fumés qu'il ne pourrait pas manger. Plutôt que de devoir toujours se précipiter aux cabinets en catastrophe, il décida de faire un somme dans les toilettes. Ainsi, il serait déjà sur place en cas de nécessité. Il rêva que ses harengs salés avaient assisté au naufrage du *Titanic* et vu les passagers noyés descendre vers les abysses de la mer en smoking et en robe du soir. Ce n'est qu'à la dix-septième sonnerie que Sorcier consentit à répondre au téléphone.

31

La mort est toujours soudaine, se disait-il en prenant le téléphone. Elle éclate dans la vie des gens comme une bulle de savon. Si c'est cet enfoiré de Feingold qui appelle, ça va être sa fête.

« Il y a eu un accident. » C'était Rabun.

« Oh, mon Dieu ! Diana !

— Non, pas Diana. Il y a eu un accident dans l'institut de traitement que je possède en Floride. On me réclame un million de dollars de plus que ma limite d'assurance et...

— J'ai la grippe et une fièvre de cheval, coupa Sorcier.

— Quoi ? Je vous parle d'un million de dollars et vous me répondez par une grippette ? Je veux vous voir demain, à midi.

— Mais demain, c'est férié. Je n'arrête pas de dégueuler et je passe ma vie aux chiottes. Je vais salir ma voiture.

— Je présume que votre voiture a une portière. Vous pourrez vous arrêter pour commettre vos cochonneries dans le fossé. Je vous ferai une piqûre lorsque vous arriverez.

— Oui, monsieur Rabun ! »

C'est criminel d'obliger un homme à sortir de chez lui dans un état pareil. Il retourna s'installer dans les toilettes avec sa couverture et son oreiller préféré.

Peut-être que je ne guérirai jamais, comme Maman. Le seul avantage, c'est que ça me fait perdre du poids. A la réflexion, il aurait sans doute mieux valu que Diana reste pour s'occuper de moi au cas où je tomberais dans le coma. Si ça m'arrive, ce n'est pas Hudley qui ira alerter les voisins. Pour une raison mystérieuse, cette idée le fit penser à l'odeur des pâtées en boîte de son chien. Puis il pensa à l'odeur qui se dégageait des cuisines du mess, à l'armée. Une chose en entraînant une autre, il sentit que ça partait par les deux bouts et il perdit de précieux instants à décider ce qu'il devait choisir en premier, du lavabo ou du cabinet. Le résultat fut qu'il n'eut le temps d'aller ni à l'un ni à l'autre. Oh, mon Dieu! Le petit oreiller de mon enfance est complètement salopé. Pourquoi m'as-tu renié, Seigneur?

Il retomba bientôt dans un sommeil agité et illustré de rêves flamboyants de puissance, de triomphe et d'amour. Dans l'une des séquences, il se voyait comblé d'une multitude de frères et sœurs, ce qui avait été le souhait le plus cher de sa vie d'enfant unique. L'une des sœurs était une magnifique brune en tenue d'infirmière. Il y avait aussi des poissons qui nageaient dans l'air en souriant, un gourdin et des colliers de scalps. Peu avant le lever du jour, une tempête se déclencha au-dehors et cela fit apparaître l'image du roi Arthur et de Merlin pleurant au milieu des étangs de Brocéliande. En réalité, c'était Hudley qui manifestait une fois de plus sa frousse des ouragans.

En arrivant chez Rabun, il serra la main d'un colosse doté d'une voix curieusement aigrelette. Il n'eut pas le temps d'entendre son nom et se précipita directement aux toilettes. En fait, il n'avait pas réellement besoin d'y aller mais il voulait démontrer à Rabun à quel point sa convocation autoritaire était cruelle. Sorcier se sentait fait de tubes mis à vif par la maladie, épuisé, amaigri, pâle..., mais le miroir lui renvoyait une image qui ne correspondait guère à ces sensations. Il actionna plusieurs fois la chasse d'eau afin d'étoffer sa comédie. Il se faisait des grimaces horribles dans le petit miroir fixé au-dessus du lavabo. Bien que mon estomac soit complètement ravagé, je me laisserai peut-être aller à manger quelque chose si on me l'offre. Rabun frappa à la porte.

« Ouvrez, je vais vous faire une piqûre.

— D'accord, grogna Sorcier. J'espère que ça servira à quelque chose. » Il laissa tomber son pantalon sur les chevilles et ouvrit la porte.

« Dans quelques minutes, vous vous sentirez extraordinairement bien. Je vous le garantis. » Et Rabun enfonça sauvagement l'aiguille d'une grosse seringue presque pleine.

« Jésus Marie Joseph ! couina Sorcier.

— Excusez-moi, j'ai un peu perdu la main. Mais je viens de vous injecter une des compositions dont je suis le plus fier. »

Sorcier était à peine revenu dans le salon qu'il fut saisi d'une étonnante sensation de plénitude et de bien-être. Le colosse qu'il avait salué en arrivant était Feingold en personne. L'avocat lui offrit un fromage de Stilton en forme de couronne directement importé de chez Harrods, à Londres.

« En gage de paix... Mais expliquez-moi pourquoi vous ne débranchez pas votre téléphone lorsque vous êtes à table ?

— Ça, c'est une idée. Merci pour le fromage. » Sorcier contemplait son cadeau avec satisfaction. « Au téléphone, vous donnez l'impression d'être tout petit. Grand Dieu ! Rabun, qu'est-ce qu'il y avait dans cette seringue ?

— Je ne peux pas vous le dire, cela risquerait de faire de vous un drogué. Moi-même, je me limite à une par mois.

— Il faut que je le sache », insista Sorcier avec énergie. Il avait le sentiment d'être capable de bondir à travers le plafond et partir dans le ciel comme une fusée.

« Sachant que Feingold ne pourrait passer qu'une heure avec nous, je voulais faire en sorte que vous soyez en pleine possession de vos moyens. La concoction contient un antispasmodique, de la morphine, du Nembutal, de la cocaïne, de la Methedrine et une énorme quantité de vitamine B 12.

— Faudrait mettre ça dans le commerce. C'est la plus belle invention du siècle.

— N'exagérez pas, intervint Feingold. Si vous savez où chercher, vous pouvez trouver tous les ingrédients dans les rues de Detroit. Il paraît qu'en Angleterre, ils donnent quelque chose de semblable aux cas terminaux de cancer.

— J'ai un cancer ? demanda Sorcier avec angoisse.

— Je n'en sais rien, répondit Rabun. De toute façon, nous ne sommes pas ici pour parler de votre cancer. »

Lorsque la réunion se termina par le départ de Feingold, Sorcier se dit qu'il avait sous-estimé l'intelligence de l'avocat. Il était un peu pinailleur certes, mais ce n'était certainement pas la moitié d'une andouille. La plainte déposée contre l'institut de Rabun n'était que l'un des trois problèmes qu'il devait affronter en terme de pertes financières. Les deux autres migraines venaient de la femme et du fils de Rabun. Ils jetaient littéralement l'argent par les fenêtres. Le dépassement du devis sur la nouvelle maison que Mme Rabun se faisait construire atteignait les deux cents pour cent. Quant au fils, il exigeait un quart de million de dollars pour ouvrir un nouveau restaurant à Key West. Cette exigence était assortie d'une vague menace : si le bon docteur ne s'exécutait pas, son cher rejeton se proposait de faire quelques confidences aux agents du fisc.

« Ce petit fumier a dû fouiller dans mes papiers personnels. Je devrais le faire enfermer dans un placard jusqu'à la fin de ses jours. Il est encore plus dangereux que sa mère. » Rabun arpentait nerveusement la pièce dans ses chaussures ballons. « Pourquoi n'ai-je pas eu la chance d'avoir un fils comme les autres ? Quelqu'un de normal, au lieu de cette folle perdue qui se roule dans le vice sous les tropiques.

— Il n'a encore tué personne, c'est une consolation. » Sorcier voulait apporter une note de réconfort à son employeur.

« J'ai vu pis que ça », avança Feingold qui prit une mine effarée en voyant Rabun jeter une pêche d'albâtre à travers la fenêtre fermée pour se calmer les nerfs.

Puis le docteur prit Sorcier par les revers de sa veste :

« Vous allez m'arranger cette histoire, vous entendez ? Je suis sur le point d'aboutir à la plus grande découverte de ma carrière. Je me fais vieux et je dois pourtant subir les attaques d'une bande de pédés et de salopards. Je vous supplie d'arranger tout cela.

— Comptez sur moi, monsieur. Je vous jure de remettre très vite les choses en ordre. »

Les yeux de Sorcier s'embuaient devant la solennité du moment. Il accompagna Feingold à sa voiture de location afin de le protéger des chiens.

« Si vous êtes amené à faire quelque chose d'illégal, ayez la gentillesse de ne pas me le dire. Les avocats sont soumis à une certaine éthique, malgré ce qu'on en dit.

— Ouais, c'est pour ça qu'ils finissent tous par faire de la politique. » Il commençait à prendre conscience de l'importance de sa mission.

« Puisque ça semble tellement vous amuser de fouiner dans tous les coins, vous pourriez profiter de votre voyage pour regarder les choses d'un peu plus près au motel et à la marina. Combien de clients, combien de bateaux, etc. Je vous envie d'aller en Floride. Je connais quelques dames à Fort Lauderdale. Vous voulez que je vous donne leurs numéros de téléphone ?

— Je me débrouillerai tout seul, dit Sorcier d'une voix sentencieuse. De toute manière, je n'achète jamais chat en poche. » Quelle expression idiote !

Rabun se remettait de sa crise de rage et affichait maintenant une sérénité un peu mélancolique. Ils partagèrent un faisan rôti et une bouteille de Richebourg 53.

« Votre cuisinier est vraiment remarquable. » Les effets de la piqûre commençaient à s'atténuer.

« Je n'ai pas de cuisinier. C'est moi qui officie devant les fourneaux.

— Sans blague ! » Sorcier était stupéfait. Décidément, cet homme est toujours surprenant.

« Il n'y a rien d'extraordinaire à cela. La cuisine est une affaire de diagnostic qui nécessite seulement un certain sens des textures et des goûts, une compréhension de la nature physique des ingrédients.

— Je cuisine également, mais pas aussi bien que vous.

— Diana me l'a dit. Je juge souvent un homme sur la qualité de ce qu'il met dans son assiette, aussi bien que dans son lit. » Rabun cligna de l'œil en direction de Sorcier et lâcha un rire bref.

« Parfois, on se laisse un peu aller. » Sorcier pensait à son aventure avec Aurora.

« Certes, on ne peut pas toujours se maintenir au sommet de tout. La grande cuisine serait d'un ennui farouche si on ne la panachait de quelques variantes. Ainsi, il m'arrive parfois de me contenter d'un simple hamburger et d'un bol de chili. Vous avez de la chance d'être marié avec une femme aussi exceptionnelle que Diana.

— Merci. » Sorcier était flatté du compliment et se promit de le rapporter à son épouse.

32

Quelle cochonnerie ! Sorcier venait à peine de rentrer chez lui lorsque la grippe se manifesta une fois de plus par tous les orifices. Il sentait son corps se liquéfier. Pourquoi faut-il que la grippe existe ? Effondré sur la lunette des cabinets, il ruminait cette injustice avec morosité. On devrait également interdire ces drogues qui vous projettent dans un état de grâce extraordinaire et vous laissent ensuite retomber comme une vieille chaussette. L'effet de la piqûre s'était dissipé avec tant de soudaineté que Sorcier en était complètement déboussolé. Se pouvait-il que Rabun soit fou ? Possible. En tout cas, il fallait lui reconnaître une dose d'excentricité qui se situait très au-delà des limites habituelles. Le père de Sorcier aimait à dire que la moitié des gens pissent dans la piscine où l'autre moitié est condamnée à nager. Ce qui demeurait certain, c'est qu'il se passerait un bon moment avant que Sorcier n'affronte un autre faisan rôti.

Vers minuit, ses viscères consentirent à lui laisser suffisamment de répit pour lui permettre de travailler sur les nouveaux documents qu'il venait de recevoir. Il éprouvait quelques difficultés à se concentrer et se laissa dériver vers les cartes routières dont il se servirait en Floride.

Il n'y était allé qu'une fois, en compagnie de Diana. La région leur avait paru assez vulgaire, hormis quelques endroits vraiment inoubliables tels que les Everglades ou le musée Flagler de Palm Beach. Et puis, il y avait l'océan et ça, c'était le plus beau spectacle. Le séjour n'avait pas été une très grande réussite : Sorcier loua un bateau pour aller à la pêche au gros. Très vite, il eut la chance de prendre un marlin mais, alors qu'il souhaitait rendre l'énorme poisson à son élément, il fut choqué de voir la brutalité avec laquelle le marin assommait la malheureuse créature. Il eut également quelques problèmes avec le patron du bateau lorsqu'il refusa de faire naturaliser sa prise — il faut être fou pour souhaiter avoir un poisson empaillé au mur de son salon. Le pire, c'était les étudiants qui campaient devant leur hôtel, à Fort Lauderdale. Dès que Diana arrivait sur la plage, ils l'entouraient avec des expressions de désir si peu déguisées qu'elles en devenaient obscènes. Dévoré de jalousie, Sorcier interdit à sa femme de s'aventurer sur le sable et la cantonna dans la piscine de l'hôtel. Mais, comme Diana préférait l'océan, ils se disputèrent durant plusieurs jours.

Sorcier fixait les cartes routières sans les voir. Il avait envie de faire l'amour, mais rejeta le projet de se masturber dans la crainte que cela ne ravive les assauts de la grippe. Mieux vaut se conserver pour le retour de l'être aimé. Elle était en sécurité au sein de sa famille, probablement impatiente de revenir se jeter dans les bras de son mari. Il se souvenait d'un fantasme qu'elle lui avait raconté, un soir : un groupe d'hommes se partageaient ses faveurs, mais Sorcier sortait grand vainqueur de cet étrange concours. C'était flatteur mais, à tout prendre, il préférait conserver sa couronne sans avoir à la mettre en jeu. Il avala un comprimé de Valium, servit à Hudley une livre de viande hachée à moitié congelée, verrouilla les portes, laissa la plupart des lumières allumées et alla se coucher. L'oreiller de son enfance était recouvert d'une taie propre mais il s'en dégageait tout de même une odeur déplaisante. Il s'allongea et tomba comme une masse dans un sommeil interminable.

Il commença la journée suivante vers le milieu de l'après-midi par une tasse d'eau chaude. Il faisait un temps détestable et une tempête de neige isolait la maison. L'attente du retour de Diana se transformait en sombre vigile pleine de pensées gênantes. A l'exception de la Sibérie, on trouve peu de pays qui puissent se flatter d'avoir un climat plus rude que le nord du Michigan. Le téléphone était coupé et la télévision ne diffusait que des âneries pitoyables. L'estomac de Sorcier était à vif et, couché contre la porte, Hudley gémissait mais refusait de sortir. Ce voyage en Floride promettait d'être plein de rebondissements intéressants. Il faudrait peut-être qu'il prenne le temps de compléter sa garde-robe d'été. Soudain, Hudley se dressa et se mit à tourner en rond comme il le faisait lorsqu'il était sur le point de poser une crotte. Ah, le salaud ! Sorcier se précipita, prit le chien par la peau du cou, ouvrit la porte et le jeta dehors à la volée. Diana faillit recevoir l'animal sur la tête. Elle venait tout juste d'arriver.

« Tu n'oserais quand même pas frapper ta femme avec un chien, dit-elle en riant.

— J'ai pourtant failli ! »

Le vent glacé s'insinuait sous son peignoir. Il l'embrassa, pieds nus dans la neige. Rien d'autre n'avait d'importance du moment qu'elle était de retour. Hudley vint se mêler aux retrouvailles.

Dans la cuisine, elle ouvrit un sac et en sortit plusieurs boîtes de plastique tandis que Sorcier lui récitait le chapelet complet de ses problèmes : Rabun, la grippe, le chien, la Floride, le souci qu'il se faisait de la savoir sur la route au milieu d'une tempête de neige.

« Mais il faisait un temps superbe, sauf sur les vingt derniers kilomètres.

— Sans blague ? » La péninsule de Leelanau est connue pour son climat très particulier ; il n'y fait presque jamais le même temps que dans le reste de la région. Il prépara pour Diana une boisson chaude à base de bouillon de bœuf, de vodka et de poivre noir. Il jugea la décoction assez saine pour en avaler lui-même trois gorgées qui lui tombèrent sur l'estomac comme un buisson de cactus.

« Cette foutue grippe m'a complètement démoli. » Il jeta un œil curieux vers les boîtes de plastique.

« Ma mère y a mis un peu de tout ce que nous avons eu pour les repas.

— Il vaudrait mieux que j'attende un peu avant d'y goûter. » Il commençait à ressentir une véritable haine pour sa grippe.

« Ma mère n'arrêtait pas de dire qu'à mon âge elle avait déjà mis tous ses enfants au monde. Je lui ai dit que nous y penserions peut-être au mois de mars prochain, si je n'obtiens pas ma bourse d'études.

— Foutaises ! » Elle le regarda avec étonnement et Sorcier poursuivit : « Tu iras en faculté de médecine même si tu n'obtiens pas cette bourse. J'ai les moyens de payer tes études, maintenant.

— Mais tu m'as dit que tu en avais assez d'être toujours en location et que tu voulais acheter une maison. » Elle s'amusait de le voir s'énerver ainsi, arpentant la cuisine et crachant le feu. Dans ces moments-là, il ressemblait au père de Diana lorsqu'il se mettait en rage contre les fluctuations des tarifs agricoles.

« Une carrière est plus importante qu'une maison. N'importe quel abruti peut s'acheter une maison. D'ailleurs, j'ai beaucoup réfléchi à tout cela (c'était un mensonge éhonté)... Il faut d'abord que tu reprennes tes études de médecine. Dans le pire des cas, nous pourrons toujours adopter un enfant lorsque tu auras obtenu ton diplôme. » Le bouillon chaud à la vodka lui embrouillait un peu l'esprit. « Tu as tant fait pour moi. Tu m'as sauvé la vie. Je te dois trop pour ne pas te donner tout ce que je possède. Il faut que tu suives ton idée, quel qu'en soit le prix.

— J'espère que tu n'emportes pas ton revolver en Floride. » Il devenait un peu trop nerveux et il fallait le calmer.

« Revolver ! Revolver. Revolver. Je n'ai pas besoin de

revolver. Tape-moi dans l'estomac. Tu verras, c'est aussi dur que du roc. Vas-y, tape !

— Après trois jours de grippe ? demanda-t-elle en souriant.

— Oui, ce ne serait peut-être pas très prudent. Mais alors, touche mes biceps. Il faut suivre son idée. J'ai été couillonné par mon père lorsqu'il m'a convaincu d'abandonner la peinture et de m'écarter des traces du grand Gauguin. » Sorcier se versa maladroitement un autre verre. « Quand je pense que j'ai été assez bête pour croire tout ce qu'il me disait. Et toi, tu songerais à abandonner la médecine pour faire un bébé ?

— Tu as raison, mon chéri. » Elle l'enlaça dans un élan d'affection un peu perplexe. Il y avait des années que Sorcier la harcelait de ses désirs de paternité. « Tu me disais toujours que l'une des raisons pour lesquelles tu voulais que je fasse un bébé était que, ainsi, tu étais sûr que je ne te quitterais pas.

— Oui, je m'en souviens. Il faut croire que j'ai changé. D'ailleurs, je change l'avenir. Je ne t'en ai pas encore parlé. » Il se mit à tripoter l'ourlet de sa jupe.

« Tu changes quoi ? » Décidément, ce nouveau job faisait de lui un autre homme ; son comportement prenait des tours bizarres. « Je ne comprends pas.

— Qu'il te suffise de savoir que chaque jour, d'une manière ou d'une autre, je change l'avenir. » Il se pencha par-dessus son épaule et plongea un doigt dans une boîte pleine de farce de dinde.

TROISIÈME PARTIE

Ah, il fallait les voir, ces masques dont les gens s'affublaient sous les cieux opalescents... et ces gens, il fallait les voir marcher et courir, maquillés de couleurs barbares, désarmés et pitoyables sous la pluie, traînant leurs âmes serviles et terrifiées, à la fois insolents et timides, grognant et jappant de leur voix tantôt stridente et tantôt métallique, avec des têtes de créatures macabres, lâchant parfois le coup de griffe inattendu et maladroit des animaux exaspérés. Mais cette humanité répugnante promenait des oripeaux constellés d'éclats scintillants arrachés au masque de la lune. C'est alors que je voyais les choses prendre des proportions immenses, et mon cœur battait plus fort, et mes os tremblaient et je devinais l'énormité de ces distorsions et je voyais se dessiner les formes d'un esprit enfin moderne. Un monde nouveau se dressait devant moi.

JAMES ENSOR

33

Les voyageurs les plus avisés sont ces gens qui possèdent une confiance inaltérable en leur propre destin et dont la seule présence à bord d'un avion est une garantie de sécurité pour tous les autres passagers. Sorcier était de ces gens-là. Il savait que le doute de soi-même ou la vision imprécise d'un échec imminent sont aussi dangereux qu'un moteur en flammes. Un pilote qui consent à s'envoler en compagnie d'une centaine de pessimistes morbides est un pilote qui prend des risques. La volonté de l'homme est un mystère, mais c'est un mystère déterminant. C'est ce que se disait Sorcier à dix mille mètres au-dessus de l'État de Géorgie. Il feuilletait une revue économique en regrettant de n'avoir pas acheté un magazine de fesse à la place. Certes, l'une des publicités montrait une jolie fille en bikini penchée au-dessus d'un ordinateur mais c'était une maigre consolation, aussi maigre que la star demi-mondaine qui s'égare parfois en petite tenue dans les pages de *Time* ou les annonces de lingerie féminine qui ornent l'édition dominicale du *New York Times*. En fait, Sorcier se serait certainement offert un magazine de fesse si Feingold ne s'était pas trouvé à l'aéroport pour contrarier cette envie. L'avocat était venu lui remettre des documents supplémentaires et lui avait tenu la jambe jusqu'à l'enregistrement final. En passant devant le kiosque à journaux, Sorcier n'avait pas osé donner de lui-même une image libertine et c'est ainsi qu'il s'était embarqué avec *Fortune* plutôt que *Playboy*.

Il neigeait à gros flocons et les passagers en transit entraient dans la salle de départ en gémissant sous leurs gros vêtements mouillés comme autant de chiots désemparés.

« Quel sale temps ! dit Feingold. Aujourd'hui, vous ne me feriez pas prendre l'avion pour tout l'or du monde.

— C'est gentil de me dire ça, mais je suis certain que je pourrais vous convaincre d'embarquer rien qu'en vous donnant la moitié de ce que je trimballe en argent liquide.

— C'est probable. Vous autres, les péquenots du Nord, vous ne croyez qu'à l'argent liquide. Vous verrez qu'un de ces jours, je viendrai vous sortir de la prison où le fisc aura réussi à vous flanquer. Prenez le numéro de cette fille, en Floride. C'est une amie d'enfance et elle connaît tout le monde. De plus, elle est juive et un brin de sagesse israélite pourrait peut-être fourrer un peu de bon sens dans votre caboche.

— Le bon sens, c'est pour les petits esprits. Sur le champ de bataille de la vie, l'instinct est plus utile. » Sorcier accepta néanmoins la carte sur laquelle Feingold venait d'inscrire le numéro de son amie. « J'ai déjà couché avec beaucoup de juives, Feingold ; je ne les trouve pas plus extraordinaires que les autres. » En vérité, Sorcier n'avait jamais réussi à dépasser le stade du flirt poussé ; chaque tentative de séduction d'une juive s'était toujours soldée par un bide intégral.

« Vous avez de la chance, répondit Feingold. Moi qui suis juif, je n'ai jamais réussi à sauter une de mes coreligionnaires. Les filles de ma génération ont des principes : pas de bagatelle sans bague au doigt. Évidemment, les jeunes sont différentes, mais les jeunes m'emmerdent.

— Faut jamais mollir. Je vous téléphonerai. » Sorcier frappa l'épaule de l'avocat et se dirigea vers la salle d'embarquement.

A présent, libéré des dangers du décollage et encore

inconscient de ceux de l'atterrissage, Sorcier volait à dix mille mètres d'altitude en se disant qu'il n'aurait jamais dû confier le soin des réservations d'avion, d'hôtel et de voiture à l'agence new-yorkaise de Rabun ; son anonymat risquait d'en souffrir. Durant deux jours, il avait honoré Diana avec tant d'assiduité que, malgré les délices qu'elle en retirait, elle ne devait pas être fâchée du repos qu'allait lui offrir l'absence de son mari. Lui se disait que son ventre de nouveau plat favorisait agréablement le contact sexuel. Entre deux intermèdes passionnés, Diana lui avait suggéré d'emporter son béret afin de se faire passer pour un artiste, au besoin. Elle lui donna également un livre sur les oiseaux de mer ainsi qu'un guide détaillé des restaurants de Floride. De son côté, Sorcier lui fit promettre qu'une fois médecin, elle n'abandonnerait pas l'usage occasionnel de son uniforme d'infirmière et de ses porte-jarretelles. Mais son souci majeur portait sur Rabun : à mesure que Sorcier accumulait les succès, Rabun accumulait les exigences. Ils eurent un bref entretien avant le départ et Sorcier se retrouva noyé sous une avalanche de détails concernant les motels, l'institut, la marina, l'épouse de Rabun, ainsi que son fils. Puis, dans une impulsion de dernière minute, Sorcier téléphona à son père et le souvenir de cette conversation lui restait sur l'estomac. Son père l'avait abreuvé de pressentiments lugubres et des numéros de quelques puissants confrères de la police floridienne. Tandis que le pilote signalait aux passagers le survol de Jacksonville qui demeurait invisible sous les nuages, Sorcier ruminait les mises en garde paternelles :

« Comment t'es-tu foutu dans une telle mélasse, nom de Dieu ? Je devrais t'interdire d'aller en Floride. C'est un endroit bourré de détritus humains.

— Il faut que j'y aille, Papa. Je suis obligé. » L'usage du mot *détritus* tranchait bizarrement dans le vocabulaire habituel de son père.

« La Floride est pleine d'escrocs et d'assassins cubains et colombiens. Ils dirigent une industrie de la drogue tellement puissante que si tu leur effleures seulement le petit orteil, ils t'arracheront la tête et la donneront à bouffer aux poissons. Tu ne peux pas faire comme tout le monde, te trouver un job bien peinard dans l'immobilier et rentrer chez toi tous les soirs ?

— Ce n'est pas dans l'immobilier que je gagnerai quarante-cinq mille dollars par an, plus les commissions, plus les frais, répondit Sorcier avec orgueil.

— Sainte mère de Dieu ! Tant que ça ? Ma parole, tu gagnes beaucoup plus d'argent que moi. Désormais, je vais te facturer mes recommandations. Pour le moment, le meilleur conseil que je puisse te donner est de te tenir à l'écart de tout ce qui est basané. Les types originaires d'Amérique latine. Ce sont eux qui dirigent tout le trafic. On n'en est pas certain, mais on a de bonnes raisons de penser que Castro lui-même est derrière eux. Et puis, il y a aussi la mafia juive de Miami. Je te jure que ce ne sont pas des enfants de chœur et ça m'ennuierait que tu te fasses flinguer les joyeuses.

— Je ne m'occupe ni de drogue ni de types basanés. Et je crois que monsieur Castro a trop de chats à fouetter pour trouver le temps de s'intéresser à la drogue.

— Tout se tient, fiston ! N'oublie jamais ça. Derrière le banquier le plus respectable, il n'est pas rare de trouver une marmite de merde bouillante. Tout le monde veut sa part du gâteau d'une manière ou d'une autre. C'est pour ça que le jour de ma retraite, je vais prendre ma bonne femme sous le bras et me tirer au Canada. A Winnipeg, pour être précis.

— Qu'est-ce qu'il y a de tellement spécial à Winnipeg ? » En fait, Sorcier ne savait même pas où se trouvait la ville en question.

« A Winnipeg, il y a des Winnipeggiens. Ce sont des gens honnêtes. La criminalité est pratiquement inexistante. Il y fait un peu froid en hiver, mais on se fera une raison. »

Lorsqu'il quitta l'avion à l'aéroport de West Palm Beach, Sorcier fut surpris par une température glaciale, conséquence d'un de ces vents du nord qui viennent parfois troubler le climat idéal de la Floride. C'est un aspect des choses qu'on ne trouve jamais dans les brochures de voyages, se disait Sorcier en descendant la passerelle. Il savourait également la satisfaction d'avoir échappé une fois de plus aux périls d'un voyage subsonique dans les cieux. Pour être fréquemment utilisé, ce mode de transport n'en est pas moins terrifiant et contre nature.

Une heure plus tard, il marinait dans sa baignoire, à l'hôtel. Il étudiait la carte du restaurant en sirotant un punch au rhum. En l'accueillant, l'employé de la réception s'était efforcé de le rassurer sur le temps en lui promettant une petite vague de chaleur pour le lendemain. La BMW moutarde de location était une bête nerveuse et infiniment plus séduisante que la pauvre Subaru.

Il sortit de son bain et arpenta sa chambre en essayant de dresser un plan d'action. Il ne savait pas très bien par quel bout commencer. Il s'installa devant le petit bureau du salon et se mit à crayonner des X sur une carte routière. Il eut un bref moment d'affolement en s'apercevant qu'il ne parvenait pas à localiser son hôtel sur la carte. Pour aller quelque part, il est indispensable de savoir d'où l'on part. C'est élémentaire. Il aurait aimé épingler la carte sur le mur afin de transformer sa chambre en centre d'opérations, mais il se dit que ce serait imprudent. Bien qu'il soit dans un hôtel et non dans sa propre maison, il commençait à se sentir agréablement chez lui. Il s'habilla avec l'intention de faire un tour, mais perdit un long moment devant le miroir, coiffant et décoiffant son béret une bonne douzaine de fois sans parvenir à décider s'il lui fallait ou non se faire une tête d'artiste.

Et une autre heure plus tard, par le plus grand des hasards, il était plongé au cœur du problème. En se promenant sous une petite arcade située près de Worth Avenue, il se retrouva soudain avec étonnement devant la galerie d'art de Mme Rabun. Il faillit y pénétrer mais hésita et décida plutôt d'aller se cacher au coin de la rue afin d'entrer en conférence avec lui-même. Voyons, fallait-il se faire passer pour un artiste peintre ou un playboy en vacances ? Pourquoi pas les deux ? Un riche artiste peintre en vacances. Il entra et se promena dans la galerie, les mains dans le dos, prenant l'allure de l'amateur éclairé à la recherche de l'œuvre rare. Il échangea un sourire avec une grande et belle femme de quarante ans qui lisait une édition italienne de *Vogue*. L'un des murs était consacré aux dessins de quelques contemporains anglais : Hockney, Hepworth, Silkworth... Sorcier jugea que la sélection était d'une qualité surprenante, bien que le reste de la galerie soit consacré au brouet purement commercial qui lui permettait de vivre grâce au goût désastreux de quelques décorateurs : des paysages marins, des oiseaux de mer, de petites tapisseries encadrées, des chinoiseries, des ballerines...

« Est-ce qu'il fait très froid, dehors ? demanda Mme Rabun en frissonnant sous son cardigan.

— Plus froid qu'à Detroit en plein blizzard.

— Detroit ? Quelle horreur ! dit-elle avec une expression de dégoût.

— Je m'y suis arrêté en venant de Minneapolis. » Mauvaise entrée en matière. Il aurait dû préparer son histoire avec plus de soin.

« Excusez-moi, mais je dois fermer. » Elle lui tendit une carte de visite. « La galerie est un peu difficile à trouver lorsqu'on ne connaît pas le chemin.

— Vous êtes Nancy Rabun ?

— Oui. Malheureusement. Il fait froid et je m'ennuie.

— En revanche, vous êtes très belle. Je reviendrai demain pour regarder vos Hockney d'un peu plus près. » Il essaya de se composer un regard ravageur qui promettait toutes sortes d'intermèdes sauvages. Nancy Rabun le regarda partir en rougissant.

34

Rien ne vaut un bon déjeuner pour lutter efficacement contre la mort. Il venait de passer une matinée éprouvante à essayer de s'y retrouver dans un dédale de routes et de chemins qui ne ressemblaient à rien de ce que montrait la carte. Il partit vers le nord à la recherche de la marina de Singer Island mais se retrouva sur une langue de sable à l'extrême pointe de Palm Beach. La marina était là, à cent mètres à peine, mais il n'y avait pas de pont pour y accéder. Il commit l'erreur de demander son chemin à deux garnements qui faisaient semblant de pêcher dans le canal. L'un des enfants lui répondit avec animation tandis que l'autre, un gosse plutôt grassouillet, lançait des plombs de ligne aux oiseaux en buvant de grandes rasades d'un bidon d'huile d'olive.

« Le seul moyen d'arriver à la marina, c'est d'y aller à la nage. Mais je vous préviens, il y a des requins. Hier, avec mon copain, on a poussé un berger allemand dans la flotte et les requins l'ont bouffé en trente secondes.

— Il doit y avoir une route d'accès. Je vois des voitures dans le parking. » La mention des requins le surprenait désagréablement et Sorcier étudiait l'eau du canal avec attention.

« Je ne peux pas vous dire ; je suis trop jeune pour conduire. » Puis il se tourna vers son compagnon : « Je te file cinq dollars si tu bouffes ça », dit-il en lui jetant un morceau d'appât presque pourri. Le gosse posa ses plombs et son bidon pour renifler la viande.

« Nous, on connaît pas. On n'est jamais allé dans cette marina. » Peu soucieux de voir comment le petit gros allait s'y prendre pour gagner le pari, Sorcier retourna vers sa voiture. Cet âge est sans pitié, se disait-il. Et sans discernement. Comment peut-on se droguer à l'huile d'olive ?

Le motel de Rabun se trouvait près de Lantana sur la nationale A1. Sorcier se dirigea vers la réception, s'enquit d'une réservation éventuelle pour mars et fut surpris d'apprendre que l'hôtel serait complet de janvier à avril. Voilà une information qui permettrait de vérifier les comptes avec précision, du moins pour ces quatre mois. Restait le problème de décembre. Il prit une brochure donnant le plan de l'hôtel et revint vers sa voiture. De l'autre côté de la route, le paysage consistait en une épaisse forêt de palétuviers noyés dans le marécage. Seule une petite plate-forme de terre pouvait offrir un poste d'observation mais elle était occupée par le camion d'un marchand de fruits ambulant. L'environnement se prêtait mal à l'espionnage discret. D'ailleurs, se disait-il, lorsqu'on veut passer inaperçu, on ne se promène pas en BMW moutarde. Il traversa la route pour acheter un sac d'oranges et se convaincre qu'il faudrait inventer autre chose pour surveiller le motel.

L'institut se trouvait sur la route qui mène au terrain de polo. C'était un grand bâtiment presque dépourvu de fenêtres, qui donnait l'impression que ses occupants se livraient à des occupations peu recommandables. Voilà donc l'endroit où Mme Bob Fardel de North County Road a été prise dans les griffes d'une table d'extension frappée de folie, et renvoyée chez elle avec une lésion irréparable de la moelle épinière. Sorcier eut un sourire cynique en imaginant la cohorte d'avocats marrons qui tournaient autour de cette affaire. De nos jours, le moindre incident est sujet à litige. Sorcier sentait que l'histoire était fabriquée de toutes pièces et qu'il n'aurait aucune peine à trouver Mme Fardel en train de faire des galipettes dans son jardin, abritée des regards par une haie impénétrable pour tous, sauf pour lui, le Sorcier. Il se sentait l'homme de la situation et, comme pour se le prouver, il démarra sur les chapeaux de roues. Il lui restait encore à repérer les antres où se cachaient l'architecte ainsi que l'entrepreneur chargés de construire la nouvelle maison de Mme Rabun. Mais il sentait poindre la lassitude et décida de remettre ces visites à l'après-midi.

Il se retrouva dans sa chambre et fut immédiatement assailli par un sentiment de solitude qui ne pouvait avoir que des effets navrants chez un homme aussi névrosé que lui. Il tenta d'y remédier en mangeant une orange et s'installa devant le bureau avec l'esprit, le cœur et les tripes en déroute. Un mois plus tôt, son père lui avait fait parvenir un ouvrage très documenté sur la criminalité en col blanc. Il ouvrit le livre et tenta, sans succès, de s'y intéresser. Puis il eut une sorte de révélation et comprit que son sentiment de solitude était cousin de la crise d'angoisse dont il avait souffert à Sault-Sainte-Marie.

Il est d'usage que les victimes de ce genre de crise soient imperméables aux remèdes mis à leur disposition : la plage était à deux pas, d'excellents restaurants s'offraient à lui, des putes somptueuses faisaient le trottoir à moins d'un kilomètre et le simple fait de s'acheter des vêtements pouvait le consoler de ses malheurs imaginaires. En bref, nager, manger, baiser, acheter et ainsi revenir à la réalité. Fuir les murs de la chambre qui commençaient à se rapprocher de lui. Fuis ! Personne ne te demande de porter le monde sur tes épaules. Fous le camp de cette chambre !

Mais au lieu de cela, il fouilla nerveusement dans les tiroirs et n'y trouva qu'un exemplaire récent du *Reader's Digest*, le magazine préféré de sa défunte mère. Sorcier feuilleta la revue, à la recherche de ces petites anecdotes drôles et pleines de sagesse qui parviennent parfois à vous remonter le moral. Il ne trouva rien de satisfaisant mais tomba sur un article consacré à la fidélité conjugale et qui s'intitulait : « Ce qui est bon pour Pierre est-il également bon pour Pierrette ? » Et Sorcier se dit qu'il était d'une hypocrisie bien américaine de choisir des prénoms français pour traiter de l'infidélité. Il se mit à lire et révisa bientôt son jugement en découvrant que l'article citait également le cas de Paul et Paula, Gene et Janine, Georges et Georgette. Les courants alternatifs de l'infidélité conjugale allaient et venaient dans son esprit comme les marées sous la lune, suscitant des images d'écume sèche et de barques échouées dans la vase. La morale de l'article était que les femmes font à leurs maris ce qu'ils leur font eux-mêmes (œil pour œil), et que cet état d'esprit conduit à étendre de manière alarmante la population des don juanettes. Pour Sorcier, le parallèle était évident entre ces femmes sans vergogne et ces employés malhonnêtes dont traitait le livre envoyé par son père. Ah, où sont donc les fidélités conjugales d'antan et les loyautés professionnelles dont parlait si bien Dickens !

Il termina l'article et se mit à pleurer en pensant que Diana pourrait peut-être le quitter un jour. Certes, la dame avait de gros besoins sexuels mais Sorcier n'était pas homme à la laisser insatisfaite. Il ne s'était jamais dérobé, sauf pour raison de santé, et Diana était mieux placée que quiconque pour en témoigner. Mais cette histoire d'œil pour œil était gênante. Sorcier se disait qu'on ne pouvait tout de même pas lui reprocher de s'être fait tailler une plume par Patty la Majorette dans la voiture, devant le bowling. Personne n'a jamais prétendu qu'une pipe soit un acte d'adultère. Personne ! Pas même la Bible, nom de Dieu ! Bien sûr, la nuit à Corona et l'épisode plus récent vécu à Sault-Sainte-Marie avec Aurora étaient plus difficilement défendables. Dans un moment de faiblesse, Diana avait admis qu'elle pardonnerait peut-être un moment d'égarement à condition qu'il soit vécu avec une professionnelle et que Sorcier ne succombe à la tentation que sous l'effet de l'alcool. Dès lors, Sorcier tentait de se convaincre que les trois jours passés avec Aurora s'étaient déroulés dans une sorte de stupeur alcoolique. Ses souvenirs de catéchisme lui revenaient en mémoire et il avait subitement envie de s'agenouiller devant le petit bureau et de prier. Il cherchait les paroles exactes d'un Pater Noster à l'ancienne mais ça ne venait pas.

Il passa une heure à se débattre au milieu de ce désordre absurde et ne parvint à se ressaisir qu'en allant dans la salle de bains. Il banda ses muscles en se regardant dans le miroir et fouilla dans sa trousse de toilette à la recherche d'un Valium. Il n'en trouva pas mais tomba, en revanche, sur un énorme joint orné d'une faveur rose, cadeau ironique de Diana. Elle est complètement folle, se dit Sorcier. Et si on avait fouillé les bagages à l'aéroport ? Bah, oublions et essayons plutôt de nous ouvrir l'appétit en tirant quelques bouffées. Il enfila un pantalon de lin blanc par-dessus son maillot de bain, passa une chemise hawaiienne très bariolée et quitta la chambre avec une veste de toile grise sur les épaules. Il se contempla dans la glace du palier et estima qu'il avait décidément de l'allure.

« Vous avez l'air tropical en diable », lui dit Mme Rabun. Sorcier était à nouveau seul dans la galerie et il se demanda si la remarque était teintée d'ironie.

« Figurez-vous que j'ai rêvé de ce dessin de Hockney. Il me le faut. » En fait, il était complètement défoncé par la marijuana et se sentait joyeux comme un ouistiti.

« Je ne sais pas si je vais vous le vendre. Je vends si peu de choses, dans cette galerie, que je finis par m'attacher aux tableaux.

— Vous plaisantez ? » Elle lui apparaissait à la fois sereine et excitante. Il ne faut pas sous-estimer les besoins physiques d'une femme mûre, se dit-il avec générosité..., oubliant en un instant les affres que venait de lui faire traverser le souvenir de ses adultères.

« Oui, je plaisante. Voulez-vous que je le fasse encadrer ?

— Ce n'est pas nécessaire. Je l'encadrerai moi-même. Je vais déjeuner et passer quelques heures sur la plage. Je viendrai le prendre après. » L'herbe lui brouillait la diction.

« Êtes-vous peintre ? demanda-t-elle, amusée par son état très reconnaissable.

— Je faisais des portraits autrefois.

— Je hais les portraitistes ! dit-elle avec véhémence. Ce ne sont que de sales menteurs.

— Vous avez raison. C'est d'ailleurs pour ça que j'ai abandonné le portrait pour me lancer sur les traces du grand Gauguin. » Il fut interrompu par l'arrivée d'un homme très maniéré qui semblait être un ami de la maison.

« Je viens de vendre le Hockney, lui dit Mme Rabun.

— Oh non ! couina le pédé. Pas le Hockney ! Tout mais pas le Hockney. J'adore le Hockney. Je ne peux pas vivre sans le Hockney. Comment avez-vous pu acheter le Hockney, espèce de salaud ? Non, pas le Hockney. »

35

Le seul inconvénient des grandes promenades le long
de la mer est qu'il arrive toujours un moment où il faut
se décider à refaire le même chemin en sens inverse. Et
c'est beaucoup moins drôle. En l'occurrence, la plage
était merveilleuse sous le vent chaud du sud ; merveilleuse mais étrangement déserte. Cela était probablement dû au fait que tous les milliardaires qui se
construisent des maisons sublimes sur le rivage ne
manquent jamais de se fabriquer également des pis-
cines afin de démontrer qu'ils n'ont pas vraiment
besoin de l'océan. C'est bête, mais c'est ainsi. Et Sorcier — toujours aussi défoncé — se sentait en communion particulière avec cet océan. Il attribuait cela au
souvenir de son père et de ses oncles qui avaient tous
servi dans la marine durant la Seconde Guerre mondiale. Certes, ce n'était pas le même océan. Eux, ils
œuvraient dans le Pacifique, mais ne pouvait-on imaginer qu'en fin de compte il s'agissait de la même chose ?
Le Pacifique et l'Atlantique se mêlent intimement dans
le canal de Panama, au sud du cap Horn et au nord de
l'Amérique du Nord. C'est chaque fois la même chose
quand on fume de l'herbe : on est toujours tenté d'asso-
cier les éléments jusqu'au moment où ils reprennent
leur individualité et plongent le fumeur dans une nostalgie poisseuse. Papa lui disait souvent : « Il faut boire
la vie et s'en soûler. » Oui, mais Papa est un grand

buveur. Papa disait aussi : « Les clochards sont les millionnaires du soleil. » Ça, c'était plus mystérieux.

Il s'arrêta. A cinquante mètres de lui, deux enfants jouaient dans les vagues, surveillés par une femme en chaise roulante installée sur une rampe de ciment qui descendait de la maison vers le sable. Une femme de chambre, noire et obèse, lui tenait compagnie. Un parasol de couleur lavande était ouvert au-dessus de la chaise, orné d'une queue de cerf-volant chinois qui flottait dans la brise. Près des enfants, un groupe de minuscules chevaliers des sables couraient sur l'extrême bord du ressac, piquant frénétiquement du bec pour extraire leur pâture organique du sol encore humide. Sorcier se sentit submergé par un sentiment de paix fugace mais infiniment puissant. Il voulait se baigner mais se laissait retenir par le souci imbécile de savoir où il pourrait cacher son portefeuille. Mais rien n'est impossible pour celui qui veut oser. Il se déshabilla et entra dans la mer à reculons afin de pouvoir garder un œil sur ses vêtements. Rien n'est impossible pour celui qui veut se donner la peine de réfléchir. C'est ce qu'il se disait lorsque son talon heurta un gros bloc de corail. Il trébucha et tomba en arrière, griffant l'air dans l'espoir futile de se rattraper à quelque chose. Il s'écroula dans l'eau et, dans le même temps, il se consola en pensant qu'il n'y avait pas assez de fond pour les requins. Puis il se redressa vivement mais se trouva désorienté et s'essuya le visage en se demandant avec angoisse où était ce putain de rivage. Ah, Dieu merci ! Il est toujours là et mes vêtements n'ont pas bougé. Cette marie-jeanne me trouble vraiment le jugement. C'est alors qu'un concert de cris s'éleva de la plage. La femme de chambre tentait de redresser la chaise roulante qui venait de basculer et les deux enfants couraient autour en piaillant de détresse.

Sorcier se précipita vers eux. La négresse et la petite fille pleuraient tandis que le garçon, livide, se dandinait sur place, ne sachant que faire. L'une des roues de la chaise avait glissé de la rampe. Sorcier se pencha sur la femme qui riait aux éclats et s'épuisait à tenter de se redresser en s'appuyant sur les coudes. Du plat de la main, il essuya le sable qui collait au visage et aux cheveux blonds de la femme. Sa longue chemise de nuit blanche s'était entortillée autour de son corps et remontait si haut qu'elle découvrait des fesses nues d'une perfection rare.

« Puis-je vous aider ?

— Je l'espère bien. Vous pourriez redresser la chaise et me remettre dessus. Ou plutôt, vous pourriez me porter au sommet de la rampe. Peut-être pourriez-vous également recouvrir les parties exposées de mon anatomie. » Elle riait comme une folle. « Hannah, Jeannette ! Cessez de pleurer, sinon Maman va vous tirer dessus. Leighton ! Ramène la chaise sur la rampe. »

Sorcier tira sur l'ourlet de la chemise de nuit à demi transparente et drapa la femme dans son châle.

« Inutile de vous montrer trop tendre. Sortez-moi seulement de là. »

Il la souleva sans peine et savoura le plaisir de sentir ses formes délicieuses sous ses mains. Il remonta la rampe, traversa une haie et arriva près d'une piscine entourée d'un jardin.

« Ici, ce sera parfait », dit-elle en désignant une chaise longue. Il la posa avec délicatesse et prolongea le contact en ajustant une fois de plus les plis de la chemise et du châle. Il fuyait le regard de la femme par crainte de se troubler.

« Voilà ! dit-il en se redressant. Maintenant, il faut que je vous quitte. J'ai laissé mes vêtements et mon portefeuille sur la plage. » Il croisa le regard de la femme et se sentit rougir. Elle n'était visiblement pas dupe de l'émotion provoquée chez Sorcier par ces contacts étroits.

« Leighton ira chercher vos vêtements. Ne vous inquiétez pas. Il y a très peu de voleurs sur nos plages. Je m'appelle Laura. Vous avez un curieux accent. Je dirais que vous êtes originaire de l'Indiana. » Elle pressa un bouton de sonnette qui se trouvait près d'elle, sur une petite table de bambou. Puis elle tapota le flanc de la chaise longue pour inviter Sorcier à s'y asseoir.

« Johnny, dit-il. Michigan. » Il tendit la main mais la retira presque aussitôt.

« Rassurez-vous, je peux serrer les mains. Je ne suis paralysée que jusqu'à la taille. J'ai eu un accident, il y a quelques mois. » Un maître d'hôtel noir s'approcha et elle lui demanda d'apporter des rafraîchissements. Puis les enfants revinrent avec les vêtements de Sorcier. La vieille femme de chambre était encore dans tous ses états ; Laura lui embrassa la main et lui demanda de se retirer, ainsi que les enfants. Tous rentrèrent dans la maison et Laura chuchota : « Elle est avec moi depuis ma naissance. Elle est totalement incompétente, mais qui ne l'est pas ?

— Je suis navré de cela », dit Sorcier d'une voix rauque en esquissant un geste vers les jambes de Laura. A l'exception de Diana, Laura lui apparaissait comme la plus belle femme qu'il ait jamais rencontrée. Il était charmé par son léger accent du Sud et se sentait honteux d'éprouver un tel désir pour une infirme. Sorcier, tu es un monstre ! Et pourtant, l'évidence de ce désir s'épanouissait dans l'étroitesse de son maillot de bain, comme un serpent encore lové dans son trou sombre mais qui sent pointer au-dehors la chaleur du soleil printanier. D'un ample mouvement, elle étala son châle sur ses genoux. Le maître d'hôtel revint en poussant devant lui une table roulante chargée de bouteilles et de verres.

« Mon mari aime avoir tout sous la main. Voulez-vous préparer un gin tonic ? Ne lésinez pas sur le gin, s'il vous plaît. »

Le maître d'hôtel s'inclina avant de se retirer.

« Avez-vous besoin d'autre chose, Mme Fardel ? »

Le nom s'alluma dans la tête de Sorcier comme une ampoule de faible intensité, puis explosa soudain ainsi qu'une châtaigne trop cuite. Fardel ! Oh, mon Dieu ! Et moi qui croyais qu'on ne trouvait de telles coïncidences que dans *Le Docteur Jivago*. Son esprit était en pleine révolution : les palmiers devenaient des bouleaux, le soleil tropical se couchait sur la Baltique devant Saint-Pétersbourg. Laura ressemblait à Julie Christie, en beaucoup mieux.

« Eh ! revenez avec moi. Vous êtes dans les nuages. Dites-moi ce que vous faites dans la vie.

— Je suis peintre... plus ou moins. » Il bégayait et se retenait de poursuivre le fantasme russe, d'aller jusqu'au bout, de se prosterner aux pieds de Laura pour lui avouer qu'il n'était qu'un vil espion et implorer son pardon dans les larmes.

« J'imagine que c'est plutôt moins que plus. On rencontre peu d'artistes dans cette région. J'en ai connu un, une fois. Il voulait absolument que je devienne sa maîtresse et lorsque j'ai refusé, il est allé se jeter du haut d'un pont, à La Nouvelle-Orléans. Il devait avoir d'autres raisons pour commettre un tel geste, vous ne croyez pas ? On ne se suicide pas uniquement par amour.

— Oh, mais si ! » Il avala son bourbon d'un trait et se leva pour en préparer un autre. « Je pense que c'était un être très sensible et que la seule idée de vivre sans vous lui était insupportable.

— C'était un vilain pochard », dit-elle en riant. Puis elle ajouta : « C'est pour moi, ça ?

— Quoi ça ? demanda-t-il en regardant autour de lui.

— Ça ! précisa-t-elle en tendant un doigt vers la grosse boursouflure qui tendait le tissu du maillot de Sorcier.

— Je... je suppose que oui. » Il se couvrit de la main et revint s'asseoir.

« Vous devez être un drôle d'artiste pour vous mettre dans un état pareil au sujet d'une pauvre infirme comme moi. » Elle retira son châle et le jeta sur les cuisses de Sorcier en feignant un geste d'horreur.

« Je ferais mieux de m'en aller. Je demeure au Brazilian Court et c'est une longue trotte. » Grand Dieu ! Que fait-elle avec sa main ? « Puis-je revenir vous voir ? » Maintenant, elle introduisait délicatement ses doigts sous l'élastique.

« Je serais enchantée de vous revoir. Vous me donnez

l'impression d'être un peu bizarre, mais je présume que vous êtes tous comme cela dans l'Indiana.

— Michigan. » Il tendit une main et la posa sur un sein, puis prolongea sa caresse vers le bas. Il se demandait à partir de quel endroit elle devenait insensible.

« Quel dommage qu'il fasse encore jour ! » La main de Laura se promenait avec une remarquable dextérité. « S'il faisait nuit, vous pourriez retirer ce maillot de bain ridicule et planter cette chose dans ma bouche. »

Bang ! Alléluia ! Sorcier explosa comme une tomate mûre. Ses jambes devinrent rigides et il tomba par terre en gémissant. Elle ne le lâcha pas. Ils restèrent ainsi durant un long moment tandis que Laura, de son autre main, caressait les cheveux de Sorcier. Puis elle alluma une cigarette, leva les yeux vers le ciel et regarda les oiseaux en faisant tinter les glaçons dans son verre.

« Je crois que je ne me suis jamais livrée à quelque chose de plus romantique », dit-elle avec un rire léger.

Sorcier se redressa et remit de l'ordre dans sa tenue. Puis il s'inclina et embrassa longuement Laura avec des larmes dans les yeux.

36

Il se réveilla en sursaut vers minuit, les tympans bour-
donnants d'avoir trop vibré sous la violence de ses
rêves, ces « prédateurs de l'âme » comme disait un
auteur oublié.

Sa veste de lin était chiffonnée et les trois boutons de
la manche s'étaient inscrits en marques rouges sur son
front. Il se leva et alla examiner ces stigmates dans le
miroir. Le signe de Caïn ? Il se composa le sourire sar-
donique des survivants : il reconnaissait les effets d'une
épaisse gueule de bois mais curieusement, pour une
fois, il ne s'en sentait pas affaibli. Bien au contraire, il
éprouvait une impression de force. Sous la douche, le
rire de Laura lui revint en mémoire. Laura ! L'écho de
son nom se mêlait au souvenir de cette lune tropicale
dont ils avaient regardé ensemble l'ascension, une lune
ronde et grasse comme une moule bouillie.

« Tu la vois bouger ? demanda Sorcier.

— Oui, mon amour. J'ai toujours aimé suivre les
mouvements de la lune et des nuages. Cela me fait penser à ces vers de Baudelaire :

Le regard singulier d'une femme galante
Qui se glisse vers nous comme le rayon blanc
Que la lune onduleuse envoie au lac tremblant
Quand elle veut y baigner sa beauté nonchalante.

« C'est merveilleux. » Le sens du poème lui échappait complètement et, pourtant, il se trouvait dans cet état de grâce exceptionnel où tout semble possible, même de jouer du piano alors qu'on ne possède aucune notion de solfège.

Ils se découvraient une quantité de goûts communs et partageaient la même passion pour la cuisine raffinée et le divin Gauguin. Sorcier sentit les larmes lui monter aux yeux lorsqu'elle aborda le sujet de son infirmité. Elle en parlait avec une sagesse et un fatalisme presque bibliques : un câble de rappel s'était rompu tandis qu'elle se trouvait sur la table d'extension. Il restait un faible espoir de rémission mais elle ne serait fixée que dans un mois. Il lui demanda de préciser la signification des termes médicaux qu'elle employait pour décrire sa condition, des formules aussi mystérieuses que *gelatinosa substantia*. Elle se pencha pour allumer une bougie à la citronnelle destinée à chasser les moustiques et expliqua en riant :

« Cela veut dire que mes sensibilités intimes demeurent intactes. » Elle releva sa chemise de nuit et découvrit son pubis faiblement éclairé par la bougie. « C'est même la seule partie de mon corps qui me permette de juger la température ambiante. » Les genoux de Sorcier s'entrechoquaient lorsqu'il s'inclina sur elle.

« Ce doit être étrange d'avoir le triangle des Bermudes à portée de la main. » Elle poussa un soupir ponctué d'un bref éclat de rire lorsque les doigts de Sorcier se posèrent sur elle.

« Ce que tu viens de dire n'a aucun sens.

— Bien au contraire. L'angle supérieur gauche représente les Bermudes. A l'angle opposé, on trouve les Bahamas... Et là, au centre, nous sommes en plein Palm Beach. »

O Dieu, pourquoi ne m'as-Tu pas donné une langue de vingt centimètres ? Elle émit une plainte particulière, une signature d'extase comme en tracent toutes les femmes. Chez Laura, c'était le gémissement aigu d'une sorcière prisonnière sous un arbre foudroyé au fond d'une forêt brumeuse.

« Tire sur mes jambes et retourne-moi », murmura-t-elle.

« Caramba ! se chuchota-t-il à lui-même dans la chambre en enfilant un costume sombre. Si c'est cela, l'adultère, qu'il en soit donc ainsi... » Il ne comprenait pas que tout homme plongé dans une situation moralement discutable est sujet aux emphases absurdes. A la réception, il s'enquit d'un endroit où il pourrait encore dîner, malgré l'heure tardive. L'employé était un Noir et Sorcier lui dit qu'il ne serait pas contre un repas de cuisine créole.

« Je ne vais sûrement pas vous envoyer dans un de ces bouges créoles. Non, mon gars ! J'ai jamais envoyé quelqu'un dans ce genre de piège. C'est le meilleur moyen de se faire abîmer la figure.

— Ne vous en faites pas pour ma figure. Mes mains sont des armes tellement dangereuses qu'on m'a attribué un permis spécial pour m'autoriser à les sortir de mes poches. »

Sacré Sorcier ! Tu es un grand comique, sais-tu ?

« Je me fiche bien de savoir si vos mains sont des rasoirs. Je ne vais pas vous envoyer dans un de ces pièges à cons. Je vais plutôt aller à la cuisine et vous préparer un bon gros sandwich au concombre. Voilà ce que je vais faire.

— Dites, grand-père, vous savez ce que vous pouvez en faire de votre concombre ? » Il posa un billet de cinquante dollars sur le comptoir et obtint l'adresse qu'il convoitait.

Sur la route de West Palm Beach, Sorcier se disait que les Noirs de Floride ressemblent beaucoup à ceux qu'on trouve dans *Autant en emporte le vent*. Laura lui avait dit que les Noirs promenaient encore les touristes en pousse-pousse durant les années 50. Dans le Nord, une prudente politesse était plus appropriée que le langage familier encore utilisé dans le Sud.

Les Noirs de West Palm Beach semblaient d'une nature plus rébarbative. Dans le restaurant à moitié vide, un poivrot pointa son doigt sur Sorcier et cria : « Bang ! Bang ! Bang ! » Sorcier alluma une cigarette et se concentra sur la carte. L'atmosphère s'était nettement refroidie depuis son entrée et il se demandait s'il était bien utile de venir troubler le confort intellectuel de la clientèle locale. La faim devenait une bonne excuse. Le patron sortit de sa cuisine et se dirigea vers la table de Sorcier. C'était un Noir gigantesque, bâti comme un lutteur de sumo. Il enregistra une commande de côtes de porc, de jambonneau en salade, de haricots noirs et d'oignons crus, le tout arrosé de bière. Le patron-cuisinier-serveur nota tout cela et demanda ensuite :

« J'espère que vous n'êtes pas venu ici pour foutre la merde !

— Aucun danger. L'amour vient de réduire mes énergies à néant et je n'ai rien mangé depuis une éternité. » Le poivrot fusilla à nouveau Sorcier de *bang* encore plus sonores. « Je crois que ce type ne m'aime pas.

— Il pense que vous êtes un flic. Pour les côtes de porc, vous voulez votre sauce relevée, très relevée ou carrément hurlante ?

— Hurlante ! Dites-lui que je ne suis qu'une pauvre cloche de représentant. » Sa tenue était trop élégante pour convaincre le patron, mais Sorcier l'avait revêtue avec l'intention d'aller explorer le motel de Rabun après le dîner.

« William, ferme ta gueule ! Ce monsieur est un paisible homme d'affaires. Alors, calme-toi. »

Plus tard, en roulant vers le motel, il se disait que cette cuisine du Sud était vraiment une merveille. Il arborait une tache de sauce sur sa cravate mais cela ajoutait une agréable note abstraite au dessin de la soie.

Il entra dans le bar du motel au moment où le serveur annonçait sa fermeture imminente. Les deux seuls autres clients étaient un couple de vieillards un peu décrépits. Le barman vit arriver le nouveau venu avec méfiance. Sorcier étala un billet de cent dollars sur le comptoir :

« Deux doubles whiskies. Un pour vous et l'autre pour moi. (Il doit me prendre pour un flic.)

— Je ne bois pas. J'ai cessé de boire depuis que je travaille ici. Quand on passe sa vie derrière un comptoir, on est aux premières loges pour voir ce que l'alcool peut faire aux gens. » Il désigna de la tête le couple qui semblait prêt à en venir aux mains.

« Moi, ça ne me fait rien. Deux verres par jour, c'est ma limite. » Sorcier se demandait parfois où il allait pêcher de telles foutaises. Mais cela ne l'empêchait pas de s'admirer, comme un acteur doué d'un sens magistral de l'improvisation. « Je dois aller à Fort Pierce mais je suis fatigué de conduire. Est-ce qu'il reste une chambre libre ?

— Jamais ! Ça fait deux ans que je travaille ici et je n'ai jamais connu le motel autrement qu'archicomplet du 1er décembre jusqu'à la fin avril. C'est bourré de connards qui ne se nourrissent que de fromage blanc sans calories. Ils se privent de tout ce qui est bon et c'est pour ça que mes pourboires sont aussi minables. Il faudrait augmenter les tarifs. J'en ai ras la bombarde de ces vieux schnocks ! Je viens de servir un groupe de six et ils sont partis en me laissant vingt-cinq cents. » Et le barman ponctuait ses récriminations de méchants coups de serviette sur le zinc.

« Quelle merde ! Il me reste encore une bonne heure de route. » Formidable ! J'arrive et, en moins de deux minutes, j'obtiens toutes les informations que je désire. Je suis vraiment génial. Et Sorcier tourna son attention vers la dispute des deux vieillards.

« Lyman ! Plus tu bois de la bière et plus tu pètes. Si tu continues comme ça, je te préviens que tu vas coucher dans la baignoire.

— J'aime la bièèèèère, répondit l'autre sur un ton d'ivrogne.

— La bière te bouche la plomberie. Ça t'a toujours bouché la plomberie.

— Tout me bouche la plomberie ! » Et Lyman échangea un regard rapide avec Sorcier.

« Si tu faisais l'effort de te promener avec moi, le matin, tu ne serais peut-être pas si bouché que ça.

— Toi, tu me dis toujours que ce sont les harengs qui te bouchent la plomberie et, pourtant, tu passes ta vie à bouffer des harengs. J'ai pas envie de me balader sur cette foutue plage. » Le vieil homme percevait l'attention de Sorcier et faisait son numéro en conséquence. « Moi, ce que j'aime, c'est les trottoirs. Les bons vieux trottoirs. Et toi aussi tu aimais bien les trottoirs jusqu'à ce que tu te mettes à préférer les oiseaux. Maintenant, tu passes ta vie à observer les oiseaux. J'en ai rien à branler des oiseaux. Les oiseaux me font chier. Il paraît qu'ils sont cousins des serpents et, pour moi, ce ne sont que de foutus serpents volants qui s'amusent à me faire caca sur la tête quand je prends mes bains de soleil.

— Ah, Lyman ! J'adore quand tu te mets en colère, dit sa femme en avalant une longue gorgée de whisky. Tu es tellement séduisant quand tu te mets en colère. Ça te donne des couleurs. »

37

En repartant du motel, Sorcier était d'une humeur triomphante. Il se sentait revenu parmi les hommes d'action, ces mâles qui modèlent le monde pour l'adapter à leurs besoins. Rien de comparable à ces petits machins angoissés qui subissent leur existence plutôt que de la vivre. La race des vainqueurs, il n'y a que ça de vrai. Même en cuisine : ainsi le repas créole se rangeait dans la catégorie des nourritures masculines. Plus jamais de quiches ou de mousses de légumes pour Sorcier. Des trucs qui tiennent au corps et rien d'autre. Ah, mais !

Il s'était passé tant de choses depuis cinq mois, depuis cette nuit en pleine forêt sous le solstice d'été. Sorcier se disait une fois de plus que des pouvoirs spéciaux lui avaient été attribués par le ciel durant cette inoubliable nuit. Le talus sur lequel il avait dormi recouvrait sans doute les tombes d'anciens guerriers dont les facultés étaient venues se fondre aux siennes, par osmose. Il s'était passé quelque chose, quelque chose d'important. Il se sentait définitivement débarrassé de ces âneries puritaines qui réduisent les curiosités de l'homme et ne lui laissent que des élans craintifs. Il s'imagina grimpant au sommet d'un arbre surplombant la maison de Laura et se jetant sur le balcon de sa belle comme un gigantesque écureuil volant. Dès le lever du jour, il irait la chercher, l'emmènerait chez lui, dans le Michigan, la ferait opérer et surveillerait ensuite sa convalescence en compagnie de Diana. Ils vivraient tous trois dans la vieille ferme et couleraient des jours parfaitement harmonieux. Il faudrait acheter un plus grand lit. Il les voyait, ses deux femmes, tendrement enlacées dans le sommeil tandis que lui, dans la lumière du petit matin, s'habillait de vêtements rudes pour aller se livrer à quelque travail viril. Ces images le remplissaient d'un tel bonheur qu'il ne savait plus ce qu'il faisait et poussait la BMW à toute vitesse. Un phare clignotant et un hurlement de sirène. La police... un frère en uniforme !

« Quelle poisse ! Je file ce type depuis le Minnesota. » Il tendit ses papiers et les cartes de police que son père lui avait fait parvenir.

« Je n'ai vu passer personne », répondit l'agent, un homme jeune et probablement impressionnable.

« Vous savez bien qu'une bonne filature se fait toujours à distance. Si je m'approche trop, je me fais repérer. En tout cas, c'est foutu. Un mois d'efforts gaspillés pour un excès de vitesse.

— Je suis désolé. Est-ce que je peux vous aider ?

— Le type est un pédé milliardaire de Minneapolis. Il habite aux Breakers. Avec un peu de chance, je pourrai reprendre ma filature, sauf s'il me glisse entre les pattes.

— Le Cockatoo ! » Le policier était visiblement ennuyé mais trouvait que cet incident rompait la monotonie de la soirée.

« Le quoi ?

— Le Cockatoo, c'est une boîte de nuit pour pédés. Ça ferme très tard. A mon avis, vous avez toutes les chances d'y retrouver votre bonhomme. Je vais vous montrer le chemin. »

Sorcier devait être en période faste car le fait même de se faire arrêter se transforma en coup de chance. Le flic lui indiqua le chemin et le quitta devant l'entrée du Cockatoo. Il était trois heures du matin, mais le parking débordait de Rolls Royce, de Lamborghini, de Maserati et de Mercedes. Il y avait également une somptueuse Daimler mauve et une moto de trial, une Husquarna métallisée et enchaînée à un lampadaire.

L'entrée était gardée par deux portiers, mâle et femelle, massifs comme des arbres et habillés en punks. Ils rattrapèrent Sorcier dans le hall de la boîte et allaient lui en interdire l'accès lorsque l'homme qu'il avait rencontré chez Nancy Rabun sortit des toilettes.

« Hockney ! cria le pédé d'un air extasié. Ne me dites pas que ces cons vous empêchent d'entrer dans mon club. » Les portiers videurs se reculèrent comme s'ils venaient d'être fouettés en plein visage. « Tout le monde est là. Nancy sera ravie de vous voir.

— Je ne savais pas où terminer la nuit... » balbutia Sorcier tandis que son hôte inattendu l'entraînait à travers la boîte. L'endroit était rempli d'une clientèle visiblement aisée et perverse.

Mme Rabun trônait à sa table au milieu d'une douzaine d'admirateurs. On présenta Sorcier à l'invité d'honneur, un peintre relativement célèbre qui posa ses bottes de cow-boy sur la nappe en guise de salut. Il portait des jeans sales retenus par une ceinture indienne tellement chargée d'ornements métalliques qu'il en avait déchiré le cuir de son siège.

Cette coïncidence n'était pas d'importance aussi « jivaguienne » que la précédente, mais ce n'était pas mal tout de même. Nancy Rabun embrassa Sorcier comme un ami retrouvé après une longue absence. La table était chargée de magnums de champagne — Ruinart, Cristal, Dom Pérignon... De toute évidence, Mme Rabun payait l'addition et à cette cadence, il n'était guère étonnant que son mari s'inquiète de ses dépenses.

« Que diriez-vous d'une *sniffée* ? proposa le voisin de Sorcier en lui passant une cuillerée de cocaïne.

— *Paese che vai, usanza che trovi* », murmura Sorcier en aspirant la drogue sous l'œil de Mme Rabun. Ses connaissances en italien se limitaient à cette seule phrase dont il espérait qu'elle se prêtait aux circonstances. Cela signifiait vaguement qu'il est toujours bon de faire comme les autres.

« Vous êtes plein de surprises, mon cher Hockney. »

Le peintre cow-boy leva les yeux, un peu jaloux de l'attention qui se concentrait sur le nouveau venu.

« Vous êtes David Hockney, l'Anglais ? Je peux vous dire que votre peinture, c'est de la merde. » Puis il se pencha vers Nancy Rabun et lui chuchota à l'oreille des insultes encore plus graves qu'elle sembla prendre avec un certain plaisir.

Sorcier se sentait sali. Douze heures plus tôt, il flottait dans les délices dispensées par Laura et à présent, les mâchoires crispées par la cocaïne, il se laissait assourdir par une violente musique punk. Il s'en consolait en se disant que cela faisait partie du boulot. Il venait de résoudre un problème, peut-être deux et, de plus, il parvenait à s'introduire dans le cercle intime de Mme Rabun. Elle semblait faite pour jeter effectivement l'argent par les fenêtres. L'artiste cow-boy eut un hoquet, plaqua une main contre sa bouche, se dressa en renversant sa chaise et se précipita vers les toilettes en bousculant tout sur son passage. D'un petit geste impérieux, Mme Rabun invita Sorcier à venir s'asseoir près d'elle. Elle le regarda avec un grand sourire.

« Êtes-vous un espion à la solde de mon mari ?

— Comment ? » Les choses devenaient subitement inquiétantes et Sorcier cherchait une voie de sortie.

« Ne faites pas l'innocent. Dites-moi la vérité. Gérald n'arrête pas de m'envoyer des espions. En général, je couche avec eux et ensuite je les renvoie à l'écurie.

— Je serais enchanté de coucher avec vous mais je crains de ne pas connaître votre mari. Est-il indispensable d'être son espion pour obtenir vos faveurs ?

— Non, ce n'est pas indispensable et, à la réflexion, je ne crois pas que vous soyez un espion. Vous êtes trop malin pour être l'employé de Gérald. Je vous présente mes excuses.

— Je n'accepte aucune excuse sauf si vous m'autorisez à vous revoir. Et ne vous montez pas la tête sur mon compte. Je ne suis qu'un homme en fuite devant une épouse vorace et une accusation de fraude fiscale. Que dois-je faire ? Affronter mes malheurs ou aller me

226

cacher au Brésil et refaire ma vie ? Réfléchissez et dites-moi ce que vous en pensez, un de ces jours. En attendant, je vais me tirer de ce repaire de pédales qui commence à me donner de l'urticaire. »

Il se pencha sur Mme Rabun et l'embrassa avec un peu plus de familiarité qu'il n'était nécessaire. Du coin de l'œil, il vit revenir le peintre cow-boy qui l'attrapa brutalement par le bras. Sorcier se dégagea et repoussa le célèbre artiste vers une chaise qu'il retira à la dernière seconde. Puis il sortit, laissant derrière lui un fracas de verres brisés et d'imprécations diverses.

A l'hôtel, il trouva une enveloppe sous la porte de sa chambre. Afin de prolonger le mystère, il décida de ne l'ouvrir que lorsqu'il serait couché. Puis il se souvint que beaucoup d'hôtels ont pour règle de facturer séparément le service d'étage. Il posa l'enveloppe sur la table de nuit.

Il eut un sourire en pensant à cet ivrogne écrasé sur le sol près de sa chaise. Son aura de grand artiste avait dû en prendre un coup. Il est étrange de voir à quel point les gens sont disposés à se laisser abuser par les apparences magiques de l'art. Pourvu qu'il s'y prenne avec assez d'arrogance, le plus boutonneux des étudiants aux beaux-arts, le plus inconsommable des merdeux peut convaincre une créature sensée de se déshabiller et de poser pour lui. Que recherche la fille dans ce genre d'aventure ? Est-ce le désir d'arrêter le temps, de toucher à l'immortalité en se laissant reproduire sur une toile ? Je suis désormais éternelle, se dit la créature en activant à fond son système glandulaire. Vanité, pure vanité ! Essayons plutôt de dormir. Mais c'est difficile. Laura sous la lune rêve de retrouver l'usage de ses jambes mais les dieux de la mécanique en ont décidé autrement. Sorcier pouvait-il se précipiter chez elle et là, dans le jardin, sous le regard haineux des serviteurs noirs, crier comme un Jésus frénétique : « Lève-toi et marche ! » Marche ! Viens avec moi ! Tout de suite ! Et fallait-il considérer ce rayon de lune sur l'oreiller comme le signal d'une Vierge sourde et muette ? Laura, viens avec moi dans la mer et allons nager trop loin. Les dauphins viendront nous soutenir à la surface de l'eau et nous nagerons en suivant les reflets de la lune sur l'océan. Dis-moi que tu acceptes et qu'enfin la lumière soit. Ou, mieux encore, que la chaleur soit.

38

L'enveloppe contenait une lettre de Laura.

« Cher Johnny, écrivait-elle. Je suis allongée dans le calme de la nuit et je m'efforce de mesurer l'étendue de ta cruauté. Tu dois être une créature directement issue de l'enfer. Grâce à toi, en quelques heures, je suis passée du bonheur le plus parfait au chagrin le plus total. Et je suis seule. Si seule. Il me revient une phrase de Kierkegaard sur l'infinie tristesse des êtres abandonnés... " Ainsi, écrit-il, rien n'était plus déchirant que le spectacle de cette fillette aperçue hier, se dirigeant toute seule vers l'église pour y faire sa première communion. " Cher Johnny, peux-tu comprendre cela du fond de ta malfaisance ? Suis-je cette fillette ? Je ne parviens même pas à accepter mes propres enfants car ils m'ont été imposés. Je ne les ai pas désirés. Bob m'a forcée à les avoir. Je les aime, mais ils ne sont pas les enfants que je voulais avoir. Lorsque Bob est rentré à la maison, ce soir, je lui ai raconté ce qui venait de se passer entre nous. Il m'oblige toujours à lui raconter ce qu'il nomme mes " peccadilles ". Cela l'excite. Mais cette fois, il a éclaté de rire en disant que le seul homme capable de faire l'amour à une infirme ne peut être qu'un détective de la compagnie d'assurances. Je lui ai dit que c'était faux. Je lui ai dit que tu es un personnage plein de poésie. Il a refusé de me croire et m'a annoncé qu'il allait te faire assassiner. Assassiner ! Je dois maintenant te dire que Bob Fardel se nomme en réalité Roberto Fardello. Pourquoi ai-je épousé un gangster ? Ma famille m'a poussée dans ce mariage afin de sauver sa fortune. Les gangsters ont du goût pour les jeunes filles de bonne famille. Souviens-toi de Gatsby. Il m'a forcée à révéler ton nom. Je ne voulais pas le faire mais il menaçait de m'enfoncer une cigarette allumée dans l'œil. Je persistais à lui dire que tu n'étais pas ce qu'il croyait. Il a donc téléphoné à Detroit, chez un de ses correspondants qui a accès aux dossiers de police. C'est ainsi que nous avons appris que tu es employé par le docteur Rabun qui se trouve être le propriétaire de l'institut où j'ai été estropiée. J'ai pleuré et Bob n'a fait que rire. Nancy Rabun vit près de chez nous, elle est devenue mon amie. C'est sur ses conseils que nous avons porté plainte contre son mari qu'elle nous a présenté comme un personnage tellement avare qu'il lui interdit de dépenser son propre argent. Bob, lui, voulait faire incendier l'institut par ses hommes. J'ai passé des heures à implorer Bob afin qu'il épargne ta vie. Il m'a contrainte à des choses ignobles mais je suis maintenant habituée à ce genre d'outrage. Il a finalement accepté de te laisser vivre. Ainsi, tu ne mourras pas, mon détestable amour. M'as-tu seulement prise pour savoir si je pouvais encore bouger ? Je ne veux pas connaître la réponse. Je sais que nous avons profondément communié, ne serait-ce qu'un instant. Aujourd'hui, je pars pour le centre médical de Tulane, à La Nouvelle-Orléans. Si l'opération échoue, je me tuerai. Bob approuve cette décision. Adieu donc, cher Johnny. Bob lit ces lignes à mesure que je les écris. Il te félicite de ton habileté mais il ajoute que si tu cherches à me revoir, ses hommes te massacreront à la machette, toi et ta famille. En dépit de cette menace, je sais que nous nous reverrons, au ciel ou en enfer. *Ave atque vale*, mon amour. Ta semence est encore en moi. Je souhaite qu'elle grandisse afin que ton enfant vive... ou meure avec moi. Adieu. Laura. »

Une puérile empreinte de rouge à lèvres marquait le bas de la page. Ce n'est pas le genre de lettre qu'on aime recevoir lorsqu'on se réveille à midi avec une méchante gueule de bois. Les intestins de Sorcier se mirent à bouillonner de peur. Il sauta hors du lit au moment où l'on frappait à la porte. Il ouvrit et se trouva face à une ravissante jeune femme qui lui tendait une boîte richement enveloppée. Toujours attiré par le mystère des cadeaux inattendus, Sorcier prit le paquet. Une minute plus tard, dans la salle de bains, il se dit qu'il avait agi stupidement et que la boîte aurait pu contenir une bombe. Il l'ouvrit avec précaution et découvrit une daurade rose avec une fleur blanche entre les dents. Qu'est-ce que c'est que cette plaisanterie ? Il souleva le poisson pour voir si la boîte contenait également un message. Pas de message. Rien qu'un poisson mort avec une rose blanche dans la bouche. Il prit la fleur et la mit dans un verre d'eau. Son ami Garth, l'artiste d'avant-garde, lui avait déjà été utile pour les calmars. Peut-être aurait-il une réponse pour la daurade. Sorcier dut s'y reprendre plusieurs fois avant d'obtenir son numéro.

« Garth ? Sorcier à l'appareil. Johnny Lundgren. Je suis en Floride pour une mission très secrète et...

— Rappelle-moi plus tard, je suis en train de baiser. »

Et Garth était sur le point de raccrocher lorsqu'il entendit un véritable cri de détresse dans l'appareil :

« Garth ! Pour l'amour du ciel ! » Sorcier était au bord de l'hystérie. « Je t'en supplie, écoute-moi. Je serai aussi bref que possible. On vient de me faire cadeau d'un poisson mort avec une rose dans la bouche. Je veux savoir ce que cela veut dire.

— T'as vu ça dans quel film ?

— Ce n'est pas un film. Ça vient de se passer, ici, dans ma chambre. On vient de m'apporter une daurade, alors que je n'ai même pas de cuisine.

— Ça signifie qu'il faut que tu te tires à toute vitesse. Pas la peine de mettre le poisson au frigo ; fous le camp ! C'est un avertissement sicilien. Le poisson mort, c'est toi et la rose, c'est un avant-goût des fleurs de cimetière. Les Siciliens sont des gens un peu morbides, mais leur île est magnifique.

— Tu plaisantes ? » Sorcier en avait le souffle coupé.

« Je ne plaisante absolument pas. Si j'étais à ta place, je m'envolerais immédiatement vers Houston et là, je ferais des bassesses pour que la NASA m'envoie sur la Lune. Ou alors, j'entrerais en clinique et je me ferais opérer pour changer de sexe. Tout ce que je te demande, c'est de ne pas venir chez moi. Je ne veux pas être mêlé à cette histoire. Qu'est-ce que tu as fait pour te mettre dans une telle mélasse ? Tu as sauté la petite fille d'un mafioso ?

— Non, sa femme. Et elle est un peu... paralysée.

— Merveilleux ! Tu viens enfin de me démontrer que tu pouvais avoir un certain sens artistique. Tu es foutu, mon lapin. Mais, foutu pour foutu, tu peux me rendre un dernier service : je veux que tu me lègues la magnifique Diana. Téléphone-lui pour la prévenir.

— Tu ne m'aides pas beaucoup. » Sorcier tentait d'identifier une sensation qui commençait à envahir son corps. Il était tellement terrifié qu'il lui fallut un moment avant de comprendre que cette sensation était tout simplement une forte envie d'aller aux cabinets.

« Comment veux-tu que je t'aide ? Ce n'est pas moi qui ai sauté l'épouse paralysée d'un gangster. Moi, je me contente de dire les choses telles qu'elles sont. Tu vis dans un monde de carnassiers, mon petit bonhomme. Il n'y a pas de place pour les créatures fragiles de ton espèce. On n'aurait jamais dû te laisser sortir de ta cambrousse.

— Très bien. Je suis désolé de t'avoir dérangé. Je vais téléphoner à Diana et lui dire que tu es l'être le plus ignoble que j'aie jamais rencontré. » Sorcier raccrocha le téléphone et commença à remplir le sac de voyage. Pourquoi diable avait-il laissé son 38 à la maison ? Sa vie était réellement menacée pour la première fois depuis quarante-deux ans. Il avait le sentiment d'avoir été éjecté d'une bande dessinée pour tomber en plein milieu de la Seconde Guerre mondiale.

Une demi-heure plus tard, il se rongeait les poings devant l'échangeur de l'autoroute. Où aller ? Nord ou sud ? Il tourna en rond durant un long moment, s'arrêtant, repartant, faisant des marches arrière, changeant de direction une bonne douzaine de fois. Si Fardello pensait qu'il rentrerait chez lui, il fallait aller au sud. S'il pensait au contraire que Sorcier était un homme habile, il irait effectivement le chercher au sud. Impossible d'aller à l'est : l'Atlantique barrait le chemin. Quant à l'ouest, il n'offrait que Saratosa et le nom de cette ville avait des sonorités trop féminines pour représenter un abri vraiment valable. En tout cas, il ne fallait pas que ces sales immigrants aillent le chercher dans le Michigan. Il restait quelque chose d'incompréhensible dans cette histoire : Laura lui écrivait que, après s'être pliée aux innommables exigences de Bob, celui-ci lui avait promis d'épargner Sorcier. Alors, à quoi rimait cette cavalcade ? Par ailleurs, il était hasardeux d'accorder du crédit aux déclarations de Garth ; il y avait du sang irlandais dans les veines de ce salaud. Tout le monde sait qu'il faut se méfier des Irlandais, surtout lorsqu'ils sont du genre à vous jurer une amitié éternelle et à essayer de sauter votre femme la minute suivante. Il se représentait une armée de truands habillés comme Scarface et cette image le poussa vers le sud. Il voyait maintenant la statuesque Diana affrontant les voyous armés de machettes. Ils la violeraient certainement avant de la découper. Il avait désespérément besoin d'elle, mais il ne devait en aucun cas la mettre en danger.

Il lui fallut sept heures de route et deux contraventions pour excès de vitesse avant de rejoindre Key West. Afin de combattre son extrême nervosité, il s'arrêta plusieurs fois pour boire et manger. Fidèle à la tradition qui offre un dernier repas au condamné, il soignait particulièrement ses menus. Il agissait un peu comme cet homme à qui on demanderait quel livre et quelle femme il aimerait emmener sur une île déserte.

La Bible et Monica Vitti ? Shakespeare et Catherine Deneuve ? Toynbee et Bo Derek ? *Garp* et Brooke Shields ?

En début de soirée, il arriva au port de pêche de Key West avec le ventre plein et le cœur lourd. En étudiant le dossier du fils de Rabun, Sorcier avait appris que le port abritait une flotte importante de crevettiers. Il abandonnerait la BMW et s'engagerait comme matelot pour aller pêcher la crevette sur les côtes du Guatemala. Il n'avait pas une passion démesurée pour les crevettes, même à la mayonnaise, mais la perspective de se baigner dans des mers chaudes était assez tentante. Il s'ajoutait à cela des visions d'escales aux Caraïbes, pleines de rhum, d'octavonnes excitantes, de tatouages marrants... Il s'avança sur le quai et reçut dans le nez l'odeur effroyable des bateaux mal nettoyés. Il était épuisé de terreur et le vent qui soufflait avec violence dans les gréements lui rappela qu'il était sujet au mal de mer.

39

Les latitudes tropicales ne sont pas recommandées aux grands dépressifs, surtout lorsqu'ils sont originaires du Nord. Bien que le stress soit devenu une mode plutôt qu'un état clinique, il faut dire que peu de choses sont plus « stressantes » que la crainte de voir vos proches et vous-même découpés à l'aide de longs couteaux originellement conçus pour ouvrir des trouées pacifiques dans la jungle. La machette est devenue l'arme symbolique de la guerre de la drogue qui ravage la Floride. C'est une guerre invisible pour le touriste moyen mais elle se poursuit tout de même à grand renfort de fusils à canon scié, de râles d'agonie, de portières claquées, de meurtres silencieux, le tout noyé dans des flots d'argent illicite blanchi à l'étage directorial de la banque où votre grand-mère place ses économies depuis cinquante ans. On était en décembre et Sorcier venait de réaliser que son anniversaire tombait deux jours plus tard. Ensuite, ce serait la folie mercantile de Noël. La mort et Noël, la végétation légèrement pourrissante des tropiques, la gaieté factice de Key West, tout cela s'accordait mal dans les pensées de Sorcier. Heureusement, il n'avait aucune tendance suicidaire car il se serait probablement fait sauter le caisson durant la semaine qu'il allait vivre. En tout cas, il traversa quelques journées d'épreuve dont il se souviendrait jusque sur son lit de mort.

Le soir de sa promenade morbide sur le quai des pêcheurs, il entreprit de se soûler dans des proportions qui lui faisaient perdre toute perspective et le poussaient dans une rage presque hystérique. Oubliant dans les brumes de l'alcool qu'il avait intérêt à passer inaperçu, il loua une suite somptueuse dans l'hôtel le plus élégant. Oubliant également qu'il avait déjà le ventre plein, il s'offrit un grandiose repas gastronomique. Puis il se rendit dans une boîte de nuit située sur le port afin d'approfondir sa cuite et partager quelques lignes de cocaïne avec une entraîneuse. Elle revint avec lui à l'hôtel mais ne tarda pas à filer discrètement en emportant le reste de cocaïne tandis que Sorcier, agenouillé dans les toilettes, rendait son âme et son excès de boisson.

Assommé par la drogue, l'alcool et la peur, Sorcier aurait dû dormir comme une souche. Il n'en fut rien et le petit matin le trouva debout, ravagé par la tremblote et faisant des efforts inouïs pour rédiger lisiblement un plan d'action sur une feuille de carnet. Il se fit servir un petit déjeuner auquel il ne toucha pas ; en revanche, il se bourra d'Alka Seltzer. Puis il conduisit la BMW moutarde chez un carrossier cubain d'Ann Street et lui demanda de la repeindre en gris, ce qui plongea le carrossier et ses employés dans une belle gaieté. En attendant que la BMW ait changé de couleur, il loua une petite Renault et poursuivit son programme. Il acheta chez un fripier une grosse valise qu'il remplit de vêtements usagés. Il entra chez un coiffeur et se fit couper les cheveux très courts, à la mode des matelots de la Navy. Dans une boutique de farces et attrapes, il fit l'emplette d'un faux tatouage représentant l'affrontement mortel d'un cobra et d'une panthère. Il se rendit ensuite dans un institut de beauté où il se laissa longuement griller sous une lampe à bronzer. En sortant, il fut tenté d'améliorer son déguisement par une boucle d'oreille en or, mais il renonça à cette idée en se disant que trop c'est trop. Puis il engloutit un énorme dîner cubain trop riche en amidon et se coucha à huit heures dans une caravane louée à Stock Island. Il sombra dans le sommeil après avoir rigolé comme un âne en regardant les Muppets à la télévision.

Il dormit quatorze heures et faillit manquer son rendez-vous pour la deuxième séance de bronzage. Son humeur était cousine de celle d'un prisonnier de guerre, une sorte de soumission morose dont il pensait qu'elle s'accordait à sa nouvelle allure. Or, en se rhabillant après son bain de soleil artificiel, il fut complètement ahuri par l'image du loubard équivoque que lui renvoyait le miroir. Il avait peine à se reconnaître sous les vêtements râpés et la dégaine de criminel en maraude. Il se demanda si son déguisement n'était pas un peu exagéré. Mais rien n'est excessif lorsqu'il s'agit de sauver sa peau. Sa perplexité s'accrut encore lorsque le caissier de l'institut de beauté lui rendit sa monnaie en disant : « A demain, chéri ! » Il téléphona à Diana, non sans pester contre le saligaud qui avait certainement pissé dans la cabine téléphonique peu de temps auparavant.

« Johnny, mon cœur, comment vas-tu ? Est-ce que tu bronzes ?

— Un peu, oui. Les choses sont agitées dans le coin, mais, finalement, tout se passe bien.

— Rien de dangereux, j'espère ? Tu as promis de ne pas faire l'idiot et de ne prendre aucun risque.

— Une promesse est une promesse. » Il avait une forte envie de pleurer.

« Nous venons de sortir le premier numéro de notre *Lettre d'information féministe*. Elle a déjà un succès fabuleux. Tu veux que je t'en envoie un exemplaire ou est-ce que je dois attendre ton retour ?

— Je suis à Saratosa, en ce moment », dit-il en pensant que Fardello pouvait avoir branché un espion sur la ligne. « Je te demanderai peut-être de me rejoindre pour Noël. Je suis encore très occupé.

— Pour Noël ? Aïe ! J'avais promis à Maman que nous irions passer les fêtes en famille. Enfin, on verra. Il faut que tu téléphones à Rabun, à Feingold et à ton père. Ils veulent te parler d'urgence. Tu sais que ton père est un sacré coquin ? Garth a également appelé pour me sortir ses cochonneries habituelles. Il m'a dit que vous vous êtes parlé, hier ou avant-hier. Il faut que je file ; on m'attend en chirurgie. Tu me manques beaucoup. »

Lorsqu'il sortit de la cabine téléphonique, il croisa deux pédés qui lui firent un grand sourire et un signe d'amitié. Sorcier se sentit rougir. Que se passe-t-il, nom de Dieu ? En tout cas, il n'était pas question de rester plus longtemps dans une cabine qui sentait le pipi. Il décida d'aller fouiner autour des deux adresses du fils de Rabun. Son déguisement lui rendait une certaine confiance en lui.

La petite Renault était restée en plein soleil et il y faisait une chaleur infernale. Décidément, tout se ligue pour me faire transpirer : le danger, la peur, le mystère et les voitures françaises. Il faudrait qu'il demande à son père de se renseigner sur le compte de Roberto Fardello. Après la crise de terreur qu'il venait de traverser, Sorcier retrouvait un peu de son assurance. Il y a des limites à tout et il se pourrait bien que ce salopard de rital de merde découvre à ses dépens que je suis un peu plus difficile à croquer qu'un plat de lasagne !

Il fut dérouté et vaguement inquiet de constater que les deux adresses du fils de Rabun n'existaient pas. Qu'est-ce que c'est que cette salade ? Elles m'ont été remises par Rabun. Il doit tout de même savoir où demeure son fils. Il décida d'aller ruminer ce problème devant un verre. Il n'avait rien bu depuis trente-six heures et il jugea que cette abstinence n'était pas raisonnable. Le premier bar qu'il trouva avait une allure assez minable ; il y entra.

L'endroit était tellement sombre qu'il dut s'arrêter dès l'entrée, encore aveuglé par le soleil et incapable de voir ce qu'il y avait devant lui. Il ressentait une curieuse appréhension, l'impression désagréable qu'il allait se faire matraquer par-derrière. La clientèle était constituée par des hippies, quelques pêcheurs crasseux et deux ou trois clochards. Le barman regardait Sorcier comme on regarde un cancrelat. Sorcier le fusilla de l'œil en retour et demanda d'une voix traînante :

« Donnez-moi un de ces trucs exotiques.

— Il vaudrait mieux que vous alliez vous faire servir ailleurs, dans un bar où vous retrouverez d'autres types dans votre genre.

— Quel genre ? » demanda Sorcier, franchement interloqué. Les autres clients le regardaient comme un extraterrestre.

Un gros homme s'approcha du bar en traînant les pieds.

« Il est en train de vous dire que, dans son bistrot, les hétérosexuels et les homosexuels n'ont pas l'habitude de boire ensemble.

— Excusez-moi », dit Sorcier en regardant autour de lui. La situation lui semblait d'autant plus étrange qu'aucun des hommes présents n'avait l'air efféminé. « Si vous ne voulez pas que la clientèle se mélange, vous n'avez qu'à accrocher une pancarte à l'entrée pour dire que c'est un bar à pédales. » Il y eut un éclat de rire général et Sorcier comprit enfin ce qui se passait. Il étala un billet de cent dollars sur le comptoir mais le barman resta sur place, les bras croisés, visiblement peu disposé à le servir. Sorcier eut une poussée de rage et, d'une voix tremblante de colère, il dit : « Écoute, Toto ! Si tu me traites de pédé, je vais t'ouvrir la gueule d'une oreille à l'autre. Je compte jusqu'à dix et, si à dix je n'ai pas mon verre, ça va vraiment être ta fête. Un, deux, trois...

— Peut-être qu'on s'est trompé, dit le gros bonhomme. Sers-lui son verre.

— Voilà ! obéit le barman. D'où est-ce que vous êtes ?

— Michigan ! » Un autre éclat de rire s'éleva dans la salle et Sorcier pensa qu'il devait être tombé chez les fous. D'ailleurs tous les bars de Floride sont des maisons de fous. Le gros homme reprit :

« Avouez qu'il y a de quoi se tromper. Vous avez exactement l'allure d'une tante avec vos cheveux courts, votre petite moustache, ce tatouage bidon, le bronzage, les vêtements... Tout, quoi ! Je vous jure qu'on peut s'y tromper.

— Vous aussi, vous avez les cheveux courts.

— Les guides de pêche fauchés, obèses et diabétiques

sont rarement pédés, surtout lorsqu'ils ont été mariés sept fois. »

L'atmosphère devint plus amicale mais, après une demi-douzaine de *pina colada*, Sorcier voulut plaider en faveur de la tolérance sexuelle et se fit siffler par l'assistance. On lui expliqua que les pédés envahissaient complètement la ville avec l'aide des promoteurs suspects. Les pauvres autochtones étaient littéralement rejetés à la mer par cette invasion. Sorcier avait milité autrefois en faveur des droits de l'homme et il lui semblait maintenant que le problème des homosexuels était assez proche de celui qu'avaient dû affronter les Noirs dans les années 60.

« Et que pensez-vous des nègres pédés ? » Personne ne prit la peine de lui répondre.

40

Lorsqu'il voulait s'en donner la peine, Sorcier avait un certain talent pour transformer les inconvénients en avantages. Il se dit que l'allure particulière de son déguisement était peut-être une aubaine dans la mesure où cela lui permettrait de s'infiltrer dans le maquis homosexuel de Key West. Il se souvenait avoir entendu des choses terribles au catéchisme lorsqu'on y parlait de Sodome et Gomorrhe mais il n'en retenait que l'histoire de la femme changée en statue de sel. Il avait donc l'esprit clair. Il n'était pas impossible que le fils de Rabun soit entre les mains d'une bande de malfrats homosexuels et, dès lors, le déguisement involontairement orienté de Sorcier prenait toute sa valeur. Cette manière impérative de réclamer un quart de million de dollars était peut-être une demande de rançon déguisée. Selon Garth, qui se prétendait victime de leurs manœuvres dans le monde fluctuant de l'art, les pédés devaient être considérés comme des êtres frivoles, mais inventifs et souvent dangereux. Toutefois, les opinions de Garth avaient peu d'influence sur les idées de Sorcier ; Gauguin était un grand artiste, Garth n'était qu'un truqueur.

Voilà donc les pensées qu'il remuait dans sa tête à l'aube de son quarante-troisième anniversaire. L'aube n'était certes pas son moment préféré de la journée, mais Bib, le gros homme rencontré dans le bar, avait invité Sorcier à faire une promenade en bateau aux premières heures du matin. Le jour précédent s'était passé sans incident notable. Sorcier alla se promener dans une grande marina proche du terrain de camping où était garée sa caravane de location. Le camping était plein de gros chiens féroces enchaînés aux roulottes pour défendre les maigres biens de leurs occupants. Sorcier eut une pensée nostalgique pour Hudley. Il se sentait loin de chez lui et le décor souvent miteux de la Floride nuisait à son sens habituel du lyrisme. C'est en se promenant dans la marina qu'il rencontra à nouveau Bib, en compagnie d'un groupe de patrons pêcheurs occupés à boire de la bière en mangeant du poisson fumé. Bib le présenta aux autres avec un certain embarras en expliquant que, malgré les apparences, Sorcier n'était pas pédé mais simplement déguisé pour les besoins d'une mission confidentielle. Sorcier se disait que tous ces *pina colada* l'avaient rendu trop bavard... En apprenant qu'il était une sorte de détective privé, les pêcheurs se mirent à le traiter avec respect et, après quelques bières, Sorcier décida de les en récompenser en leur racontant une histoire pillée dans un des livres que son père lui avait donnés :

« Il y a quelques années, j'avais été chargé de filer l'épouse d'un gros bonnet de l'industrie automobile, à Detroit. Je n'ai pas le droit de divulguer son nom, mais, si je vous le disais, vous en seriez tous sur le cul ; c'est un type très connu. Bref, le type voulait divorcer mais ce n'était pas simplement parce qu'il y avait beaucoup d'argent en jeu. Il avait retrouvé une de ses anciennes copines de classe et il en était devenu follement amoureux, mais sa femme refusait de divorcer autrement qu'en lui piquant les trois quarts de ce qu'il possédait. Or le type savait que sa femme le trompait. En fait, elle était complètement nymphomane. »

Les visages devinrent subitement plus attentifs en entendant parler de nymphomanie. « J'ai donc pris la femme en filature. Pendant un mois, je l'ai suivie avec une camionnette équipée d'un périscope à travers lequel je pouvais prendre des photos. Elle avait des tas

242

de rendez-vous galants mais je ne pouvais pas m'approcher suffisamment parce qu'elle ne se séparait jamais d'une paire de dobermans très bien dressés. Et puis un jour — je crois que c'était au mois de juin —, j'ai enfin réussi à la surprendre sur une petite route de campagne en compagnie d'un joueur de football très célèbre. Si je vous disais qui c'est, vous en seriez encore une fois sur le cul. Le gars était un Noir, une vraie montagne. La bonne femme et le footballeur se sont enfoncés dans la forêt avec une couverture, un panier de pique-nique et ces deux putains de chiens. Il faut que je vous dise que je suis originaire du Michigan et que je suis très chasseur. Je connais toutes les astuces. Alors je me suis approché du couple en passant au vent afin de ne pas me faire renifler par les dobermans. Je me déplaçais aussi silencieusement qu'un Indien. Brusquement, j'ai entendu un bruit. J'ai levé mes jumelles qui sont couplées avec un appareil photographique et je les ai vus. Ils étaient dans une position presque trop embarrassante pour être décrite...

— Oh, pour l'amour du ciel ! cria Bib.

— Eh bien... ils étaient en train de baiser en levrette. Vous voyez ce que je veux dire ? » Un murmure de jurons s'éleva chez les pêcheurs pour fustiger la perfidie des femmes. « Bref, j'ai pris mes photos en vitesse et c'est à ce moment-là que ma chance m'a lâché. Le vent a tourné et les chiens ont senti ma présence. Ils ont commencé à me courser et, comme ils étaient entre ma voiture et moi, j'ai filé dans la direction opposée. Comme ils se rapprochaient un peu trop, j'ai été obligé de les abattre, tous les deux. Il y avait la rivière Detroit juste devant moi et je me suis retrouvé sur un ponton désert. La seule barque disponible était amarrée avec une grosse chaîne. Pas question de pouvoir la prendre. C'est alors que j'ai vu le footballeur qui cavalait vers moi en caleçon. Il était vraiment gigantesque. J'ai sorti la pellicule de l'appareil, je l'ai mise dans un étui et je me suis enfourné tout ça dans la bouche. Et puis, je me suis jeté à l'eau et j'ai nagé vers le Canada qui se trouve sur la rive opposée, à trois kilomètres environ. Vous inquiétez pas, je suis très bon nageur. Le footballeur est resté sur le ponton et je l'entendais gueuler comme un âne. En arrivant de l'autre côté, j'ai téléphoné à mon client et il a envoyé quelqu'un pour me chercher. J'ai fait développer les photos en format poster. On les a montrées à la bonne femme et à Feingold, son avocat. Quand ils les ont vues, les choses sont tout de suite devenues très simples pour le divorce. Fin de l'histoire.

— Moi, dit une voix qui avait un fort accent du Sud, moi, j'aurais flingué le nègre aussi. » Et un concert d'approbations vint ponctuer cette remarque.

« Je suis un professionnel. Je n'avais aucune raison d'en vouloir à ce Noir de sauter une jolie blonde pleine de pognon. Bien sûr, si elle avait été ma femme, ça ne se serait pas passé aussi gentiment. Mais il ne faut pas oublier que le type est un joueur très célèbre et je vous jure que, sans lui, son équipe ne vaudrait plus un rotin.

— Ces grands types nagent très mal à cause de leurs muscles, dit un jeune marin. En tout cas, j'aurais bien voulu voir ces photos.

— J'en ai épinglé une sur le mur de mon bureau, mais ma femme m'a obligé à l'enlever. » Détail inutile, se dit Sorcier. Maintenant, ils vont croire que tu es dominé par ton épouse. Pourquoi ne pouvait-il pas conserver cette photo imaginaire épinglée en évidence dans ce bureau tout aussi imaginaire, orné des diplômes et des accessoires de sa profession imaginaire ?

Un peu plus tard, il accompagna Bib au bar où ils s'étaient rencontrés et c'est là que le gros homme lui proposa de fêter son anniversaire en allant faire une promenade en bateau. Sorcier accepta, mais se souvenant subitement qu'il avait utilisé le nom de Feingold dans son histoire, il s'excusa pour aller téléphoner à l'avocat.

« Le docteur essaie de vous joindre depuis deux jours. Sa femme vient de lui envoyer une lettre insultante dans laquelle elle dit que son dernier espion est absolument charmant. J'imagine que c'est de vous qu'il s'agit.

— Ne vous laissez pas abuser. Elle prêche le faux pour savoir le vrai. Je l'ai convaincue que je ne travaille pas pour Rabun. En fait, nous sommes quasiment intimes maintenant. Transmettez ce message à Rabun car je n'ai pas de temps à perdre dans les cabines téléphoniques. J'ai de bonnes raisons de penser que la mafia me poursuit.

— Oh, nom de Dieu! Soyez prudent. Vous êtes sûr que vous n'êtes pas en train de vous monter le bourrichon?

— Une blessure de machette à l'épaule! Ça vous suffit comme indication?

— Ça me suffit en effet. A part ça, vous vous envoyez un peu en l'air?

— Trop! Je baise tellement que j'ai été obligé de me la mettre dans un tiroir pour la laisser se reposer.

— Sacré veinard », soupira Feingold.

La promenade d'anniversaire en bateau fut mouvementée et même un peu effrayante. La mer était calme et le temps idéal mais Bib ne savait piloter son bateau qu'à pleins gaz. Il emmena Sorcier à une quarantaine de milles vers l'ouest, au-delà des Marquesas. Ils mouillèrent à proximité d'une grosse drague qui ratissait le fond à la recherche d'un trésor. Une brise de nord-est se leva tandis qu'ils déjeunaient autour d'une caisse de bière et de trois poulets rôtis accompagnés de purée de pommes de terre en sauce. Bib avait fait les provisions la veille, et après une nuit dans le réfrigérateur du bord, la purée présentait une consistance peu engageante.

« C'est la sauce qui ne vaut rien », dit Bib en jetant une boule de purée à un pélican perché sur le bastingage. L'oiseau recracha la purée avec dégoût, de même qu'il rejeta la salade, le pain et les os de poulet. Bib haussa les épaules et s'essuya la bouche à l'aide d'un chiffon huileux. « Si je t'ai amené ici, dit-il à Sorcier, c'est pour te montrer un authentique doublon d'or qui a été pêché par ces types dans l'épave qu'ils explorent. La pièce est datée et elle a un certificat d'authenticité délivré par les autorités. Quand ta femme verra ça, elle en sera folle. Ça peut faire un chouette pendentif. Normalement, je devrais le vendre mille dollars, mais, pour toi, ce sera seulement huit cents parce que je t'aime bien. Si, si, je t'aime bien. Tu crois que j'aurais brûlé autant de carburant pour t'amener au milieu de ce putain d'océan si je ne t'aimais pas ? »

Sorcier fut donc contraint d'acheter cette discutable antiquité mais il n'accepta qu'à condition que Bib le ramène aussitôt vers Key West. Le vent forcissait. Avant de remettre le bateau en marche, Bib lui soutira encore cent dollars afin de faire monter la pièce sur une chaîne en or. Le vent ne tarda pas à se déchaîner et Sorcier fit le voyage de retour dans des conditions effroyables, priant pour son âme et son pauvre estomac torturé tandis que le bateau bondissait à toute vitesse sur les lames, s'écrasant au creux des vagues et piquant droit vers le ciel en passant sur les crêtes.

En arrivant à la marina, Sorcier se précipita sur le ponton avec l'envie presque irrépressible d'embrasser le sol. Le sel accumulé sur son visage lui piquait les yeux et il emprunta la manche à eau d'un jeune guide de pêche qui était occupé à dessaler son bateau. Sorcier s'aspergea longuement mais lorsqu'il releva la tête pour s'ébrouer, il fut stupéfait de lire sur un panneau accroché aux filières du bateau : *Albatros-Ted Rabun-Capitaine.* Il rendit le tuyau à son propriétaire avec un sourire aigu.

« Je voudrais louer vos services. J'ai entendu parler de vous.

— Je suis libre samedi prochain. Avez-vous vos propres lignes ?

— Non. Je serai là vers huit heures. Voulez-vous que je verse une avance ? » Le jeune homme secoua la tête. Sorcier en aurait volontiers gloussé de plaisir sauf durant le bref instant où il se demanda si ce n'était pas une erreur et s'il pouvait exister deux Ted Rabun. Mais il décida que c'était improbable et, de toute façon, il détestait assez le bateau pour ne pas souhaiter devoir refaire deux fois ce genre de promenade.

41

Tu parles d'un anniversaire, se disait Sorcier en allant s'écrouler sur le lit de sa caravane, encore secoué par les affres du mal de mer. Foutu anniversaire de merde que je suis obligé de passer seul, comme un chien. Personne pour le gâter ou lui faire un cadeau. Quelle misère ! Après les aventures agitées que les poulets rôtis venaient de vivre au fond de son estomac, il n'avait même pas assez faim pour célébrer le jour de sa naissance avec un gueuleton adéquat. Et il enrageait que les menaces de ce salopard de Fardello l'obligent à vivre dans une caravane pourrie alors qu'il pourrait jouir des plaisirs luxueux de sa suite au Pier House, parmi de somptueuses créatures occupées à se bronzer sans soutien-gorge. Si seulement Diana était avec lui, elle aurait pu lui chanter sa version salace de *Happy Birthday*. Et ensuite, comme elle le faisait chaque année, elle lui aurait donné carte blanche pour inventer quelque jeu érotique très farfelu. Aussi farfelu qu'il pouvait le souhaiter à condition que ça ne fasse pas mal ; ni l'un ni l'autre n'avaient la moindre fibre masochiste. Il sourit au souvenir de ce qui s'était passé l'année précédente lorsqu'elle l'avait attaché aux quatre coins du lit pour le soumettre à ce qu'elle appelait ses « tortures sexuelles amazones ». Mais sur le coup de minuit, prétextant un rendez-vous tardif avec Gretchen, elle était partie en le laissant étroitement ligoté. Il avait gueulé à s'en péter les veines tandis qu'il entendait démarrer la voiture. Pour tout arranger, Hudley était entré dans la chambre et avait joint ses aboiements aux hurlements de Sorcier. Mais ce n'était qu'une farce et après avoir fait un petit tour, Diane revint directement pour reprendre ses joyeuses activités d'amazone.

Ce souvenir le faisait bander avec ardeur, mais la vision d'une très jeune fille en train de bronzer près de la caravane voisine y était sans doute aussi pour quelque chose. Elle n'avait probablement pas plus de treize ans et Sorcier jugea qu'il serait honnête de lui inventer un âge plus avancé avant de lui permettre d'entrer dans le fantasme qu'il se proposait de construire. Il n'avait rencontré aucune femme depuis son arrivée à Key West et il ne gardait qu'un souvenir assez vague de cette entraîneuse ramassée le premier soir dans la boîte de nuit sur le port. Comment s'appelait-elle, Bon Dieu ? Debby ? Donna ? Doris ? Ah, merde ! A présent, la très jeune fille se mettait à quatre pattes pour lisser la couverture sur laquelle elle prenait son bain de soleil. Son ravissant petit derrière pointait directement vers Sorcier. Il s'activa brusquement sans la quitter du regard. Son pantalon dégringola sur les chevilles, sa main se mit à travailler frénétiquement mais son orgasme éclata si soudainement qu'il en eut un vertige et dut s'accrocher aux rideaux de la caravane pour ne pas tomber. Hélas ! ceux-ci n'étaient pas solides et Sorcier tomba tout de même, entraînant avec lui les rideaux tachés de sperme ainsi que les tringles, les moustiquaires et une poignée de fenêtre. Il manqua se fracasser le crâne en frôlant l'angle d'une table basse et atterrit avec une telle violence que la caravane tangua sur ses ressorts. Allongé par terre, les yeux au plafond, il se disait qu'un homme plus fragile aurait déjà perdu la boule dans une telle situation.

Il resta sur le sol et contempla les choses dans cette nouvelle perspective. Le dessous de la table était constellé de chewing-gum séché et quelqu'un — un gosse sans doute — avait crayonné « Frank » en rouge. Il se demanda si la nymphette avait entendu le vacarme de sa chute. Le dessous de la table de cuisine n'était guère plus ragoûtant. Ce n'est vraiment pas une vie d'être un tout petit gosse et de ne voir les choses que de bas en haut, ou au ras du sol. C'est un monde de chiens ventrus, de dessous de lit poussiéreux, de cors aux pieds et de revers de pantalons, sans compter les zones d'ombre troublante qu'on devine sous le peignoir de papa ou la robe de maman. Il se souvenait des jarretières qui boursouflaient les cuisses de sa tante. Fallait-il qu'il soit particulièrement stupide pour vouloir hypnotiser sa tante, quand il n'avait que quinze ans ? Il tenait sa « science » d'un livre acheté par correspondance pour la somme mirifique de cinq dollars. Il gagna une gifle retentissante lorsqu'il avança la main pour toucher cette cuisse qu'il pouvait croire endormie. Ce n'est pas drôle d'être jeune si on doit se heurter à ce genre de mésaventure. Elle dormait en jupe écossaise, le visage abrité du soleil par une feuille de journal qui vibrait sous sa respiration. En sentant la main de son neveu, elle se dressa et bondit en arrière comme un chat effrayé. Son slip était profondément inscrit dans la raie des fesses, une vision que Sorcier n'oublierait jamais. Il se souvenait encore des formules magiques apprises dans ce livre imbécile : « Nous sommes dans l'ancien Cachemire... dans le temple doré de Shalazar... Je suis le calife, ton amant, le plus bel homme de la terre », etc.

Quelques jours plus tard, elle lui avait fait de l'œil.

Après une sieste réparatrice seulement meublée de quelques chevaux courant en rond et d'une vision de Diana en compagnie d'un cow-boy à l'arrière d'un camion à plateau, Sorcier alla chercher sa BMW chez le carrossier. Il arrêta une hippie qui passait dans la rue et lui offrit vingt dollars pour le suivre avec la Renault jusqu'à l'aéroport. Malheureusement, la hippie et la Renault s'évaporèrent dans la nature. Sorcier attendit durant une heure et, finalement, la police vint s'en mêler.

« Vous êtes responsable, hurlait le loueur de voitures pour la cinquantième fois.

— Je m'en fous, répondait Sorcier sans se troubler.

— Espèce de pédé! Espèce de tantouse de merde! »

Ces réflexions lui valurent de se faire attraper par le col et la ceinture et se faire secouer jusqu'à ce qu'il soit sur le point de s'évanouir. La police ne fit pas le moindre effort pour tenter d'arrêter le massacre. Sorcier leur avait déjà remis ses papiers et des agents se contentaient de savourer le spectacle. Sorcier porta plainte contre le loueur pour insultes dans un lieu public et partit l'esprit serein. Il n'allait pas se laisser gâcher son anniversaire par le vol d'une petite bagnole de rien du tout.

Il eut un trait de génie et consulta un annuaire téléphonique où il trouva la véritable adresse de Ted Rabun. Il passa devant la maison au ralenti et vit une jeune femme en train de bercer un enfant sous le porche. Était-ce une ruse ou une épouse? Que ne ferait-on pas pour escroquer des sommes aussi gigantesques? Ce n'est pas bête de cacher des mœurs dépravées sous l'allure d'un paisible guide de pêche. Il faut étudier attentivement tous les aspects d'une pièce — il n'y en a que deux — ou toutes les facettes du diamant de la réalité. Mais lorsque la réalité fait rouler le diamant, il n'y a plus de facettes du tout. C'est du moins ce qu'il se disait en allant se perdre dans un dédale de petites rues où il s'empêtra avant de repasser pour la deuxième fois devant la maison de Ted Rabun. L'épouse (ou la ruse) n'était plus là. Le bébé non plus. Ils étaient probablement rentrés dans la maison et c'était une chance car la femme aurait pu se dire que l'homme en voiture de luxe n'était pas exactement un ami de la famille. Diana et le cow-boy flottaient dans l'esprit de Sorcier. Comment peut-on rêver de choses qui n'existent pas? Il n'y a pas de cow-boys dans le Michigan et durant leur voyage au Wyoming, Diana ne l'avait pas quitté d'une semelle. Alors ? Mystère ! Les types qui écrivent aux journaux semi-pornos décrivent toujours des situations où ils se cachent dans un placard pour observer leur épouse recevant les hommages d'hommes formidablement montés. Les détenteurs de ces outils gigantesques se nomment toujours Bill ou Bob. Les lettres ne sont que des variations sur le même thème. Dieu merci, se dit Sorcier, je suis tout à fait normal, moi !

Il roula vers le Pier House et se fit servir un whisky sur la terrasse. L'après-midi touchait à sa fin et il ne restait qu'une seule femme sans soutien-gorge. Bizarrement, l'un de ses tétons était plus large que l'autre. Un groupe de crétins en vadrouille sirotaient leur verre en faisant semblant de ne pas voir la femme qui s'obstinait à vouloir bronzer sous le soleil déclinant. Sorcier s'interrogeait sur les hypocrisies sexuelles lorsqu'il vit arriver l'entraîneuse rencontrée le premier soir. Elle était en uniforme de serveuse et portait un plateau chargé de boissons. Elle fut stupéfaite en voyant Sorcier sous son déguisement.

« C'est pas vrai ! Ça ne peut pas être toi !

— Si, c'est moi... plus ou moins. Il y a une raison pour chaque chose. C'est mon anniversaire aujourd'hui. Tu ne veux pas dîner avec moi ?

— Si c'est pour récupérer ta cocaïne, tu peux te brosser. Je l'ai perdue.

— Cocaïne, schmocaïne... T'inquiète pas pour ça, bébé ! J'ai qu'à claquer des doigts pour en trouver. » Il commençait à comprendre que, dans cette région, la drogue est un appât très séduisant pour les dames.

Il se doucha et s'habilla avec le cœur léger. Un anniversaire solitaire peut être une raison valable d'échapper aux contraintes de la fidélité conjugale. En calviniste bien né, Sorcier avait un talent indiscutable pour s'inventer des exceptions à la règle. La vie n'est qu'une échelle et certains de ses barreaux sont glissants, gelés, précaires ; on peut s'écarter légèrement de la règle (en affaires ou en amour) et ce n'est pas pour cela qu'on va retomber dans la boue gluante où est plantée l'échelle.

Certes, ce n'est pas aussi facile que chez les catholiques où il suffit de se confesser pour être tiré d'embarras. Mais on a l'avantage des saintes sœurs siamoises de la Grâce et de la Prédestination.

Le dîner fut très agréable et, puisque c'était un dîner d'anniversaire, Sorcier ne perdit pas de temps à hésiter entre les trois entrées qui lui étaient proposées : canard bigarrade, canard Montmorency ou beignets de langouste. Il prit les trois et commanda un montrachet et un chambertin pour accompagner ce festin. Ce choix amena la direction du restaurant à soupçonner Sorcier d'être un critique gastronomique en mission secrète. C'était un vieux truc que lui avait appris Garth, l'artiste franc-tireur. On paie l'addition sans discuter, mais on obtient un service et une nourriture de premier ordre. De son côté, Lucette la Serveuse chipotait autour d'un plat de légumes bouillis mais s'intéressait au vin de très près. Sorcier pensa à Aurora. Il se demandait par quelle étrangeté du destin il se retrouvait toujours en compagnie de femmes végétariennes.

Elle le ramena dans son modeste appartement qui était décoré de l'affiche de Manolete, une coïncidence qu'il trouva charmante. Elle lui vendit deux grammes de péruvien dont il abusa pour combattre les effets soporifiques du dîner. En peu de temps, il se retrouva en train de grésiller comme un toaster défectueux. Il apprit que Lucette étudiait le chant et ne faisait la serveuse — et le reste — que « pour gagner trois ronds ». Sur l'insistance de Sorcier, elle accepta de chanter en s'accompagnant à la guitare. Elle avait une voix d'opéra qui s'accordait mal aux chansons populaires qu'elle choisit d'interpréter. Sorcier se trouvait à moins d'un mètre d'elle et il fut aspergé de postillons lyriques. Elle va bientôt s'arrêter de beugler, cette conne ? Finalement, elle posa la guitare et commença à se déshabiller. Sorcier imita son exemple mais lorsqu'il fut question d'entrer dans le vif du sujet, son outil demeura sans réaction. Il avait déjà connu ce genre de mésaventure avec Aurora. Ils se livrèrent donc à quelques heures de « galipettes annexes », comme disait Lucette.

Elle avait des qualités de gymnaste qui, dans l'esprit de Sorcier, évoquaient le souvenir d'Elsa Lanchester dans l'épouse de Frankenstein. Au petit matin, il sentit que la vigueur lui revenait et il s'allongea sur le corps endormi de Lucette avec une sorte de désespoir.

42

Vingt-quatre heures plus tard, Sorcier gagnait la haute mer par le chenal nord-ouest en compagnie de Ted Rabun. Le bateau se dirigeait vers les plateaux marins de Cottrell Key. Il avait bien fallu vingt-quatre heures pour qu'il se remette du bain de boue dans lequel il s'était vautré en compagnie de Lucette. Il était soulagé de se retrouver au grand air et respirait d'autant plus librement que sur les plateaux, il pouvait tomber à l'eau sans risque de se noyer. Le soprano de Lucette lui revenait parfois aux oreilles et il en frissonnait désagréablement.

Capitaine Ted mit les moteurs au ralenti en arrivant au-dessus du lieu de pêche. L'eau dépassait à peine un mètre. Ils se proposaient d'appâter un poisson du pays dont Sorcier avait vu une photo à la marina et qu'il trouvait péniblement semblable à la daurade rose reçue en cadeau à Palm Beach. Il soupira et pensa que la nature est véritablement une grande marmite en désordre avec ses milliers d'espèces de poissons, d'insectes, d'oiseaux... comme si Dieu n'avait pas été capable de se décider sur ce qu'Il voulait réellement créer. Sorcier se retourna et vit que le capitaine Rabun pointait un revolver sur son estomac.

« Eh là ! Qu'est-ce qui se passe ? » Sorcier avait subitement beaucoup de mal à respirer.

« Vous êtes au terminus. Descendez du bateau. »

Rabun tira un coup de feu dans l'eau afin de prouver qu'il ne plaisantait pas.

« D'accord, d'accord. Ne vous énervez pas. »

Sorcier enjamba le bastingage et se retrouva dans la mer jusqu'à mi-cuisses. Le fond herbeux lui chatouillait les chevilles.

« Lancez-moi votre portefeuille. » Sorcier hésita et le jeune Rabun tira une balle qui lui frôla le genou gauche. « Allez, en vitesse ! »

Le capitaine fouilla prestement dans le portefeuille. Sorcier se sentait faiblir. Il se demandait avec inquiétude ce qui pouvait bien se passer. Le fils serait-il frappé d'une folie moins bénigne que celle du père ?

« Pourriez-vous m'expliquer à quoi rime votre attitude ? » Maintenant, l'inquiétude se muait en panique. Il y avait sûrement un énorme requin affamé dans les environs immédiats.

« J'en étais sûr ! » cria Rabun d'une voix triomphante en examinant le permis de conduire de Sorcier. « Ma mère m'a dit que vous conduisiez une BMW moutarde, mais quand vous êtes venu à la marina, vous aviez une autre voiture. C'est alors que ma femme a remarqué qu'une BMW grise était passée deux fois de suite devant notre maison. Puis, Bib m'a confié que vous étiez un enquêteur venu du Michigan mais la description qu'il me faisait de vous ne correspondait pas à celle de ma mère. C'est en voyant votre voiture, ce matin, que j'ai compris qui vous étiez. Allez vous promener et priez Dieu pour qu'un autre bateau vienne vous sortir d'ici parce que l'endroit est plein de gros requins très méchants. » Puis Rabun démarra ses moteurs.

« Attendez ! » hurla Sorcier. Ses jambes devinrent subitement tellement molles qu'il dut s'accroupir dans l'eau. La mer était chaude et cette chaleur avait quelque chose de rassurant, un liquide amniotique qui lui servirait bientôt de linceul. « Au nom du ciel, attendez. Vous êtes un sauvage, ma parole !

— Non, je ne suis pas un sauvage. Je ne suis qu'un paisible guide de pêche et vous, vous êtes un des fouineurs de merde envoyés par mon père. Est-ce qu'il vous a dit que je me piquais à l'héroïne ? »

Rabun remit les moteurs au ralenti pour entendre la réponse ; selon sa mère, cet espion paraissait moins minable que les autres.

« Non, il n'a pas dit cela. » Sorcier se fouillait la cervelle pour trouver un moyen de sortir de ce guêpier. Il avait lu quelque part qu'une femme menacée de viol doit toujours engager le dialogue avec son agresseur. Quelle est votre couleur favorite ? Mais peut-être que dans ce cas précis, pour une fois, il serait plus payant de dire la simple vérité. Le bateau de Rabun dérivait lentement dans le courant et se trouvait maintenant à quinze mètres. « Il m'a dit que vous êtes homosexuel et que vous voulez l'estamper de deux cent cinquante mille dollars pour ouvrir un restaurant de pédés. Moi, je me suis dit que vous étiez sans doute victime d'un chantage et que c'était une manière déguisée de réclamer votre rançon. »

« Oh, mon Dieu ! dit Rabun en riant de bon cœur. Maman m'avait bien dit que vous étiez un peu tordu. C'est le déguisement le plus ridicule que j'aie jamais vu. » Le bateau dérivait de plus en plus et les deux hommes devaient crier pour s'entendre.

« J'ai été obligé de camoufler mon apparence. J'ai eu une brève aventure avec une amie de votre mère, Laura Fardel. Son mari est Roberto Fardello, le gangster. Il veut me tuer. Je me suis échappé pour venir me cacher à Key West. Et puisque j'étais ici, je me suis dit que je pourrais aussi bien poursuivre mon enquête puisque j'étais payé pour ça. » Sorcier termina ses explications en hurlant vers le bateau qui s'éloignait vers le large.

Le capitaine Ted trépignait sur le pont de son bateau en s'étouffant de rire. Il revint vers Sorcier. Ce dernier venait d'apercevoir des nageoires dorsales au loin, et il courait maladroitement à la rencontre du bateau en glapissant : « Requins ! Requins ! » Rabun s'approcha encore.

« Ce ne sont pas des requins mais des permits, dit-il entre deux gloussements. Ils se nourrissent de petits crustacés, et ce que vous voyez, ce sont leurs queues et non des dorsales. Montez à bord.

— Merci, du fond du cœur. » Sorcier se hissa sur le pont. Il avait vu *Les Dents de la Mer* et son cœur battait comme un diesel.

— Bob Fardel a étudié l'art dramatique à l'université de Yale. Laura et lui ont la passion de ce qu'ils appellent le drame vécu. Elle est l'héritière d'une grosse fortune de Louisiane. Dans les pétroles. Elle s'est légèrement blessé le dos dans l'institut de mon père et c'est ma mère qui lui a suggéré de rendre la vie dure à ce vieux chacal. Pour Bob et Laura, c'était l'occasion rêvée de se faire un nouveau cinéma. » Le capitaine Ted ne cessait d'interrompre son discours par des éclats de rire. Il ouvrit une glacière portative, en sortit deux boîtes de bière et en lança une à Sorcier.

« Je ne comprends pas », disait celui-ci. En fait, il était tellement heureux d'être de retour sur le bateau qu'il parvenait mal à assimiler ce qu'il venait d'apprendre.

« Lorsque j'avais seize ans, Bob et Laura se sont amusés à monter le scénario du jeune homme amoureux. Je vous laisse imaginer ce qui s'est passé. C'est Bob qui dirigeait le spectacle. Maman m'a raconté le scénario de la femme infirme. Laura attire les hommes qui se promènent sur la plage et Bob dirige les opérations depuis la chambre du premier étage en faisant des signaux par la fenêtre. Il a tout ce qu'il faut : des jumelles, des caméras vidéo, toute une installation. » Ted Rabun recracha une gorgée de bière sous un nouvel éclat de rire.

« Ce n'est pas possible », bredouillait Sorcier. Il était saisi d'un vertige trop profond pour n'être qu'un simple étourdissement, une sensation qui le secouait de la tête aux pieds. Il se pencha pour retirer une minuscule crevette qui s'était prise dans la languette de sa chaussure. Petite crevette, où est ton Créateur ?

« Vous serez également heureux d'apprendre que les deux cent cinquante mille dollars m'appartiennent.

C'est le produit d'un fonds de tutelle que je devais toucher à ma majorité, il y a deux ans. Mon père est fou. Cliniquement fou. Il est fou depuis treize ans, depuis que nous avons été obligés de quitter Cincinnati, la ville où j'ai grandi. A l'origine, la fortune était celle de ma mère. Et puis, elle a épousé ce génie de la recherche médicale, mon cher père. Un jour, elle l'a obligé à entrer en clinique pour traiter son obésité. Il a perdu plus de cinquante kilos et tout s'est brusquement dégradé. Avant, il était joyeux et agréable et, en quelques mois, il est devenu un véritable monstre. Nous avions une maison d'été près de Traverse City et c'est là que nous sommes allés nous réfugier lorsque les autorités de Cincinnati ont décidé que mon père devenait trop difficile. On l'a surpris au lit avec des fillettes qu'il avait droguées. La famille de ma mère a eu assez d'influence pour étouffer le scandale, mais jusqu'à un certain point seulement. On a envoyé mon père dans toutes sortes d'instituts psychiatriques et, à chaque fois, il revenait en donnant l'impression d'avoir retrouvé assez de bon sens pour ne pas atterrir en prison. A l'époque des bonnes années, il n'était pas seulement inventeur, il avait également le génie de la finance et c'est ainsi qu'il est arrivé à contrôler la moitié de la fortune de ma mère de même que le fonds de tutelle qui me vient d'un héritage. Et maintenant, il refuse de me rendre cet argent. D'un côté, il me fait de la peine et d'un autre côté, je le déteste pour tout ce qu'il a fait subir à ma mère. C'est devenu un être profondément pervers. Il ne peut même plus mettre les pieds en Floride ; il y a quelques années, il a fallu dépenser une fortune pour étouffer une vilaine affaire de mœurs. Il avait inventé une machine bizarre qu'il a voulu essayer sur une fillette. La gosse a été blessée, sans gravité, heureusement. »

Sorcier demeurait silencieux. Il fixa son regard sur un vol de cormorans qui passaient au-dessus du bateau. Les oiseaux attendirent d'être à sa verticale avant de lâcher de grosses fientes afin d'alléger leur ascension. Tout était trop détestable et Sorcier avait envie de retrouver son oreiller favori. « Je veux rentrer à la maison », dit-il d'une voix blanche. Il se consolerait de tout en préparant les repas de Diana. Il cuisinerait même des toasts au fromage pour Hudley.

Le lendemain, Sorcier et capitaine Ted roulaient à fond de train dans la BMW en direction de Palm Beach. Ted était au volant tandis que Sorcier serrait les dents en se disant que bien trop d'eau venait de passer sous les ponts. En moins de vingt-quatre heures, il avait goûté aux fruits amers de la réalité et il leur trouvait une saveur ignoble. Capitaine Ted ramena chez lui une véritable épave et pour lui faire oublier qu'il avait été l'instrument de jeux trop sophistiqués pour sa petite tête, il lui servit un excellent repas chinois tandis que sa charmante épouse permettait à Sorcier de bercer le bébé en lui chantant : *Bobby Shafto est parti sur les mers avec une boucle d'argent dans le genou. Il reviendra et m'épousera, Bobby Shafto.* Il n'avait pas réussi à joindre Diana au téléphone. En revanche, il parla à son père et lui demanda de faire une enquête serrée sur le compte du docteur Rabun. Il téléphona également à Clete parce qu'il voulait parler à Hudley. Clete lui expliqua gentiment que les chiens ne savent pas se servir d'un téléphone. Il ajouta que Sorcier devait appeler Patty la Majorette de toute urgence. Traverse City est une petite ville et Clete était un dragueur impénitent ; il était inévitable qu'il rencontre Patty, un jour ou l'autre. Sorcier téléphona donc à la majorette et après quelques échanges sans intérêt, elle entra dans le vif du sujet : sa mère était la femme de ménage du vieux Rabun et c'est ainsi qu'elle avait appris que ce dernier avait une maîtresse depuis déjà pas mal de temps. Et devine qui est la maîtresse du bon docteur ? C'est ta femme, la somptueuse Diana. Patty en riait encore lorsque Sorcier raccrocha le téléphone. Des sanglots secs agitaient son corps. Puis, tandis qu'il élaborait avec Ted des projets de vengeance, son père le rappela :

« Johnny ? Ton soi-disant patron est le plus effroyable pervers sexuel du pays. Je n'oserais même pas lui confier une vache Holstein. Il faudrait l'abattre comme un chien enragé, mais avec tous ces libéraux qui nous gouvernent... » Sorcier raccrocha sans écouter la suite.

La haine bouillonnait en son cœur.

43

L'hiver entra dans son sommeil et Sorcier s'enterra avec les tubercules, les racines et les pierres qui ne voient jamais le jour et ne le verront jamais. Ses pensées vivaient sous une température glaciale. Puis ce fut avril et le printemps vint jouer de la flûte devant les portails de l'aube. Le brouillard dansa dans la brise du matin. On revit des traces de renards. Et Sorcier regardait tout cela d'un œil fixe et dépourvu de toute amitié. Diana et Rabun ne soupçonnaient pas qu'un piège se tendait devant eux.

Sorcier ne lisait que des livres pour enfants de manière que son esprit demeure simple et cruel. Il se laissait dériver jusqu'aux racines de la préhistoire, retrouvant l'instinct ancestral qui oppose le chasseur à sa proie, le prédateur à sa victime. Mais il ne ressemblait en rien à ce léopard jouant avec les rats avant de les dévorer. Au mépris des enseignements élémentaires de Jean Calvin, il venait d'apprendre que la vie à elle seule n'est pas assez forte pour châtier les coupables, que les petites collisions humaines ne sont que des moments flous, étirés au-delà de toute nécessité. La vie vraie n'est qu'un sommeil vécu sur un tas de charbon. Une suite de nuits hurlantes arrosées par le jus noir de la terre, des rêves d'enterrements et de coqs décapités. Il partit pour New York où il s'offrit toutes les formes de luxe décadent que pourrait souhaiter une diva somptueusement entretenue. Puis il revint chez lui et courut en rond dans les derniers vents de neige. Il nettoya son fusil, puis le nettoya encore et encore. Il se perdit dans une tempête d'avril et fut poursuivi par un nuage bas, gros comme un autobus. Ce serait un euphémisme de dire que Sorcier se préparait à l'action. Il était prêt, aussi intraitable, aussi résolu, programmé et implacable qu'un ICBM tiré d'une plate-forme galactique en direction de la Terre. Le levier était déjà poussé, le bouton rouge enfoncé. En fait, Sorcier était probablement plus efficace qu'un ICBM car c'était un homme dont le cœur et la tête baignaient dans la haine. Il ne raterait pas sa cible, même si elle se déplaçait très vite. Ce n'était qu'une question de temps.

Lorsque Ted et Sorcier arrivèrent à Palm Beach par ce triste matin ensoleillé de décembre, ils obligèrent Nancy Rabun à annuler son programme de la journée qui comprenait un match de tennis, un déjeuner, un rendez-vous chez le coiffeur, une séance de massage, un cocktail, un dîner, un bal au club Séminole ainsi qu'une petite fête qui devait se dérouler plus tard au Country Club. Ils s'enfermèrent dans la bibliothèque, débranchèrent le téléphone et entamèrent une longue conférence d'état-major autour d'une table jonchée de dossiers, de rapports falsifiés et de cessions de parts tout aussi frauduleuses. Le montant global des escroqueries du bon docteur s'élevait à trois millions de dollars. Sorcier rédigea sur-le-champ un contrat inattaquable qui lui accordait dix pour cent de toutes les sommes recouvrées, ainsi qu'une provision pour frais pratiquement illimitée. Comme tous les gens riches, Ted et sa mère n'étaient pas assez bêtes pour oublier de marchander le montant du pourcentage.

« Il a soixante-huit ans, dit Sorcier, et ça doit tellement l'exciter de sauter ma femme qu'il est capable de claquer d'une minute à l'autre. S'il meurt, vous perdez les trois millions. Je le sais, j'ai vu le testament. » (Ce qui était un mensonge.)

Mme Rabun se tordait les mains.

« Nous devrions peut-être consulter nos avocats.

— La nuit porte conseil, ajouta Ted d'une voix geignarde. Nous déciderons demain.

— Allez vous faire foutre ! gueula Sorcier en renversant sa chaise d'un coup de pied. Comme on fait son lit, on se couche. »

Il se dirigea vers la porte mais les autres coururent derrière lui et Nancy Rabun vint même frotter son bas-ventre contre sa hanche. Sorcier baissa les yeux sur l'améthyste nichée entre ses seins. Ted lui prit le bras avec fermeté.

« Maman, il faut signer, c'est notre seule chance. Je doute qu'il arrive à ses fins, mais c'est notre seule chance. »

Ils signèrent et fêtèrent ensuite leur accord au champagne. L'ami de Nancy, le propriétaire de la boîte de nuit, vint les rejoindre et leur confectionna une omelette aux truffes suivie d'une mousse d'asperges garnie d'œufs pochés. A la fin du repas, Sorcier avait encore faim lorsque le joyeux pédé produisit une boîte de conserve à double fond qui contenait cette poudre blanche dont notre héros connaissait les effets souvent contradictoires. Mais Palm Beach n'est pas un endroit propice aux impolitesses et Sorcier laissa dessiner son nom à la cocaïne sur un miroir. L'homme commença à écrire « Hock » pour Hockney.

« Non, c'est Sorcier. Écrivez Sorcier. » Puis il aspira goulûment la drogue jusqu'à la troisième lettre mais ne put aller plus loin car la poudre lui tombait du nez.

« Bravo ! » crièrent-ils avec enthousiasme. Ted ne participait pas à la fête, convaincu que la drogue est la pire ennemie du bon sens. Il embrassa sa mère et se fit appeler un taxi pour rentrer à Key West.

Ce fut une nuit mémorable. Nancy s'accrocha à Sorcier et il eut droit à une litanie complète qui se développa à travers les crises de larmes, les crises de terreur paranoïaque, les crises d'autocritique comme en font tous les cocus — les cris de « je n'étais pas assez bonne pour lui » où l'on sent une rage folle se contenir dans les coulisses de l'esprit. Peu avant l'aube, ils firent l'amour avec un entrain gris-rose propice aux projets étranges. Dans ce cas précis, il était question qu'ils se retrouvent à Londres au mois de mai.

« Pourquoi êtes-vous aussi merveilleuse ? lui demanda Sorcier d'une voix ensommeillée.

— Beaucoup de tennis, beaucoup de natation, beaucoup de massages, un peu de chirurgie esthétique et énormément de pratique. »

A vrai dire, malgré l'esprit retors et la traîtrise dont elle avait fait preuve, Sorcier rejetait inconsciemment l'idée de perdre sa femme. Vers la fin mars, elle devint aussi joyeuse qu'une poule faisane dans la lande. Il était parvenu à lui faire accepter l'idée que son état dépressif était dû aux émotions traversées en Floride lorsque des truands cubains avaient déchargé sur lui leurs mitraillettes Uzi. Seule la faculté de nager très longtemps sous l'eau lui avait permis de sauver sa peau. Lorsque Diana revenait de son travail, Sorcier était toujours tenté de mettre sa main au creux de son intimité pour y déceler des restes d'humidité suspecte. Hors l'apitoiement sur soi-même, la jalousie demeure le sentiment le plus dévastateur que puisse éprouver un être humain.

Ce fut le père de Sorcier qui déclencha les mâchoires impitoyables du piège qui se referma sur la nuque décharnée de Rabun. Sorcier partit pour Minneapolis et rencontra son père, en compagnie de sa grassouillette nouvelle épouse. A l'aéroport le fils tomba dans les bras du père avec d'autant plus d'émotion qu'il avait longuement noyé son chagrin durant l'escale à Chicago.

« Pour l'amour du ciel, foutons le camp d'ici ! Les gens vont croire que nous sommes de la jaquette. Quel est le con qui t'a fabriqué cette coupe de cheveux ? »

En fait, Diana était la seule à apprécier cette nouvelle coiffure ; elle disait que cela lui faisait un effet très particulier lorsque son mari la frottait contre sa cuisse.

« Tu imagines que je suis quelqu'un d'autre ? avait-il demandé, le cœur serré.

— Non, pas vraiment. C'est différent, tout simplement. Tout le monde a envie de choses différentes, parfois. » Par de telles déclarations, elle se condamnait encore plus qu'il n'était utile.

« Je ne te suffis pas ? » Et il enfonça sa tête sous l'oreiller dans l'espoir dérisoire de ne pas entendre la réponse.

« J'ai dit " quelque chose de différent ", crétin ! Je n'ai pas dit " quelqu'un de différent ". Avec cette coiffure, tu me fais penser au petit ami que j'avais à l'école communale.

— Est-ce que tu faisais l'amour avec lui ?

— Bien sûr que non. Nous étions tous deux méthodistes. Il avait un machin énorme et, une fois par semaine, je l'astiquais un peu mais auparavant, je l'enveloppais dans plusieurs mouchoirs en papier. » Elle eut un rire presque hystérique. Sorcier ne comprenait pas les raisons d'une telle hilarité.

Le père de Sorcier exposa son plan au-dessus d'innommables restes de côtes de porc au paprika cuisinées par Myrna. Après quelques coups de téléphone habiles, il s'avéra que les avocats de Rabun étaient presque aussi coupables que leur client. S'étant assuré que son fils pouvait assumer les frais de l'opération, le père de Sorcier appela un détective privé de Detroit, un homme réputé pour son efficacité et qui avait travaillé pour le FBI ainsi que pour les brigades fiscales. Il demandait cinq cents dollars par jour, plus les frais. Puis, le père se mit à critiquer l'équipe locale de base-ball jusqu'au moment où il vit des larmes dans les yeux de son fils.

« Que se passe-t-il ?

— Diana me trompe.

— Et alors ? Va te plaindre à ton député. Si tu as la preuve qu'elle te trompe, dis-lui simplement d'arrêter. Diana est une fille trop exceptionnelle pour qu'on la quitte.

— Tu le penses vraiment ?

— Bien sûr que je le pense. N'importe quel homme donnerait ses molaires pour le seul plaisir de lui mettre la main au panier. Quand seras-tu adulte ? Tu ne vas pas me faire croire que, durant tous tes voyages, tu ne t'envoies pas en l'air avec une dame, de temps en temps ?

— Oui, bien sûr, mais Diana ne le sait pas.

— Myrna, Myrna ! » Myrna sortit de la salle de bains en robe de chambre de satin rose. « Myrna, écoute les âneries que me débite ce petit connard que j'ai élevé. » Myrna haussa les épaules et retourna dans la salle de bains. Le père de Sorcier se versa un verre de schnaps et but une longue gorgée. « Y a plus de footballeur valable dans le coin. Ils feraient mieux de se taper la colonne en chantant Ramona. »

Une semaine plus tard, en mai, Sorcier était installé à la terrasse d'une taverne située au bord du lac Leelanau. Il se remémorait tristement un incident survenu en janvier ; il avait lancé une grosse boule de neige vers un geai qui empêchait les moineaux d'approcher d'une petite mangeoire qui leur était réservée. La boule de neige était dure et compacte ; elle expédia directement le geai au paradis des oiseaux. Et Sorcier s'en voulait terriblement.

Quelqu'un lui tapa sur l'épaule et il se retourna en pensant que c'était un ami. Il vit un mécanicien en salopette crasseuse qui essuyait ses mains sales dans un chiffon huileux. L'homme dégageait une forte odeur d'essence.

« C'est moi, Schmidt ! Tout est prêt. Il semblerait que Feingold ne soit pas mêlé à l'affaire. C'est un de ses associés qui a monté les coups avec Rabun. J'ai imaginé un bon prétexte pour le faire venir ici quand vous voudrez. Lorsqu'on leur mettra le nez dans le caca, lui et Rabun seront à plat ventre et se plieront à toutes nos conditions. Ils sont trop vieux l'un et l'autre pour accepter d'aller en taule. Vous me devez neuf mille dollars avec les frais.

— Vous voulez ça en liquide ? demanda Sorcier, encore interloqué.

— Évidemment que je veux ça en liquide. Et en billets de vingt dollars, pas plus.

— Dites donc, vous m'avez drôlement couillonné avec votre déguisement, dit Sorcier sur un ton admiratif.

— Je parviens à couillonner tout le monde. Même moi. Ainsi, en ce moment, sous ce déguisement, je suis certain que je pourrais effectivement réparer une voiture. »

Sorcier fut saisi d'une impulsion subite. Cette histoire durait depuis trop longtemps.

« On démarre l'opération demain.

— D'accord. Ça vous coûtera encore quelques milliers de dollars pour que ce soit vraiment superbe. Et pendant que j'y suis, il y a une chose que j'hésitais à vous dire mais... enfin voilà : j'ai mis le téléphone de Rabun sur écoute et je sais qu'il déjeune avec votre femme, demain, sur son bateau. Je suis désolé.

— Merci du renseignement. » Dieu, que les cornes du cocu sont donc lourdes à porter !

44

L'ennui est moins pénible que le froid. Il était midi passé et un vent de nord-ouest balayait la pointe de West Bay. L'eau de la marina frissonnait sous un léger clapotis, mais au-delà du brise-lames, les vagues atteignaient des creux de deux à trois mètres et déferlaient dans des bouillonnements glauques. Le temps aurait dû être printanier, comme le commandait la saison, si le vent n'était pas venu des confins glacés du Manitoba, rugissant au-dessus du lac Supérieur, troublant les étangs, courbant les grands pins de la haute péninsule, puis traversant le lac Michigan pour venir se jeter dans la baie de Traverse City.

Sorcier était appuyé contre un poteau, près du transformateur. Il observait la marina et le fanion de tempête de la capitainerie à travers ses jumelles, des Leitz Trinovid que les parents de Diana avaient offertes à leur fille à Noël, pour observer les oiseaux. C'était un cadeau de prix et Sorcier le protégeait de la pluie qui commençait à tomber, sans se douter du caractère dérisoire de ces précautions. Il glissa les jumelles sous son trench-coat et sortit une flasque de whisky dont il but une gorgée pour combattre le mauvais temps. Il frappa des pieds dans la boue pour se réchauffer et pensa que la Floride, malgré une population débordante d'obsédés sexuels, était un endroit au climat nettement plus agréable pour mener une enquête. Il observa le ketch

Hinckley de cinquante-trois pieds qui tirait sur ses amarres. Sorcier n'aurait jamais su qu'il s'agissait d'un Hinckley si un employé de la marina ne l'avait pas renseigné, une heure plus tôt. Le bateau faisait partie de la collection de jouets coûteux que s'offrait volontiers le bon docteur. Il fallait connaître la marque du bateau ; durant les dix derniers mois, Sorcier ne s'était pas suffisamment attaché aux détails et cela ne lui avait pas porté chance. Ainsi, il aurait volontiers parié un mois de salaire que Schmidt était effectivement un mécanicien très ordinaire.

O Diana, ô Diana, ô ma ravissante Didi ! Comment as-tu pu me trahir de la sorte ? Les larmes étaient sur le point de jaillir mais elles furent refoulées par un roulement de tambour au fond de l'estomac. C'est idiot de ne pas avoir emporté un sandwich. Il demeurait un reste de gigot à l'ail et aux poivrons qu'il avait amoureusement mitonné la veille en se demandant si ce dîner avec Diana serait le dernier. Elle était arrivée avec un cadeau, la nouvelle édition d'un livre qui avait charmé l'enfance de Sorcier et qu'elle lui offrait avec l'espoir que ce texte qui suscitait tant de souvenirs lui permettrait de sortir un instant de son état dépressif. Après le dîner, il s'allongea sur le canapé et posa sa tête sur la cuisse de sa femme tandis qu'elle lui lisait ses passages favoris. Il eut de grands éclats de rire. Il se dit que les êtres trahis ne sont pas obligés de toujours se conduire en êtres trahis.

Il avait froid aux pieds et il se mit à sautiller pour rétablir la circulation. Au loin, sur la baie, la pluie s'annonçait sous la forme d'un gros nuage menaçant, un énorme cumulus noir aussi nettement formé qu'un dirigeable. Sous le nuage, la pluie tombait à flots. Sorcier examina cela avec un œil d'artiste et décida que les couleurs étaient un peu trop complaisantes. Le soleil luisant à travers l'averse noyait l'île Marion d'une lumière tantôt argentée et tantôt jaune.

O Diana, ô chienne en chaleur, salope infidèle. Il la revoyait telle qu'il l'avait découverte en soulevant le couvercle d'une petite marmite de cassoulet, lors d'un déjeuner, à New York. La faim est-elle une séquelle de la haine ? Il souleva ce couvercle et au lieu de découvrir un paysage de saucisses, d'oie et de haricots il vit Diana dans des bras étrangers. A présent, le visage de sa femme se dessinait contre le nuage noir. Il suivit le cumulus à la jumelle jusqu'à ce qu'il arrive au-dessus de lui et le noie sous des trombes d'eau. Il courut vers sa voiture, le fusil qu'il portait sous son Burberry lui cognait douloureusement la hanche. La pièce de soutien du canon tomba dans la boue. Il se pencha pour la ramasser mais eut un étourdissement et tomba à genoux, une main désespérément tendue vers la portière de la voiture. Son malaise passa aussitôt et il se releva en secouant son autre main pour rejeter une capsule de bière qui s'y était collée. Dans la voiture, il murmura une prière destinée au dieu du meurtre en nettoyant son fusil. C'était un Fox-Sterlingworth de calibre 20. Il le démonta et le remonta en écoutant le claquement rassurant des pièces qui s'enclenchaient l'une dans l'autre. Sorcier se disait que Rabun et Diana ne quitteraient pas le bateau durant l'averse. Le parking était trop éloigné du ponton. O Diana, ramène-moi au royaume des Crapauds pour que j'y sois en compagnie des miens. Ne t'ai-je pas déshabillée, la nuit dernière. Je pleurais des larmes de rire au lieu de pleurer des larmes de larmes. Et je t'ai prise avec passion sans me demander si ton tendre nid avait accueilli un intrus avant moi. Le chauffage de la vieille Subaru mettait un certain temps à devenir efficace. Il faudrait que j'en fasse la remarque au fabricant. Je vais lui envoyer une lettre, au Japon. Il mit les essuie-glaces en marche et reprit ses jumelles pour observer le bateau à travers le pare-brise.

Soudain, à travers le ballet métronomique des essuie-glaces, il vit émerger la tête de Rabun. Puis il vit celle de Diana. D'un bond, il sortit de la voiture et courut vers le bateau en se courbant sous la pluie, comme un commando de marines sous la mitraille. Les canons de son fusil de chasse pointaient à l'arrière du trench-coat comme les deux orifices d'un pot d'échappement meurtrier. Sorcier arriva devant la passerelle au moment où ils s'apprêtaient à descendre, abrités sous deux parapluies.

« La comédie est terminée ! » hurla-t-il faute d'avoir préparé une entrée en matière plus originale.

Rabun et Diana le découvrirent avec la bouche arrondie de stupéfaction, leur regard volant alternativement de son visage au fusil.

« Johnny, nous étions simplement en train de déjeuner, protesta Diana d'une voix qui se voulait murmurante mais qui s'entendait clairement malgré le fracas de la pluie et du vent.

— Et je parie qu'il y avait de la saucisse au menu, bougre de salope ! » Il trouvait que sa voix se cassait.

« Dites donc, vous ! J'ai un rendez-vous très important avec mes avocats. » Rabun ne perdait rien des intonations fascistes qu'il conserverait certainement jusqu'à la fin de ses jours.

« Oh, oui ! vous avez rendez-vous, espèce de branleur de chèvre. Votre rendez-vous est pointé sur votre estomac, salopard de maniaque. Vous avez osé toucher à ma femme ! Vous avez rendez-vous avec la mort. Je vais vous transformer en mortadelle. A genoux et tournez-vous. Tournez-vous et à genoux.

— Johnny, je t'en prie, je peux tout expliquer. » Le sourire de Diana pâlissait visiblement.

« Tourne-toi, sinon je lui fais sauter la gueule, à ce vieux tas de merde. »

Il leva son fusil et ils s'agenouillèrent maladroitement dans une collision de parapluies. C'est alors que Sorcier réalisa que la scène devenait ridicule et assez banale ; il tira ses deux cartouches dans l'eau, y jeta également le fusil et partit vers sa voiture en courant.

Il roula jusque chez lui comme poursuivi par les démons, les chiens de l'enfer ou la police. Il faisait trop mauvais pour qu'un agent se risque à l'air libre et l'arrête pour excès de vitesse. Quant au gardien de la marina, pelotonné dans sa cabane, il prit les deux détonations pour des coups de tonnerre, si bien que l'incident passa totalement inaperçu. Sorcier dévala à toute vitesse les petites routes cantonales jonchées de branches cassées et de pâles feuillages de mai arrachés par le vent. Il arriva chez lui, courut dans la maison et se jeta tout habillé sur le lit. Tiré en sursaut de sa sieste, Hudley le poursuivit en aboyant. Sorcier écrasa l'oreiller favori contre son visage, étouffant de longs gémissements. Puis, durant quelques instants, il suça son pouce pour la première fois depuis trente ans. Il pensait s'être débarrassé de cette manie gênante lors de son dernier camp de scout.

Oh, mon Dieu ! je suis allé trop loin. Diana sera folle de rage. Le téléphone sonna et il bondit du lit pour le décrocher en espérant que ce serait elle. Ce n'était que Schmidt.

« Qu'est-ce que vous foutez, nom de Dieu ? Tout le monde est là et Rabun vient d'arriver en gueulant qu'un de ses employés lui a tiré dessus. C'était vous ?

— J'en sais rien. Peut-être. » Au milieu de toute cette agitation, Sorcier avait oublié le rendez-vous. « Commencez sans moi. J'arrive tout de suite. »

Lorsqu'il arriva effectivement sur les lieux, la discussion avait pris un tour définitif et relativement paisible. Feingold était présent. Bien qu'innocent, son visage reflétait une grande tristesse. Schmidt était accompagné de trois comparses vêtus avec élégance et qui se faisaient passer, respectivement, pour un avocat de Floride, un directeur des contributions et un inspecteur de la police d'État. Bob Arrowsmith, l'avocat complice, était écarlate et écumait devant Schmidt dont il avait fréquemment utilisé les services.

« Je vous détruirai ! crachait-il.

— Figurez-vous que je m'en fous complètement. Signez les papiers, sinon vous irez en taule. Ce n'est pas la peine de s'énerver. Personne n'a besoin de passer en jugement. Personne n'a besoin d'être au courant. Vous signez les papiers et des gens déjà très riches vont récupérer un gros paquet d'argent qu'ils ne se sont même pas donné la peine de gagner. »

Arrowsmith signa une confession complète tandis que Rabun paraphait les actes de cession avec l'air de se désintéresser complètement de cette affaire. Feingold lui assura que son train de vie et ses recherches ne souffriraient aucunement de cette grosse ponction. Rabun signa tout puis se tourna vers Sorcier.

« Je vous chasse, murmura-t-il.

— Sans blague, Toto ! Figurez-vous qu'à cette minute même, la police de Traverse City est en train de découvrir quinze grammes de cocaïne dans la boîte à gants de votre voiture. Si vous sortez de prison, un jour, ce sera avec les pieds devant. » Et Sorcier leva le bras en direction de la fenêtre. Tous se précipitèrent pour voir. « Je blaguais », dit-il, et il reçut en réponse des regards qui semblaient lui reprocher d'avoir amoindri la solennité de la réunion.

Comme il n'avait pas d'autre endroit où se rendre, il retourna chez lui mais il s'arrêta en chemin pour acheter une pizza. Diana avait une passion presque infantile pour les pizzas. Sorcier prétendait qu'il n'aimait ce plat qu'à condition qu'il soit confectionné à la maison. Grâce à quoi, il s'échinait durant des après-midi entiers et ne parvenait à produire que de faibles imitations. En tout cas, il comptait sur la pizza pour apaiser l'inévitable courroux de sa femme. C'est un procédé très ancien et il est rare qu'il ne fasse pas son effet.

45

Leur union ne retrouva pas tout de suite les charmes d'autrefois, mais avait-elle jamais été charmante ? Sorcier refusait d'admettre que Rabun ne lui avait offert ce travail que dans le but de l'éloigner et de favoriser l'adultère.

L'après-midi de Diana était vraiment maudite car ses ennuis ne s'arrêtèrent pas aux manifestations paranoïaques de son mari. (Même en admettant que les soupçons de Sorcier soient fondés, était-il admissible de décharger un fusil sous le coup de la colère ? Ne fallait-il pas plutôt réserver son jugement jusqu'à ce qu'il soit confronté à l'évidence absolue d'un couple en pleine action ? Faut-il être cinglé pour s'éloigner très vite d'un nain lorsqu'il se rue vers vous avec une grande épée ? Faut-il quitter un bar sous prétexte qu'un bûcheron un peu tordu vient de démarrer sa tronçonneuse ou faut-il demeurer sur place et attendre qu'un arbre se mette à pousser miraculeusement au milieu de la salle ?) La tempête ayant cassé de grosses branches, deux péquenots avaient eu des crises cardiaques en essayant de réparer les dégâts avant la fin de la tourmente. Diana avait dû se rendre à l'hôpital et, une fois de plus, Sorcier l'imaginait à califourchon sur des poitrines hirsutes, massant les cœurs de ses paumes pour ramener ses malades au royaume des tronçonneuses, du chômage, des enfants sales et des jardins minables disparaissant sous des carcasses de vieilles voitures... pour les ramener à la vie, quoi !

« Quel âge avaient-ils ? » demanda Sorcier en posant la pizza sur le buffet afin que Diana ne manque pas de la remarquer. Elle était occupée à bourrer ses valises en hâte, mais sans perdre de son efficacité habituelle.

« Ils avaient à peu près ton âge. Des hommes trop gras, trop violents, probablement paranoïaques, alcooliques, tueurs d'oiseaux, de poissons et de cerfs. »

Il s'inquiétait de la nervosité de Diana.

— Tu vas quelque part ? » Elle répondit à cette question par une violente gifle. Sorcier fit semblant de ne pas l'avoir reçue. « J'espère que tu ne t'en vas pas pour trop longtemps.

— Tu consultes un psychiatre dès demain, sinon je ne te verrai plus jamais de ma vie. » Elle lui hurlait littéralement au visage.

« J'irai trente-trois fois chez le psychiatre à condition que tu acceptes seulement de lire le dossier de Rabun. Figure-toi que c'est grâce à moi que ton amant quasi cacochyme ne dort pas en prison, ce soir. »

Elle lut le dossier et pleura. Elle pleura longtemps et beaucoup, refusant de se laisser consoler. Sorcier en était dérouté et arpentait la maison avec une grosse boule dans la gorge. Il alla prendre un cachet de Valium dans la pharmacie, prépara un pichet de Margaritas et un joint de marijuana *sin semilla* que Feingold lui avait glissé dans la poche avant de le quitter. Il s'assit en face d'elle à la table et se mit à fredonner l'air du *Train sifflera trois fois* : « Si toi aussi tu m'abandonnes... » Elle avança des doigts tremblants vers le Valium, puis vers les Margaritas et, enfin, elle alluma le joint et tira une longue bouffée en fixant son mari avec des yeux rouges.

« Pourquoi est-ce que tu n'as rien dit lorsque tu es revenu de Floride, en décembre ? Tu m'as laissée être le jouet d'un maniaque.

— Je ne savais pas quoi faire. J'ai eu des problèmes et je n'en suis pas exactement sorti à mon avantage. Je n'avais plus tellement confiance en moi et je craignais de te perdre pour de bon.

— Johnny, mon chéri... ce n'était pas tout à fait ce que tu crois. Nous en parlerons, plus tard. La tête me tourne. »

Tous deux eurent le vertige, cette nuit-là. Mais ils s'efforcèrent de ne pas toucher aux plaies ouvertes. Ils savaient que la nature déteste les affrontements directs. Sorcier avait tant d'amour pour sa femme qu'il lui raconta l'épisode vécu avec Laura Fardel dans l'espoir de lui rendre le sourire. Diana s'écroula de rire contre le mur de la cuisine.

« Oh! mon pauvre chéri. Comment peut-on être aussi naïf?

— En matière de naïveté, il me semble que tu te défends également très bien. Est-ce que tu étais chargée de tester le Dauphin, de un à sept? Je parie que c'était ça. » Sorcier faisait allusion aux prothèses inventées par Rabun et que le bon docteur se proposait de mettre dans le commerce sous le nom de Dauphins.

« Eh bien, puisque tu veux tout savoir... » Elle se mit à rougir délicieusement. « Je suis certaine que tu ne cesseras jamais de me harceler avec cette histoire. Je n'oublie pas que tu as promis d'aller trente-trois fois chez le psychiatre. J'avais beaucoup de respect et d'admiration pour Rabun. Il lui fallait absolument tester les appareils avant de les commercialiser. Alors j'ai accepté. J'imagine que tu ne désires pas que j'entre dans le détail.

— J'aime mieux pas. » Il devenait à demi fou à force d'imaginer sa bien-aimée dans les étriers de la table gynécologique. « Il n'a jamais rien fait lui-même?

— Peut-être une fois. Il m'a fait prendre une drogue tandis que nous étions dans le salon. Lorsque je me suis réveillée, je n'avais plus de vêtements.

— Où était-il quand tu t'es réveillée?

— Dans la cuisine, en train de préparer le dîner.

Johnny, il faut arrêter d'en parler. Ça ne veut rien dire. C'est absurde. »

Il refréna sa curiosité mais résista avec peine à l'envie de demander ce que Rabun avait cuisiné ce soir-là. La question convenait mal à la situation. Il se leva pour faire réchauffer la pizza dans le four.

« Parfois je me dis que nous autres, du Midwest, nous ne sommes pas assez méfiants. Nous sommes trop altruistes, trop confiants. Ce n'est pas que nous soyons bêtes...

— Les cassettes ! dit-elle en prenant un visage inquiet. Il a filmé les expériences en vidéo pour noter les réactions. Mais il me faisait porter un masque noir. On ne pourrait pas me reconnaître. » Elle se laissa retomber contre le dossier de sa chaise avec soulagement. « Il m'a offert une série complète de ces jouets dans une boîte en cuir. Il a fait graver mes initiales à la feuille d'or sur le couvercle. Je pense qu'il faut les brûler.

— Ce serait bête de brûler des engins aussi coûteux. »

Il monta la température du four, impatient de manger la pizza. Il faudra repartir à l'assaut de Rabun pour récupérer ces cassettes vidéo. Le bon docteur ne reculerait certainement pas devant une possibilité de chantage. Tel qu'il connaissait son ancien patron, Sorcier était sûr que la qualité de l'enregistrement devait être irréprochable. Même avec le masque, il n'avait aucune envie que sa femme apparaisse sous forme de documentaire dans les cinémas pornos avec un de ces titres bizarres, *La Femme de science*, ou quelque chose du même genre. Il était appuyé contre la cuisinière, perdu dans ses pensées. Soudain, il remarqua que la chaleur dégagée par le four exerçait une influence très précise sur son sexe. Il échangea un grand sourire silencieux avec Diana.

Diana traversa une sorte de dépression durant le reste de mai et la majeure partie de juin, un état dont

Sorcier lui-même ressentait les effets de manière poignante, sachant qu'il en était partiellement responsable. Elle ne parvenait pas à se défaire de l'idée qu'elle avait démérité et perdu toute respectabilité en se laissant ainsi duper par Rabun : depuis sa prime enfance, ses héros se nommaient Mme Curie, Einstein, Schweitzer, Bohr, Oppenheimer, et leurs biographies étaient sans mystère pour Diana. De même, alors que Sorcier ne faisait pas l'effort de feuilleter les journaux scientifiques qu'elle recevait, elle se plongeait dans la prose techniquement inspirée de Pauling, Debakey et Shumway. Elle était maintenant persuadée que son respect pour la chose scientifique ne lui avait apporté que honte et déshonneur et qu'elle n'était plus digne de fréquenter de si beaux esprits. Sorcier essayait de lui venir en aide.

« Il faut voir les choses autrement : si ça s'était passé dans le monde des arts, tu aurais pu tomber sur le grand Gauguin, ou sur Picasso.

— Mais Rabun n'est ni Gauguin ni Picasso. Il est à la science ce que *Playboy* est au journalisme. » Pour la féministe qu'était Diana, ce magazine incarnait tous les vices critiquables.

Considérant que l'état de sa femme était loin d'être parfait, Sorcier fut légèrement irrité lorsqu'elle insista pour qu'il tienne sa promesse de consulter un psychiatre. Cela lui coûta mille six cent cinquante dollars d'honoraires et lui permit de connaître de nouvelles recettes de cuisine, d'échanger des souvenirs de voyage, d'apprendre qu'il existait en lui des côtés parfaitement infantiles et de recevoir enfin le conseil d'envoyer sa femme en faculté de médecine plutôt que de continuer à lui casser les pieds avec des idées de maternité. Sorcier se demanda si le psychiatre était en rapport avec Diana. La pauvre venait de subir l'humiliation de n'obtenir que la deuxième place dans le concours de la bourse médicale. La gagnante était une Portoricaine du comté de Washtenaw. Quoi qu'il en soit, le psychiatre avait également une théorie intéressante sur les liens qui existent entre l'orgasme et les pertes de mémoire passagères. Il prétendait que ce n'était pas trop grave puisque la plupart des gens possèdent une mémoire très approximative. Sans même envisager de l'avouer un jour à Diana, Sorcier devait reconnaître que ses trente-trois séances de psychothérapie lui avaient fait un certain bien. Le psychiatre se faisait moins d'illusions ; pour lui, Sorcier représentait un cas désespéré mais relativement inoffensif.

Il fêta le premier anniversaire de son rêve d'avenir sans le savoir. Diana et lui partirent pour une longue marche le long de la rivière Manistee. Il insistait pour que sa femme l'accompagne dans ces randonnées durant ses jours de congé. Il prétendait qu'il avait besoin de sa présence pour en apprendre plus sur les oiseaux, les arbres et les fleurs. En fait, il souhaitait seulement la remettre sur pied. Rien de ce qu'il découvrait dans la nature ne ressemblait à ce qu'il voyait dans les livres. Pour Diana, c'était exactement l'inverse et Sorcier ne pouvait s'empêcher de penser que sa femme en rajoutait peut-être un peu. A défaut d'être très instructives, ces longues marches avaient le mérite d'ouvrir l'appétit.

Un matin, ils étaient assis l'un en face de l'autre sur des souches d'arbres et partageaient le contenu de la vieille gourde que Sorcier avait conservée de ses années de scoutisme. Il l'avait remplie de chablis mais le vin prenait un goût métallique assez déplaisant.

« Il faut que tu ailles en faculté.

— C'est le psy qui t'a dit cela ?

— Absolument pas. C'est mon idée et j'y tiens. Je viendrais te voir durant les week-ends. N'oublie pas que je suis riche comme Crésus. » D'ailleurs, qui diable était Crésus ? Nancy et Ted Rabun honoraient scrupuleusement leurs engagements et Feingold, étrangement, continuait de verser le salaire prévu par le bon docteur sous prétexte que personne ne lui avait ordonné de suspendre les paiements. « Promets-moi que tu reprendras tes études de médecine, sinon je t'abandonne ici, en pleine nature sauvage.

280

— Je te le promets. Ce serait lâche de ma part de ne pas essayer. »

Ils se penchèrent l'un vers l'autre pour s'embrasser tendrement. Le matin même, Schmidt avait téléphoné à Sorcier pour lui demander de retrouver la trace d'une gosse de riche tombée sous l'influence de la secte Moon. Sorcier répondit qu'il n'accepterait désormais que les missions d'intérêt majeur. Est-ce que la jeune mooniste était jolie ? La nuque de Diana devenait moite de sueur. Par-dessus son épaule, il vit bouger quelque chose dans les buissons, mais ce n'était que Hudley. Sorcier se dit que les promenades en forêt seraient bien plus intéressantes si elles devenaient des parcours mythologiques au cours desquels on rencontrerait Merlin l'Enchanteur ou le dieu Pan.

Sorcier et Diana firent l'amour au pied de leurs souches sans se soucier des aboiements exaspérés de Hudley. Vers la fin de leurs ébats, il tomba quelques gouttes de pluie et Sorcier en déduisit que la nature est souvent complice des désirs de l'homme. Ils s'affrontèrent brièvement lorsqu'il fut question de se souvenir de quel côté ils avaient laissé la voiture. Ne parvenant pas à se mettre d'accord, ils partirent dans des directions opposées en décidant que le premier arrivé signalerait le chemin à l'autre à coups d'avertisseur. Hudley, le traître, choisit de partir dans la même direction que Diana afin de la protéger de la foudre et des éléments déchaînés.

Sorcier courait dans la forêt et se sentait léger ; ses jambes étaient des ressorts d'acier. Les cerfs le regardaient sans doute avec envie. Ou peut-être ne le regardaient-ils pas du tout. Il arriva en bordure d'un grand marécage noir et leva les yeux pour admirer un merveilleux spectacle de lumière à travers le feuillage des arbres. Il y eut un dernier coup de tonnerre dans le lointain qui se mêla au chant inconnu d'un oiseau. Était-ce la flûte du dieu Pan ou le son d'un avertisseur ?

Sorcier entra dans le marécage sans savoir pourquoi. Il s'arrêta pour apaiser les battements de son cœur et reprendre son souffle. Puis l'appel de l'avertisseur se fit entendre une nouvelle fois, clair et prolongé. Il n'avait aucune raison de douter et ainsi donc, il fit demi-tour et revint sur ses pas.

ACHEVÉ D'IMPRIMER SUR LES PRESSES
DE COX & WYMAN LTD. (ANGLETERRE)

N° d'édition : 1894
Dépôt légal : janvier 1989